D1233769

BASTEI
LÜBBE
TASCHENBUCH

Weitere Titel der Autorin:

Engelsgrube
Blaues Gift
Grablichter
Tödliche Mitgift
Ostseeblut
Düsterbruch
Ostseefluch
Ostseesühne
Ostseefeuer

Titel auch als Hörbuch und E-Book erhältlich

Eva Almstädt

Kalter Grund

Pia Korittkis erster Fall

Ostseekrimi

BASTEI
LÜBBE
TASCHENBUCH

BASTEI LÜBBE TASCHENBUCH
Band 27114

Dieser Titel ist auch als Hörbuch und E-Book erschienen

Sie finden uns im Internet unter www.luebbe.de
Bitte beachten Sie auch: www.lesejury.de

1. KAPITEL

Über Nacht waren die Temperaturen in Ostholstein unter den Gefrierpunkt gesunken. Als Bettina Rohwer am frühen Morgen vor ihre Haustür trat, empfing sie der kalte Ostwind, der ungehindert über die weite Landschaft und um das einsame Haus herum heulte. Es war noch stockfinster.

Im Schein der Außenlaterne ging sie zu ihrem Auto hinüber und begann, die Frontscheibe Stück für Stück von der festsitzenden Eisschicht zu befreien. Der Wind zerrte an ihren krausen Haaren und dem offenen Parka, den sie sich gleichgültig übergeworfen hatte. Sie fühlte, wie die Kälte tief in ihren Körper drang, aber sie wehrte sich nicht dagegen.

Die Kratzerei war mühsamer, als sie gedacht hatte, und durch die Kälte fühlten sich ihre Finger in Sekundenschnelle taub und kraftlos an. Sie würden zu spät zum Schulbus kommen. Bettina Rohwer fuhr ihre beiden Kinder in diesem Winter wieder regelmäßig zur nächstgelegenen Bushaltestelle im Dorf. Während sie noch verbissen kratzte, hörte sie plötzlich ein rumpelndes Geräusch, das immer lauter wurde. Zunächst vermutete sie, dass der Milchlaster gleich an ihr vorbeidonnern würde. Der Feldweg, an dem sie wohnte, führte nur noch zu dem Hof ›Grund‹ der Familie Bennecke. Die hielten dort, soweit Bettina informiert war, so an die 80 Milchkühe. Trotz der Dunkelheit bemerkte sie recht schnell, dass sie sich geirrt hatte. Der Lastwagen hinterließ einen ekelhaft süßlichen Gestank nach Tod und Verwesung. Es musste der Wagen des Abdeckers sein.

Er war in diesem Winter schon so oft bei ihnen vorbeigefahren, dass Bettina sich allmählich fragte, wie es in den Ställen der Benneckes wohl zugehen mochte. Ihre düsteren Vorstellungen lenkten sie eine Weile von ihrer monotonen Tätigkeit ab. Als sie fast fertig war, hörte sie das Rumpeln in der Ferne erneut. Verwundert hielt sie inne ... Wieso kam der Abdecker schon so schnell wieder zurück? Zu ihrem Erstaunen vernahm sie nun jedoch das Quietschen von Bremsen. Der Lastwagen kam vor ihrem Haus zum Stehen. Die Scheinwerfer des Wagens wurden abgeblendet und eine korpulente Gestalt hievte sich aus der Fahrerkabine. Der Mann stöhnte leise. Er sah zu dem erleuchteten Rechteck des Küchenfensters hinüber, hinter dem jetzt wahrscheinlich ihre beiden Kinder neugierig in die Dunkelheit starrten. Dann erst entdeckte er sie.

Der Gestank, der sich wellenartig vom Laster her ausbreitete, machte Bettina wütend. Ebenso die auf sie zutorkelnde Gestalt, die um diese Uhrzeit schon betrunken zu sein schien. Instinktiv wich Bettina einen Schritt zurück und stieß dabei mit dem Rücken gegen den Seitenspiegel ihres Autos.

»Hallo! Ich brauche Hilfe! Ist hier jemand?«

»Was ist denn? Warum halten Sie hier?«

Seiner Stimme nach zu urteilen, war der Mann doch nicht betrunken. Er schien vor irgendetwas Angst zu haben.

»Die Benneckes ...«, stieß er hervor, »ich war eben auf ihrem Hof, weil Rainer Bennecke mich gestern Abend noch zu sich bestellt hatte ...« Er atmete geräuschvoll, fast hörte es sich so an, als heulte er.

»Ja und? Was ist mit Ihnen?«, fragte Bettina gereizt. Sie fühlte einen Widerwillen diesem Mann gegenüber, den sie selbst nicht ganz verstand.

Der ungebetene Besucher schien sich kaum auf den Beinen halten zu können. Er stützte sich an einer Mülltonne ab und stammelte: »Sie sind alle tot! Alle drei Benneckes. Sie liegen auf dem Hofplatz herum und ich ... ich wäre beinahe über sie gefahren!«

»Sind Sie ganz sicher? Da kann doch Gott weiß was herumliegen. Haben Sie genau nachgesehen?« Eine verendete Kuh kam Bettina Rohwer in den Sinn.

»Ich habe nachgesehen. Wenn ich sage, sie sind tot, dann sind sie es auch! Was glauben Sie denn? Ich ... ich habe ihren Arm überrollt!«

»Was für einen Arm?«

»Na, den von Frau Bennecke. Ich glaube, sie sind alle erschossen worden!«

Dem Abdecker schienen die Knie weich zu werden. Bettina sah sich genötigt, seinen Ellenbogen zu nehmen und ihn zu der verwitterten Holzbank zu führen, die an der Hauswand stand.

»Ich werde die Polizei anrufen«, sagte sie. Angesichts der Fassungslosigkeit des Mannes fühlte sie sich ruhig und überlegen. »Wie heißen Sie eigentlich?«

»Tramm. Ich heiße Holger Tramm. Beeilen Sie sich ...«

Sie ging ins Haus zum Telefon und wählte 110.

Nachdem sie die Polizei informiert hatte, war es endgültig zu spät, um die Kinder noch rechtzeitig zum Schulbus zu bringen. Der nächste Bus fuhr erst um kurz nach acht Uhr. Bettina Rohwer schickte ihre beiden Kinder, Sina und Torge, mit einer kurzen Erklärung hoch in ihre Zimmer. Sie würde ihnen eine Entschuldigung für die erste Stunde schreiben müssen. Ob ein Mord in direkter Nachbarschaft als Begründung herhalten konnte? Die Vorstellung erheiterte sie. Ein ungewohntes Lächeln umspielte ihre Mundwinkel. Im nächsten Moment stutzte sie. Was war denn los mit ihr? Entwickelte sie sich zu einem Monstrum? Seit Wochen hatte sie nichts mehr komisch gefunden, und nun das? Es musste an diesen Tabletten liegen, die sie in einem fort nahm. Stimmungsaufheller, Beruhigungsmittel oder Schlaftabletten, je nachdem. Bettina Rohwer war überzeugt davon, dass ihr das ganze Zeug sowieso nicht half. Darauf verzichten wollte sie in ihrer derzeitigen Situation aber auch nicht.

Sie ging noch einmal nach draußen, um dem Abdecker von ihrem Anruf bei der Polizei zu berichten. Dann kehrte sie in ihre Küche zurück, froh darüber, dass der große Mann wie erstarrt auf der Bank draußen sitzen geblieben war. Sie wollte ihm beim Warten auf die Polizei nicht Gesellschaft leisten, weder draußen in der Kälte noch in der Geborgenheit ihrer Küche.

Sie ließ heißes Wasser ins Spülbecken rauschen und sammelte die Holzbretter und Becher vom Frühstückstisch zusammen. Die einfache Arbeit beschäftigte nur ihre Hände, ihre Gedanken wanderten weiter. An der Spüle stehend, fiel ihr Blick durch das Fenster hinaus in den Garten. Die Büsche und Bäume nahmen im ersten Tageslicht langsam Konturen an. Weit hinter ihrem Garten und dem angrenzenden Acker schimmerte durch einen Baumgürtel der Grevendorfer See. Das Wasser erschien bleigrau und kalt – eiskalt. Unweit des Sees lag der Hof ›Grund‹, dessen Bewohner alle tot waren. Und kalt. Ob so der Tod war? Kalt und schwarz, wie die Tiefen des Grevendorfer Sees? Oder wie das dunkle Grab, in das sie den kleinen, weißen Sarg ihrer Tochter Elise versenkt hatten?

Pia Korittki stand am Fenster ihres Büros und trommelte nervös mit den Fingerspitzen gegen die kalte Scheibe. Sie befand sich im 7. Stockwerk des Polizeihochhauses. Zu ihren Füßen lagen der Trave-Kanal und weiter dahinter die Altstadt Lübecks, halb verborgen von einem Schleier dichter, nasser Schneeflocken, die unablässig gegen das Glas klatschten.

Sie waren sicher schon alle in Kürschners Büro, ihre neuen

Kollegen von der Mordkommission. Ein weiterer Aufschub der bevorstehenden Zusammenkunft würde ihr nichts als zusätzliche Unannehmlichkeiten bringen. Ihre Lage war sowieso schon deprimierend genug. Pia riss sich von dem hypnotisierenden Anblick der wirbelnden Schneeflocken los und machte sich auf den Weg zu dem Büro am anderen Ende des Flures. Ihr Kollege, Kriminalhauptkommissar Wilfried Kürschner, hatte zu einer kleinen Feier anlässlich seines 55. Geburtstages geladen. Er hatte den Sektumtrunk in Anschluss an die Frühbesprechung gelegt, weil dann die meisten von ihnen noch im Hause waren.

Kriminalkommissarin Korittki betrat Kürschners Büro mit gleichmütiger Miene. Nur ein paar der anwesenden Männer registrierten ihr Eintreten überhaupt. Kürschner teilte sich den Raum mit seinem Kollegen Heinz Broders. Das Büro mit der breiten Fensterfront wirkte viel dunkler als sonst, weil die Menschenansammlung das hereindringende Tageslicht abschirmte. Es roch nach Kaffee, Zigarettenrauch und süßen Gebäckstücken.

Pia Korittki gehörte seit nunmehr elf Wochen zur Mordkommission der Bezirkskriminalinspektion Lübeck. Anfangs war sie zuversichtlich gewesen, früher oder später in der neuen Abteilung akzeptiert zu werden. Die Wochen waren jedoch vergangen, ohne dass sich an ihrem Status des »Geduldetwerdens« etwas gebessert hätte. Inzwischen dachte Pia mit einem Anflug von Galgenhumor, dass es leichter wäre, Aufnahme in der Fußballnationalelf zu finden, als in diesem Kommissariat akzeptiert zu werden. Erschwerend kam hinzu, dass die neuen Kollegen sich auch untereinander nicht sonderlich gut verstanden. Sie schienen in zwei Lager gespalten zu sein. Egal was Pia sagte oder tat, sie brachte immer mindestens eine der Fraktionen gegen sich auf.

Es kursierten zudem Gerüchte, Pia Korittki habe einem äußerst beliebten Kollegen, der sich ebenfalls beworben hatte, diesen Job vor der Nase weggeschnappt. Ihre bisherigen Leistungen im Polizeidienst waren überdurchschnittlich gut. Trotzdem unterstellte man ihr, sie hätte ihr Ziel nur über Beziehungen erreicht. Unglücklicherweise war bekannt geworden, dass ihr langjähriger Freund Robert Voss einen einflussreichen Posten bei der Hamburger Kripo innehatte. Niemand interessierte sich dafür, dass Robert sich sogar deutlich gegen ihre Pläne ausgesprochen hatte.

»Den Geruch kriegst du tagelang nicht wieder runter ...«, hatte er lakonisch bemerkt, als Pia ihm von ihrer geplanten Versetzung zur Mordkommission erzählt hatte.

Kriminalhauptkommissar Wilfried Kürschner nahm die Glückwünsche hinter seinem Schreibtisch stehend entgegen. Pia gratulierte ihm mit einem kräftigen Händedruck, tauschte ein paar höfliche Floskeln aus und hielt dann nach einem freien Platz in dem überfüllten Büro Ausschau. Da alle Sitzgelegenheiten bis hin zu der breiten Fensterbank besetzt waren, stellte sie sich zu Mona vom Kriminaldauerdienst. Sie musste eine Freundin von Wilfried sein, denn eigentlich gehörte sie nicht zu diesem Kreis dazu.

Mona lächelte sie unsicher an, den Rücken an einen Aktenschrank gelehnt. Wilfrieds Zimmerkollege Heinz Broders hatte es derweil übernommen, den Sekt zu verteilen. Es war nicht seine erste Runde heute. Die meisten der Anwesenden hielten volle oder halb volle Sektgläser in der Hand.

Pia wunderte sich etwas, denn in ihrer alten Abteilung hatte man sich streng an die Dienstvorschriften gehalten und während der Arbeitszeit überhaupt keinen Alkohol getrunken.

»Keine Sorge, der soll alkoholfrei sein«, flüsterte ihre Nachbarin ihr zu, so als hätte sie Pias Gedanken erraten.

Heinz Broders setzte sich in Szene, indem er mit seinem dicken Hintern in grauer Polyesterhose wackelte und jeden, dem er gerade einschenkte, mit einem dummen Spruch bedachte. Wenn die Männer überhaupt auf seine Sprüche reagierten, dann nur mit einer sehr gemäßigten Erwiderung. Broders beißender Charme war schließlich bekannt.

Pias leerer Magen rumorte und ihre Hand, die das Sektglas hielt, zitterte. Sie hatte Heinz Broders schon bei mehreren Gelegenheiten beobachtet. Ihrer Ansicht nach war er ein unzufriedener, streitsüchtiger Polizist, der verbal über Leichen ging. Er hatte keinerlei Hemmungen, auch noch die gemeinste Bosheit auszusprechen, wenn sie nur ein Körnchen Wahrheit enthielt. In dem Lager, das Pia heimlich »Die alten Vasallen« getauft hatte, war er einer der Fundamentalisten. Als er endlich auf Pia zukam, verzog sich sein bärtiges Gesicht zu einem Grinsen:

»Na, Engelchen. Deine Hand zittert ja. Hast wohl Schiss vorm bösen Onkel Heinz!« Ein paar der Umstehenden lachten.

»Ich hab nur Angst, dass du mich mit Sekt bekleckerst, bei dem Tanz, den du hier aufführst!« Sie hielt ihm ihr Glas hin. Viele Kollegen sahen nun mäßig interessiert zu ihnen hinüber. Es war Pia klar, dass Broders das nicht auf sich sitzen lassen würde. Er schenkte ihr ein, aber es kamen nur noch ein paar Tropfen aus der Flasche.

»Oh, tut mir wirklich Leid, Engel. Aber das Zeug ist wahrscheinlich sowieso nicht nach deinem Geschmack ...«

Das falsche Lächeln erinnerte Pia an einen Zähne bleckenden Gorilla, es unterstrich seine aggressiven Gefühle mehr, als dass es sie verdeckte. Er beobachtete sie lauernd. Während die anderen Kollegen bisher nur misstrauisch bis ablehnend auf sie reagierten, schien Broders sie aus vollem Herzen zu hassen.

»Ich heiße nicht Engel«, antwortet sie ihm leise, denn alle anderen Gespräche waren inzwischen verstummt.

Durch die plötzliche Stille wurde auch Wilfried Kürschner aufmerksam. »He, lasst das Mädel hier nicht verdursten!«, rief er Heinz über seinen Schreibtisch hinweg zu. »Draußen im Kühlschrank steht noch mehr.«

Doch weder Broders selbst noch einer der anderen machte Anstalten, den fehlenden Sekt zu holen.

Sekundenlang hatte Pia Korittki das Gefühl, ziemlich dumm dazustehen.

»Auf dein Wohl, Wilfried!« Sie kippte die Pfütze in ihrem Glas hinunter. Dabei fühlte sie, dass das T-Shirt, das sie unter ihrem Rolli trug, ihr feucht in den Achselhöhlen klemmte. Sie hatte das dringende Bedürfnis, sich zu bewegen, möglichst weit weg von hier.

Sie schlenderte ans andere Ende des Raumes, wo sich die Kaffeemaschine befand, und goss sich eine Tasse Kaffee ein. Das anhebende Stimmengewirr zeigte ihr, dass sie nicht mehr im Mittelpunkt der Aufmerksamkeit stand. Als sie jedoch an Broders vorbeiging, der die Mitte des Raumes für sich beanspruchte, zischte dieser ihr leise zu:

»Hau bloß wieder ab, Schätzchen! Du wirst es hier nie schaffen.«

2. KAPITEL

Zurück in ihrem eigenen Büro, das am hintersten Ende des Korridors lag, hatte sie ihrer Wut und Frustration erst einmal Luft gemacht. Mit einem gezielten Tritt hatte sie den abgesessenen Bürostuhl gegen den Heizkörper geknallt. Als das nicht half, hatte sie versucht, sich mit ein paar tiefen Atemzügen zu beruhigen.

Danach nahm sich Pia eine Arbeit vor, die etwas Konzentration erforderte, wenn schon nicht intellektuelle Fähigkeiten. Sie hoffte, dass sie dadurch wenigstens vom Grübeln über ihre miserable Lage hier abgehalten werden würde.

Dass ihre Arbeit nicht sehr anspruchsvoll war, lag daran, dass man ihr noch nichts zutraute, was die Intelligenz einer Barbiepuppe überforderte.

Pia Korittki war dem Team um Conrad Wohlert zugeteilt. Sie untersuchten den Tod eines Geschäftsmannes, den man ertrunken aus der Wakenitz gezogen hatte. Die Sache schleppte sich schon seit Monaten dahin und Kriminalrat Gabler, der langsam ungeduldig wurde, hatte Pia als zusätzliche Unterstützung eingeteilt. Sie bekam allerdings nur die langweiligste Arbeit aufgetragen, all das, wozu die anderen keine Lust hatten.

Pia brannte darauf, ihre Fähigkeiten und ihre Einsatzbereitschaft endlich unter Beweis stellen zu können. Sie war schon mehrmals bei ihrem Vorgesetzten Horst-Egon Gabler gewesen und hatte ihn gedrängt, ihr endlich eine verantwortungsvolle Aufgabe zu übertragen. Bisher erfolglos. Sie saß an ihrem Rechner und arbeitete Aufträge ab, die auch eine versierte Schreibkraft hätte erledigen können – wenn eine zur Verfügung gestanden hätte.

»Aber dafür haben sie ja nun mich ...«, murrte sie und hämmerte wütend auf die Tastatur ihres Computers ein, »aber warte, Horst-Egon, ich werde es euch schon zeigen ...«

In diesem Moment öffnete sich die Tür und einer ihrer Kollegen betrat den Raum. Pia, deren Büro bisher nicht gerade der kommunikative Mittelpunkt des Kommissariats gewesen war, sah überrascht auf.

»Ich hoffe, ich störe nicht zu sehr; es hört sich von draußen an, als würdest du für die Tippsen-Olympiade üben.«

Die spöttische Stimme gehörte Marten Unruh. Kriminalhauptkommissar, soweit Pia wusste, und recht angesehen in der Abteilung. Meistens bildete er mit KOK Michael Gerlach ein Team. Marten Unruh hatte sich bei den Dienstbesprechungen bisher zurückgehalten. Pias Einschätzung nach gehörte er zu dem zweiten Lager hier, das sie für sich die »heimlichen Rebellen« getauft hatte. Die Bezeichnungen der beiden verfeindeten Lager bezogen sich auf das Verhalten dem viel gehassten Chef der Abteilung gegenüber.

Marten Unruh war schmal und sehnig gebaut wie ein Marathonläufer. Seine Kleidung war lässig bis nachlässig, das braune Haar einen Tick zu lang und seine Augen hatten eine hellgraublaue Farbe. Gegen seinen Kollegen Michael Gerlach, der stets ein bisschen wie ein Hugo-Boss-Model aussah, wirkte er unscheinbar. Pia hatte ihn bei den Besprechungen jedoch genau beobachtet, in dem Zweier-Team gab er den Ton an. Seine Blicke waren schneidend und sein Ton leise, aber scharf. Den anderen schien sein Sarkasmus Respekt einzuflößen.

Er lehnte mit seinen verwaschenen, ausgefransten Jeans an ihrem ebenso abgeschabten Schreibtisch und sah nachdenklich auf sie herunter. Ein Privileg, das ihm bei seinen 178 Zentimetern Körperlänge sonst nicht vergönnt war.

»Der ganze Kram hier ist eigentlich Arbeit für ein Schreibbüro ...«, bemerkte Pia und rollte mit ihrem Bürostuhl ein Stück vom Tisch ab, um Marten Unruh besser ansehen zu können.

»Tja, bislang nur unwichtiges Zeug«, antwortete er, ihre Akten auf dem Schreibtisch mit wenigen Blicken erfassend, »aber so haben wir wohl alle mal angefangen.«

»Ich bin aber keine Anfängerin!«, entgegnete Pia schärfer als beabsichtigt.

Marten ging nicht weiter darauf ein. Er lächelte wissend: »Vielleicht ist heute dein Glückstag, du sollst zu unserem Chef kommen, und zwar«, er sah auf seine Armbanduhr, »jetzt!«

Pia fühlte ein leichtes Flattern in der Magengegend. »Hast du eine Ahnung, worum es geht?«

»Nein, ich wollte dich gerade unauffällig aushorchen, ich habe nämlich den gleichen Termin. Hotte Gabler sprach ausdrücklich von Unruh und Korittki.«

Pia musste fast widerwillig lächeln, denn der Spitzname »Hotte« stand in scharfem Kontrast zu dem ernsten, von sich eingenommenen Kriminalrat Horst-Egon Gabler.

»Ist nicht von mir. Trotzdem schön zu wissen, dass du es doch hast«.

»Was denn?«

»Humor«

Pia blieb keine Zeit mehr, darauf zu antworten oder darüber nachzusinnen, warum man hier der Ansicht war, sie hätte keinen Humor. Kurze Zeit später befand sie sich zusammen mit Unruh im Büro des Chefs.

Kriminalrat Gabler griff sich einen Zettel von seiner Schreibtischunterlage und wandte sich an Marten Unruh: »Sie müssen die Ermittlungen im Fall »Wilkenburg« abgeben, Gerlach kann das allein weiter verfolgen. Ich brauche Sie sofort für einen neuen Fall. Ein dreifacher Mord in Grevendorf, kam eben erst rein. Das ist wirklich das Letzte, was wir noch gebrauchen können ...«

Dann blickte er zu Pia, als sähe er sie zum ersten Mal und müsse sich erst erinnern, was sie hier wolle.

»Wissen Sie, wo Grevendorf ist, Frau Korittki?«, blaffte er sie unfreundlich an.

»Wenn ich eine entsprechende Landkarte habe, schon«, antwortete Pia gelassen.

»Na bitte, das ist Ihre neue Mitarbeiterin, Unruh. Ich habe zurzeit zu viele Mordfälle oder zu wenig Leute, ganz wie man es nimmt. Die junge Kollegin muss sich also ab heute freischwimmen. Weitere Unterstützung bekommen Sie von den Kollegen vor Ort. Ich habe denen klar gemacht, dass wir momentan völlig unterbesetzt sind. Setzen Sie sich dort mit Kriminalkommissar Weber in Verbindung. Der ist zuständig für den abschließenden Bericht über den Sicherungsangriff. Alles Weitere werden wir dann sehen.«

Pia wollte schon aufstehen. Die Personalknappheit schien sich endlich zu ihren Gunsten auszuwirken und für Gabler war die Angelegenheit hiermit offensichtlich geregelt. Da beugte sich Unruh vor und sagte, ohne sie dabei anzusehen, zu Gabler:

»Ich halte das für keine gute Idee. Wenn das wirklich eine größere Sache ist, wird sich die Presse darauf stürzen. Wir stehen dann ziemlich unter Beobachtung. Ich brauche Mitarbeiter, die eingearbeitet sind, keine Anfängerin.«

Pia spürte, wie ihre Ohren vor Ärger ganz heiß wurden. Eine Anmaßung, sie als Anfängerin zu bezeichnen, nur weil sie noch nicht lange bei der Mordkommission war. Als ob in anderen Abteilungen nicht ebenso ernsthaft gearbeitet würde.

Gabler klickerte angespannt mit seinem Kugelschreiber und sah ebenfalls an Pia vorbei. »Ich verstehe Sie ja, Unruh. Mir ist es auch nicht recht, aber zurzeit habe ich niemanden außer ihr, also ...«

»Holen Sie Friedrichs aus dem Urlaub zurück. Der sitzt eh nur in seiner Bude und langweilt sich. Er hat vor seinem Urlaub zu mir gesagt, wir sollten ihn anrufen, wenn was los ist«, sagte Marten eindringlich.

Pia spürte, wie wichtig es ihm war, seinen Willen durchzusetzen. Zuerst reagierte sie nur überrascht und wütend auf seine Bemerkung. Doch dann fühlte sie sich zunehmend unbehaglich. Vielleicht war es wirklich nicht günstig, gleich voll verantwortlich in so wichtige Ermittlungen einzusteigen, flüsterte eine aufdringliche Stimme in ihrem Kopf. Es wäre immerhin ihr erster Mord, kein Vermisstenfall oder gefährliche Körperverletzung. Es würde von ihrer Arbeit mit abhängen, ob ein Mörder gefasst würde oder nicht.

Gabler schien einen Moment zu überlegen. Das fortwährende Klickern war das einzige Geräusch im Büro.

»Nein, Friedrichs braucht auch mal Urlaub. Der Mann ist seit anderthalb Jahren ununterbrochen im Einsatz. Dass ihm zu Hause die Decke auf den Kopf fällt, ist sein Problem. Ich möchte keinen Ärger bekommen, wenn er uns eines Tages einfach zusammenklappt«.

»Unsinn«, widersprach Marten, »rufen Sie ihn an, der freut sich und wir sind aus dem Schneider«.

Pia sah, dass Kriminalrat Gabler unschlüssig war. Sie wusste intuitiv, dass die richtige Bemerkung von ihr zu diesem Zeitpunkt die Entscheidung bringen würde. Doch angesichts der offenen Ablehnung von Marten Unruh fühlte sie sich wie gelähmt. Ihre Wangen brannten und der Schweiß brach ihr zum zweiten Mal an diesem Morgen aus den Poren. Sollte sie sich besser noch etwas zurückhalten, bis sie mit Ermittlungen betraut wurde, bei denen sie nicht ausgerechnet mit Marten Unruh zusammenarbeiten musste? Ein falscher Einstieg konnte alles verderben. Die Auswahl an vorurteilsfreien, offenen Kollegen war in dieser Abteilung allerdings begrenzt.

Gabler räusperte sich. Pia musste entscheiden, wie sie sich verhalten sollte. Sie hob das Kinn und sagte mit fester Stimme: »Ich glaube, es ist an der Zeit, dass ich hier den Job mache, für den ich eingestellt wurde. Auch wenn Kriminalhauptkommissar Unruh das nicht passt, weil er lieber mit einem seiner Kumpels zusammenarbeiten möchte.«

Marten Unruh blickte sie völlig überrascht an. Dann kniff er die Augen zusammen und sie sah die Wut in seinen Augen. Er wusste so gut wie sie, dass Gabler sich nur zu gern von ihr umstimmen lassen wollte.

»Es geht hier wohl kaum um persönliche Wünsche oder Abneigungen«, sagte Gabler giftig, aber Pia fühlte, dass sie einen Punkt gemacht hatte.

Unglücklicherweise unterbrach ein Telefonanruf die Debatte und Gabler meldete sich barsch. Unruh nutzte die Zeit, indem er versuchte, Pia umzustimmen.

»Das wird verdammt ungemütlich da draußen zugehen. Das Dorf liegt zu weit weg von Lübeck, um dauernd hin- und herzufahren. Wir brauchen dort eine mobile Einsatzzentrale. Das bedeutet Arbeit rund um die Uhr. Ich hab wirklich nichts gegen dich persönlich, aber für einen ersten Mordfall ist das ein bisschen heavy. Halt dein Pulver trocken und warte auf eine bessere Gelegenheit, dich zu beweisen.«

»Ich hab mich nicht für diesen Posten hier beworben, um nun für euch die Tippse zu spielen ....«

Gabler hatte den Anrufer kurz abgefertigt und beendete sein Telefonat gerade, sodass Unruh ihr nur noch zuflüstern konnte: »Das wird eine Nummer zu groß für dich, Korittki!«

Die Verachtung in seiner Stimme ähnelte der von Heinz Broders, eine halbe Stunde zuvor.

Als sie wieder draußen auf dem Flur standen, hatte Pia vorerst ihren Willen durchgesetzt. Wenigstens schien sich Marten Unruh schnell ins Unabänderliche zu fügen. Auf dem Weg zum Parkdeck besprach er die weitere Vorgehensweise mit ihr.

»Wir nehmen zusammen einen Dienstwagen«, bestimmte er und klimperte mit dem Schlüssel in der Hand. »Morgen werden wir sehen, ob wir noch ein zweites Auto brauchen.«

3. KAPITEL

Grevendorf in Ostholstein präsentierte sich an diesem Januarvormittag öde und verlassen. Von den etwa tausend Einwohnern des Ortes war kein einziger zu sehen. Nur ein paar schwarze Saatkrähen hockten in den Wipfeln der kahlen Bäume; sie schienen das stille Dorf zu beobachten.

Kurz vor dem Ortsausgang störte das zuckende Blaulicht eines Streifenwagens die dörfliche Stille. Die Polizisten hatten sich an der Durchfahrt zum Grevendorfer Redder postiert, dem Feldweg, der zum Gehöft der Benneckes führte. Wenn man so Schaulustige vom Tatort fern halten wollte, war dies ein überflüssiges Unterfangen. Grevendorfs Einwohner zeigten sich desinteressiert.

Marten Unruh und Pia Korittki wurden, nachdem sie sich ausgewiesen hatten, von den Uniformierten sofort durchgelassen. Sie fuhren noch etwa einen Kilometer einen asphaltierten Weg entlang, bevor sie den in einer kleinen Senke gelegenen Hof ›Grund‹ erreichten, den Fundort der drei Toten.

Der Hofplatz bot ein chaotisches Bild. Zwei Streifenwagen mit Blaulicht, drei Zivilfahrzeuge, ebenso viele Leichenwagen und ein Traktor standen dicht gedrängt auf der unebenen Fläche. Der verbliebene Platz war mit flatterndem Absperrband abgegrenzt.

Pias Blick aus dem Beifahrerfenster wurde von den drei Leichen auf dem Boden wie magnetisiert angezogen. Die anwesenden Polizisten standen unschlüssig herum, nur einer von ihnen reagierte, als sich der dunkelblaue Passat seinen Weg durch die Menge bahnte. Ein korpulenter Mittvierziger mit Halbglatze winkte hektisch und dirigierte sie zu einem Parkplatz unterhalb einer alten Kastanie.

»He, Sie da! Gehen Sie gefälligst anders herum. Und fahren Sie auch Ihren Leichenwagen ein Stück nach rechts, die Herren von der Mordkommission treffen jetzt ein!«, hörte Pia ihn durch die Wagenscheibe brüllen.

Der so Angesprochene, ein junger Mann mit einem dünnen Zopf, beachtete ihn gar nicht. Er schlenderte zu seinem Kollegen hinüber, der gerade eine Thermoskanne Kaffee hervorgeholt hatte. Die Männer lehnten sich stehend an die Seite des grauen Leichenwagens. Jeder von ihnen hatte kurz darauf einen Becher Kaffee in der Hand.

»Sieh mal, die Herren von der Mordkommission«, sagte der mit dem Zopf grinsend und deutete auf Pia Korittki, die gerade ausgestiegen war und ihre Daunenjacke überzog. »Das wird dem alten Kommissar Weber aber gar nicht gefallen ...«

»Was meinst du, eine Frau als Kommissarin?«, fragte der andere.

»Genau, sie wird ihn ganz schön aus dem Konzept bringen.«

Pia verdrehte entnervt die Augen über die Bemerkungen, die sie unfreiwillig mitanhörte. Dann wandte sie sich den noch unbekannten Kollegen zu, die schon länger am Tatort waren. Die Gesprächsfetzen der jungen Männer drangen jedoch immer noch an ihr Ohr.

»Ihr blondes Haar sieht irgendwie frivol aus, an einem tristen Ort wie diesem ...«

»Mein Geschmack ist sie jedenfalls nicht. Völlig unweiblich. An so einer holt man sich doch Gefrierbrand, wenn man sie anfasst«.

»Besser als die Tussi, die du neulich abgeschleppt hast ...«

»War halt ein Fehlgriff ...«

Das Gespräch zwischen den beiden verebbte. Nach ein paar Minuten des Schweigens sah Pia, wie sie in seltsamer Eintracht ihre Kaffeereste ins Gebüsch kippten und sich in den Leichenwagen setzten.

Pias Gedanken verweilten noch kurz bei dem Wort »Gefrierbrand«, das zu ihr hinübergeweht war. Dann schüttelte sie die unangenehmen Assoziationen ab und versuchte, sich ein Bild vom Tatort zu machen.

Die drei Leichen befanden sich mitten auf dem Hofplatz, in direkter Linie zwischen der Haustür des Wohnhauses und zwei abgestellten Autos, einem älteren Mercedes und einem roten Polo.

Das Wohnhaus war ein unproportioniert wirkender Backsteinbau, zweckmäßig und nüchtern. Links im Hintergrund lagen ein älteres, halb verfallenes Stallgebäude und ein neues, das mit Wellblech verkleidet war. Ein dunkelgrauer Schuppen und eine offene Remise befanden sich gegenüber vom Wohnhaus. Alles wirkte uneinheitlich und irgendwie vernachlässigt auf Pia.

Der kalte Ostwind, der ungehindert über den Platz wehte, ließ alle Beteiligten frösteln und die Schultern höher ziehen. Schließlich meinte Marten Unruh, sie sollten anfangen. In ein paar Stunden, wenn es wärmer würde, wäre der ganze Hof im Schlamm versunken. Noch war der Boden gefroren, aber tiefe Furchen von Treckerreifen zeigten, dass es schnell nass und morastig werden konnte.

Der Gerichtsmediziner machte den Anfang. Er tat einen großen Schritt über das Absperrband und ging auf die erste der drei Leichen zu. Die anderen folgten ihm. Sie hatten sich Plastiküberschuhe angezogen und folgten einem vorher festgelegten Pfad, um das Risiko, Spuren zu vernichten, zu minimieren.

Pias Herz klopfte heftig. Als sie um den ersten Leichnam herumgegangen waren, blickten sie in das Gesicht eines etwa 20-jährigen Mannes. Der Tote hatte schmale, ebenmäßige Gesichtszüge, umrahmt von feinem, schwarzem Haar. Die Augen des jungen Mannes waren offen, von erstaunlich klarem Blau, und starrten über den Kies des Hofplatzes hinweg in Richtung Kastanie. Er lag auf der Seite, zwei schwarz geränderte Einschusslöcher im Brustbereich zeigten, was ihn zu Fall gebracht hatte.

Pia hatte im Laufe ihres Berufslebens schon viele Tote gesehen, meistens waren es Opfer von Selbsttötungen oder Unfällen gewesen. Es hatte ihr nie größere Probleme bereitet. Deshalb war sie überrascht von der Heftigkeit ihrer Reaktion. Der Anblick löste Wut und Entsetzen bei ihr aus: Zwei Schüsse, abgefeuert aus dem Hinterhalt, und ein noch junges Leben war unwiderruflich vorbei. Irrationalerweise fand sie es am schlimmsten, dass der Mörder sein Opfer einfach in der Kälte hier draußen hatte liegen lassen. Nicht, dass die Kälte ihm noch etwas anhaben konnte. Es war die Geste: Er hatte ihm nicht nur sein Leben genommen, sondern seinen toten Körper einfach den Launen der Natur und den neugierigen Blicken seiner Mitmenschen ausgeliefert. Sie registrierte überrascht, dass sie Hass und den Wunsch nach Vergeltung spürte.

Verstohlen forschte sie in den Gesichtern von Unruh und Weber nach ähnlichen Regungen. Unruh sah unbewegt aus, Weber eher aufgeregt als unangenehm berührt.

Pia wandte sich den zwei weiteren Opfern zu, dieses Mal besser vorbereitet und distanzierter als beim ersten Mal. Die Leiche einer Frau lag auf dem Rücken, ihre Augen waren verdreht. Die Schüsse hatten sie in Brust und Hals getroffen. Außerdem lag der linke Arm unnatürlich verdreht neben ihrem Körper. Sie hatte dunkelbraunes, steif gelocktes Haar und braune Augen. Ihre Gesichtszüge wirkten hart und starr. Die Blässe des Todes schimmerte unnatürlich durch eine dicke Schicht bräunlichen Make-ups. Sie trug einen Trenchcoat über einer dunkelblauen Stoffhose und einer gelben Bluse. Ihre Füße steckten in für die Jahreszeit zu dünnen grauen Slippern.

Der zweite Mann lag auf dem Bauch. Er trug nichts als ein ausgeleiertes T-Shirt und eine nicht mehr ganz saubere Jogginghose. Sein Haar war schütter und grau, seine Figur stämmig, um die Leibesmitte etwas aufgeschwemmt.

Der Gerichtsmediziner runzelte die Stirn und richtete sich auf. Er war ein ernster, kleiner Mann mit spitzer Nase und einer schwarzen Baskenmütze auf dem Kopf. Zunächst einmal zündete er sich bedächtig ein Zigarillo an, dann kratzte er sich am Kopf. Nachdem er ein paar Züge geraucht hatte, begann er zu sprechen:

»Sie sind alle erschossen worden, wie es aussieht mit einem großkalibrigen Gewehr. Der Schütze hat aus einiger Entfernung geschossen, wahrscheinlich von dort ...« Er deutete auf das kleine Wäldchen neben dem Wohnhaus. Es folgte ein kurzes Palaver über den Todeszeitpunkt und ob alle drei sofort tot gewesen seien. Der Gerichtsmediziner ließ sich auf nichts festnageln und Unruh gab nach ein paar ungeduldigen Versuchen mit einem Schulterzucken auf.

»Warten Sie es einfach ab!«, war die abschließende Bemerkung des Arztes. Er drückte seinen halb aufgerauchten Zigarillo an dem Metallstab aus, mit dem das Absperrband platziert worden war. Dann legte er die Kippe sorgsam zurück in die Schachtel und verstaute diese in seiner Jackentasche. »Sonst noch Fragen?« Er blickte gespielt geduldig in die Runde.

»Sehen Sie zu, dass Sie die drei auf den Tisch bekommen, damit wir etwas haben, mit dem wir arbeiten können«, sagte Marten Unruh und starrte dem Rechtsmediziner dabei ungerührt ins Gesicht. Der hielt seinem Blick einen Augenblick stand, richtete seine Antwort dann jedoch an Pia:

»Alles Weitere liegt nicht mehr an mir. Die Obduktion wird ein Kollege durchführen.«

»Wie schade ...«, kam es trocken von Unruh.

Der Gerichtsmediziner hielt es nicht für nötig, darauf etwas zu entgegnen. Er drehte sich auf dem Absatz um und marschierte zurück zu seinem Auto. Im Gehen hob er noch einmal seine Hand zum Gruß, sah sich jedoch nicht noch einmal um.

»Wer hat denn den gebissen?« Kriminalkommissar Weber schien konsterniert, weil er nicht richtig verabschiedet worden war. Sein Blick blieb an Marten Unruh hängen.

»Ich habe ihm nur gesagt, er solle sich beeilen. Je eher wir diesen Verrückten fassen, desto besser«, antwortete dieser. »Bei sechs oder sieben so gezielten Schüssen wird es sich ja wohl kaum um einen Jagdunfall handeln.«

»Hier in der Gegend wird viel gejagt, es hat schon manchen Unfall gegeben. Ich könnte Ihnen da ein paar Geschichten erzählen ... Diese Jagd hat übrigens Bernhard Förster gepachtet, der Besitzer von Gut Rothenweide«, berichtete Hartmut Weber.

»Wissen Sie, ich kenne mich damit nicht aus, aber hat schon einmal ein Jäger mit sechs Schüssen versehentlich drei Menschen umgebracht?«, erwiderte Marten Unruh zynisch.

Weber lief rot an. Pia ärgerte sich über Unruhs Auftreten. Sie würden mit den Leuten hier zusammenarbeiten müssen. Dabei war es wenig hilfreich, wenn man sie so vor den Kopf stieß.

»Wir sollten den abgesperrten Bereich jetzt räumen«, sagte sie, um Kommissar Weber abzulenken. »Die Kriminaltechniker stehen schon in den Startlöchern. Je eher wir Ergebnisse von denen bekommen, desto besser.«

Marten Unruh bedachte sie mit einem Blick, der sagte, er hasse diesen übertriebenen Eifer ...

»Wo kommen Sie eigentlich her, Weber?«, fragte er eine Spur höflicher.

»Aus Eutin, Polizeiinspektion Eutin, um genau zu sein.«

»Wundervoll. Aber das ist zu weit weg. Wir brauchen hier vor Ort einen Stützpunkt. Einen Raum mit Telefon- und Faxanschluss und der Möglichkeit, mal eine Tasse Kaffee zu trinken. Wenigstens für die ersten Tage. Haben Sie eine Idee, Weber?«

Kommissar Weber runzelte die Stirn, dann meinte er zögernd:

»Wir könnten im Dorfkrug fragen, aber dort ist es ziemlich eng, glaube ich. Besser wäre noch das ›Hotel am See‹. Ich weiß nur nicht, ob die nicht Betriebsferien machen im Januar ...«

»Ich sehe schon, Sie kennen sich hier aus«, kürzte Unruh die Ansprache ab. »Organisieren Sie uns einen Raum und geben Sie mir dann Bescheid.«

Damit verabschiedete er sich in Richtung Dienstwagen. Er startete den Motor, um die Heizung voll aufdrehen zu können, und griff nach dem Telefon. Pia fing Kommissar Webers fragenden Blick auf und zuckte mit den Achseln.

»Na, dann werde ich mal«, sagte dieser und ging mit schweren Schritten davon.

Pia teilte seinen Pessimismus, was das Arbeitsklima der nächsten Tage betraf. Sie jedoch war nicht bereit, sich in irgendeiner Weise schikanieren zu lassen.

4. KAPITEL

Die Hauptstraße von Grevendorf beschrieb am südlichen Ende des Dorfes einen scharfen Linksknick. Das ›Hotel am See‹ befand sich genau an dieser Stelle. Es lud alle Raser und Betrunkenen, die buchstäblich nicht die Kurve kriegten, dazu ein, direkt durch die Eingangstür ins Foyer zu krachen. Pia kam beim Anblick des Gebäudes in den Sinn, dass der Architekt kein Anhänger des Feng-Shui gewesen sein konnte. Bei dieser Lage ging das ganze Chi sofort zum Teufel.

Marten Unruh und Pia Korittki betraten nacheinander das dunkle Foyer. Es roch nach Mittagessen, scharfen Putzmitteln und Staub, jener typischen Geruchsmischung mittelklassiger Hotels, gewürzt mit einer Prise »Landluft«.

Der Hotelmanager führte sie in einen nach hinten hinaus gelegenen Raum, der wohl sonst Familienfeiern vorbehalten war. Nun sollte er in den nächsten Tagen als provisorische Ermittlungszentrale dienen.

Marten sah sich kritisch in dem dunklen, etwas muffigen Raum um: »Also schön, das dürfte genügen ... Wie sieht es aus mit einem Telefon? Fax? Internet-Anschluss?«

Die glatte Fassade des Hotelmanagers bekam einen kleinen Riss, zwei kreisrunde rote Flecken erschienen auf seinen Wangen. Er antwortete, dass ein Telefonanschluss vorhanden sei und sie für Fax und Internet im Notfall sein Büro benutzen könnten. Dann verließ er eilig den Raum.

»Ein neuer Verbündeter ...«, bemerkte Pia trocken.

Die erste Dienstbesprechung im ›Hotel am See‹ verlief in unterkühlter Atmosphäre. Die ihnen zugeteilte Verstärkung aus Eutin bestand aus insgesamt drei Kollegen, unter ihnen auch Hartmut Weber, den sie ja bereits am Tatort kennen gelernt hatten. Die anderen beiden waren etwas jünger als Kriminalkommissar Weber. Pia schätzte den einen, Hannes Steen, auf Anfang vierzig, Thomas Roggenau auf Mitte bis Ende zwanzig.

Marten Unruh saß auf der Tischkante und fasste kurz die bisherigen Erkenntnisse zusammen. Die Opfer hießen Rainer, Ruth und Malte Bennecke und waren Vater, Mutter und Sohn. Der ›Grund‹, wie der Hof und das angrenzende Wäldchen genannt wurden, gehörte schon seit Generationen der Familie Bennecke. Außer einer erwachsenen Tochter, die Katrin Bennecke hieß und in Frankfurt lebte, gab es keine näheren Verwandten mehr.

In Frankfurt war die Polizei bereits informiert worden. Sie würde Katrin Bennecke vom Tod ihrer Familie unterrichten und sie dazu auffordern, die Polizei in Ostholstein bei ihren Ermittlungen zu unterstützen.

Die nächsten Nachbarn der Benneckes waren zwei Familien auf dem Hinrichs-Hof. Ein Resthof, der an demselben kleinen Weg lag, der auch den ›Hof Grund‹ mit Grevendorf verband.

Weiterhin gab es einen Hof, der mit dem ›Grund‹ über einen kaum befahrenen Feldweg verbunden war. Er gehörte den Suhrs, die damit ebenfalls zur nächsten Nachbarschaft zählten. Fuhr man von dort weiter in Richtung See, kam man zum Gut Rothenweide, das Hartmut Weber im Zusammenhang mit der Jagd schon erwähnt hatte.

Pia beobachtete, wie Thomas Roggenau und Hannes Steen viel sagende Blicke tauschten, als Unruh Bernhard Förster, den Besitzer von Rothenweide, erwähnte. Dieser Name schien aus irgendeinem Grund die Aufmerksamkeit der beiden Polizeibeamten zu erregen. Sie schienen jedoch nicht bereit zu sein, darüber zu sprechen. Vielleicht war es nur der Neid, den der Besitz einen Gutshauses unweigerlich erwecken konnte, der diese Reaktion hervorrief.

Da sie viele der bisherigen Informationen Hartmut Weber verdankten, der verwandtschaftliche Beziehungen in Grevendorf hatte, teilte Marten Unruh ihm bei der Aufgabenverteilung die mühsamste Arbeit zu. Zusammen mit seinem Kollegen Roggenau sollte Weber in Grevendorf von Tür zu Tür gehen und erste Befragungen vornehmen, nach denen dann zu entscheiden war, mit wem man sich später näher befassen würde. Die direkten Nachbarn der Benneckes behielt Unruh sich selbst vor. Pia sollte ihn begleiten.

Kommissar Steen sollte die zu erwartenden Hinweise aus der Bevölkerung erfassen und auswerten. Eine Arbeit, die er gut von Eutin aus erledigen konnte, wo er, wie Steen betonte, schließlich auch noch andere Arbeit auf dem Tisch hatte.

Anschließend sollte Pia sich den Fahrer des Lastwagens vornehmen, der die Leichen entdeckt hatte. Ein Mann namens Holger Tramm.

Als der Name des Abdeckers fiel, merkte Roggenau auf: »Ich halte es nicht für ratsam, wenn ihre Assistentin diese Befragung durchführt«, warf er ungefragt dazwischen.

Pia spürte, wie sie sich augenblicklich verspannte. Sie hatte sich, wie die anderen auch, mit ihrem Dienstgrad vorgestellt. Die Bezeichnung Assistentin war ein Fehlgriff, und zwar ein beabsichtigter, wie sie vermutete.

»Warum sollte ich ihrer Ansicht nach diese Befragung nicht durchführen?«, gab sie sofort zurück.

Der Angesprochene grinste: »Na, ein Typ wie dieser Abdecker, der nimmt Frauen doch gar nicht ernst. Jedenfalls nicht in dem Zusammenhang. Nichts gegen Sie persönlich, aber da wird man doch einen etwas härteren Ton anschlagen müssen.«

»Ich werde schon den richtigen Ton treffen.«

»Woher wollen Sie denn wissen, was für ein Typ das ist? Kennen Sie den Mann?«, fragte Marten Unruh völlig ruhig. Er tat gerade so, als wäre Roggenaus Einwand begründet gewesen.

»Nein, das nicht. Aber der Mann ist Abdecker von Beruf. Der wird nicht zimperlich sein. Ich würde mich bereit erklären, das zu übernehmen.«

Pia merkte, wie sie innerlich kochte. Bloß nicht provozieren lassen, dachte sie noch, bevor sie etwas zu scharf entgegnete:

»Wann denn, wenn Sie in Grevendorf von Tür zu Tür gehen?«

Thomas Roggenau machte den Mund auf, um noch etwas zu

antworten, doch ein: »Entspann dich, Thomas!« von seinem Kollegen ließ ihn den Mund wieder zuklappen.

Pia starrte ihm noch so lange herausfordernd ins Gesicht, bis er den Kopf abwenden musste. Aus den Augenwinkeln sah sie, dass Unruh den kleinen Machtkampf mit mildem Interesse beobachtet hatte.

Zum zweiten Mal an diesem Tag fuhren Pia und Marten Unruh den schmalen Asphaltweg hinunter. Diesmal hielten sie jedoch auf halbem Weg vor dem Haus, in dem die Familien Rohwer und Kontos wohnen sollten.

Es lag ganz allein auf einer kleinen Anhöhe, ein Resthof, der aus einem kombinierten Wohn- und Wirtschaftsgebäude bestand; ein schlichtes Backsteingebäude mit Holzsprossenfenstern. Efeu rankte rechts und links neben dem Eingang empor und eine verwitterte Holzbank stand an der Hausmauer. Alles sah ein wenig vernachlässigt aus. Als hätte jemand alles voller Enthusiasmus angelegt und sei es nun leid, es ständig in Schuss zu halten.

Marten steuerte auf den ehemaligen Stallbereich zu, wo nun die Familie Kontos wohnte.

»Ich führe das Gespräch«, sagte er halblaut, bevor er klingelte. Pia zuckte die Achseln. In diesem Moment schwang die Haustür auf.

Gerlinde Kontos war eine aufwändig zurechtgemachte Frau von etwa 50 Jahren. Pia, die Farben, Glanz und Glitter verabscheute, schüttelte sich innerlich, zollte aber dem Aufwand und der Konsequenz ihrer Aufmachung einigen Respekt. Frau Kontos schien den Besuch der Polizei erwartet zu haben.

In der nächsten halben Stunde hatte Pia erstmals Gelegenheit, Unruhs Befragungstechnik zu studieren.

Gerlinde Kontos war eine Frau, die sich selber gern reden hörte. Mit etwas Geduld und den richtigen Fragen hätte man bestimmt ein farbenfrohes Portrait aller Dorfbewohner von ihr erhalten. Doch so wie Unruh die Sache anging, schien er Frau Kontos eher zu bremsen. Sie überlegte erst einmal, was sie erzählen wollte und was nicht. Nach einem kurzen Vorgeplänkel sagte Unruh: »Wir sollten zur Sache kommen. Sie heißen Gerlinde Kontos und wohnen hier, soweit ich informiert bin, mit ihrem Ehemann Dimitri Kontos und ihrer Tochter Agnes.«

»Das ist richtig. Mein Mann befindet sich zurzeit in Griechenland. Agnes ist noch in der Schule. Sie ist 16 und geht in Eutin aufs Gymnasium.«

»Waren Sie mit den Benneckes näher bekannt?«

»Nein, wir hatten kaum Kontakt. Sie waren zwar unsere Nachbarn, aber... wir lebten in verschiedenen Welten. Ruth Bennecke war ...«, sie senkte die Stimme etwas, »eine ziemlich unangenehme, tratschsüchtige Person.«

»Erklären Sie das genauer«, forderte Pia sie auf. Unruh bedachte sie mit einem mahnenden Blick.

»Ruth Bennecke ließ an niemandem ein gutes Haar. Ihr Junge, dieser Malte, war davon natürlich ausgenommen. Vielleicht war sie so, weil sie nie so recht wegkam von ihrer Ranch? Sie war immer nur mit Haushalt und Kühen beschäftigt. Ich meine, wie soll sich eine Frau da entfalten können? Das ganze Umfeld war so ... so einfach.«

Pia hatte noch nie gehört, dass jemand das Wort »einfach« mit so viel Abscheu aussprach wie Gerlinde Kontos.

»Ruth Bennecke ...«, sufflierte Unruh.

»Ja, sie hat über jeden Menschen, den sie kannte, nur Schlechtes geredet. Die meisten Leute hier hatten regelrecht Angst vor ihrem losen Mundwerk. Niemand war vor ihren gemeinen Anschuldigungen sicher! Und neugierig war sie auch noch. Na ja, irgendwoher musste all der böse Klatsch ja kommen, den sie verbreitet hat.«

»Waren Sie selbst einmal davon betroffen?«

»Wovon?«

»Von einer ihrer Verleumdungen?«

»Ich ... äh ... weiß nicht so genau. Ich schere mich nicht so um das Gerede im Dorf. Aber Ruth Bennecke konnte mich nie leiden, insofern ...«

»Könnte ihr Gerede mal jemandem gefährlich geworden sein?«, fragte Pia. Zum Teufel mit dem Redeverbot.

Gerlinde Kontos schüttelte den Kopf. »Eigentlich ist das hier ein Dorf, in dem nie etwas Weltbewegendes passiert. Bis auf heute natürlich ...«

»Wie ging die Familie mit Ruth Bennecke um?«

»Es waren ja nur noch Rainer und Malte da. Ihr Mann konnte nicht weg vom Hof, und ihren Sohn, den hat sie vergöttert. War auch ein hübscher Junge, dieser Malte Bennecke. Und das wusste er auch. Er hat jede Menge Blödsinn gemacht, soweit ich das weiß«.

»Was für Blödsinn?«

Gerlinde Kontos spielte kokett mit ihrer Halskette: »Na ja, zunächst waren es nur Streiche. Er hat jüngere Mitschüler im Schulbus terrorisiert, das Schulklo überflutet, später Zigarettenautomaten geknackt. Weil Ruth ihn so penetrant gelobt hat, war so etwas natürlich immer ein Gesprächsthema im Ort. Er hat schon früh mit irgendwelchen Mädchen herumgemacht. Mit Mädchen, aber auch mit älteren Frauen. Ich weiß von einer, die war 10 Jahre älter als er. Seine Mutter hat mir manchmal fast Leid getan.«

»Wer war die Frau?«

»So gut bin ich nun auch wieder nicht informiert. Es war mehr ein Gerücht«, sagte Gerlinde Kontos bedauernd, »aber sie kam aus der Gegend hier. Wer weiß, was sie an einem wie Malte Bennecke gefunden hat«. Sie zog viel sagend die Augenbrauen hoch, wie um anzudeuten, dass ihre Vorstellung von einem guten Liebhaber eine andere sei.

»Das Allerschlimmste aber war: Letztes Jahr im Herbst hat Malte Bennecke ein kleines Kind getötet! Er ist mit seinem Motorrad hier vorbeigerast und hat die Tochter meiner Nachbarin überfahren. Es war ein Schock, einfach grauenhaft. Ich kam an dem Tag vom Einkaufen nach Hause, als der Rettungswagen mit Blaulicht hier stand. Das kleine Mädchen war angeblich sofort tot. Die Kleine ist keine zwei Jahre alt geworden! Sie können sich nicht vorstellen, wie mich das mitgenommen hat. Wenn man selbst Mutter ist ...« Sie schwieg einen kurzen Moment, wie um ihre Worte wirken zu lassen.

»Ist Malte Bennecke dafür zur Verantwortung gezogen worden?«, fragte Unruh in die Pause hinein.

»Nein, nicht richtig. Es gab zwar ein Gerichtsverfahren, aber er musste nicht ins Gefängnis. Tja, wenn er für eine Weile hinter Gitter gekommen wäre, dann wäre er heute wohl noch am Leben.«

Ein paar Sekunden später wurde ihr klar, was sie da soeben gesagt hatte. Sie sah Marten Unruh mit schlecht verhohlener Neugier an: »Glauben Sie, dass der Mord an den Benneckes etwas mit dem Tod des Kindes zu tun hat?«

»Es ist noch viel zu früh, irgendwelche Vermutungen zu äußern«, sagte Unruh nur.

»Wie ist denn Ihr Verhältnis zu Ihren Nachbarn, den Rohwers?«

»Gut«, meinte sie mit einer Stimme, die etwas höher war als bisher. »Wir kommen prima miteinander aus, auch wenn wir nicht direkt befreundet sind«.

»Wie steht es mit Ihrer Tochter Agnes?«

»Was soll mit ihr sein?«

»Hatte sie Kontakt zu den Benneckes? Zum Beispiel zum Sohn?«

Gerlinde Kontos schüttelte energisch den Kopf: »Nein. Agnes kannte die Benneckes natürlich. Aber gerade dieser junge Mann, Malte Bennecke, der war wirklich nicht Agnes' Stil. Meine Agnes ist doch erst 16 Jahre alt. Zurzeit interessiert sie sich noch mehr für Pferde als für Männer. Gott sei Dank! Ich kann natürlich nicht ausschließen, dass die beiden sich mal in einer Kneipe oder in der Disco begegnet sind. Aber dann haben sie höchstens ein paar oberflächige Worte gewechselt, dafür lege ich meine Hand ins Feuer.«

Pia sah Gerlinde Kontos nachdenklich an. Ihrer Erfahrung nach gab es nichts Unglaubwürdigeres als solche ausdrücklichen Beteuerungen.

»Haben Sie gestern Abend etwas Ungewöhnliches bemerkt? Schussgeräusche, ein vorbeifahrendes Auto oder Ähnliches?«

»Nein, gar nichts. Agnes und ich haben ferngesehen, unsere Lieblingsserie: Berkeley Square. Dabei hören und sehen wir nichts anderes.«

»Na denn«, Unruh erhob sich und signalisierte damit, dass das Gespräch beendet war.

Gerlinde Kontos brachte ihre beiden Besucher etwas weniger locker zu Tür, als sie sie zuvor hereingelassen hatte.

Pia Korittki und Marten Unruh entfernten sich ein paar Meter vom Haus und Marten zündete sich unter einem alten Baum eine Zigarette an. Einen kurzen Moment betrachteten sie das große Gebäude, hinter dessen Fenstern behaglich das Licht schimmerte. Marten maß seine Kollegin mit einem abschätzenden Blick: »Dann kannst du ja jetzt mit den Eltern des verunglückten Kindes sprechen. Die Rohwers wohnen hier gleich nebenan.«

Pia schluckte. Wenn es unangenehm wurde, wurde sie also vorgeschoben.

Er bemerkte ihr Zögern sofort: »Stimmt es, was man über dich sagt?«

»Was denn?«

»Es heißt, du bringst selbst einen Ytong-Stein zum Reden. Ich bin mal gespannt ...«

Er deutete mit einer Kopfbewegung zu der zweiten Eingangstür. Noch während Pia klopfte, konnte sie seinen Blick im Nacken spüren.

5. KAPITEL

Bettina Rohwer saß mit vor dem Oberkörper verschränkten Armen am Tisch und sah Pia starr in die Augen. Sie strahlte so viel Kooperationsbereitschaft aus wie ein Gladiator Auge in Auge mit dem Löwen. Die Todgeweihten grüßen dich ...

Pia schätzte ihr Alter auf Anfang vierzig, war sich aber nicht ganz sicher. Bettina Rohwer war eine zierliche Frau mit erstaunlich rundlichen Hüften. Insgesamt wirkte sie sehr weiblich, betont durch ihr langes, kastanienbraunes Haar, das ihr in einer krausen Masse bis über die Schultern wogte. Ihre Haut war blass und zerknittert, der Blick ihrer Augen merkwürdig stumpf. Sie sah aus, als könnte neben ihr eine Granate einschlagen und sie würde nicht einmal zucken.

Bettina Rohwer hatte Pias Dienstausweis etwas länger betrachtet als üblich und ihre Besucher dann in eine große, behaglich eingerichtete Küche geführt.

Nun war Pia am Zuge, und sie spürte, dass Bettina Rohwer

es ihr nicht leicht zu machen gedachte. Zumindest hatte sie ihre beiden Kinder, einen etwa 13-jährigen Jungen und ein etwas jüngeres Mädchen, nach oben in ihre Zimmer geschickt.

Unruh saß am anderen Ende des Tisches und blickte unbeteiligt aus dem Fenster.

Pia eröffnete das Gespräch mit der Frage nach Bettina Rohwers Verhältnis zu den Ermordeten. Seichtes Vorgeplänkel erschien ihr fehl am Platz.

»Wir waren Nachbarn, auch wenn die Häuser sehr weit auseinander stehen. Wenn man so einsam wohnt wie wir, heißt das normalerweise oft schon etwas. In unserem Fall war das Verhältnis jedoch nicht sehr gut.«

»Warum nicht?«

»Es hat wohl keinen Zweck, Ihnen das zu verheimlichen. Wenn Sie diesen Mordfall untersuchen, wird es Ihnen jeder gern erzählen. Die müssen das alles bis zum Erbrechen durchgehechelt haben.«

»Wer sind ›die‹?«

»Na, alle hier im Ort ...« Bettina Rohwer machte eine vage Handbewegung und fuhr fort: »Bis zum Oktober letzten Jahres waren mir die Benneckes völlig gleichgültig. Wir haben uns höflich gegrüßt, wenn wir uns gesehen haben, und damit hatte es sich. Dann hat Malte Bennecke meine kleine Tochter Elise mit dem Motorrad überfahren, direkt hier vor unserem Haus. Sie war noch keine zwei Jahre alt. Seitdem hasse ich die ganze Sippe!«

Bisher hatte Bettina den Blick auf die Tischplatte gerichtet, doch als sie nun den Kopf hob, sah Pia, dass sie um ihre Beherrschung rang. Pia fühlte sich einen Augenblick wie gelähmt. Sie war zwar durch Gerlinde Kontos vorgewarnt gewesen, aber es direkt aus dem Munde der Mutter zu hören war weitaus schlimmer, als sie gedacht hatte. Ihr verzweifelter

Blick sagte mehr über die Tragödie aus, als Worte es vermitteln konnten. Pia sah aus den Augenwinkeln, dass ihr Kollege nun interessiert zu ihnen hinübersah. Er war dieser Situation geschickt ausgewichen.

»Das tut mir sehr Leid«, sagte Pia, »vor allem, weil dieser Mordfall das alles jetzt noch einmal aufwühlen wird.«

»Haben Sie Kinder? Nein, bestimmt nicht. Was soll denn da aufgewühlt werden? Glauben Sie, ich hätte seit dem Tod meines Kindes auch nur eine Minute erlebt, in der ich nicht daran gedacht hätte? Ich werde doch jeden Tag durch tausend Kleinigkeiten an mein Kind erinnert. Jeder Gegenstand in diesem Haus, jedes Fleckchen im Garten, auf dem Hofplatz, das Stück Weg, wo es passiert ist, alles, alles, alles erinnert mich immerzu an Elise. Und wissen Sie was?« Sie musste kurz Atem holen, so sehr hatte sie sich aufgeregt. Nun redete sie leise und eindringlich: »Es ist gut. Ich will sie nicht vergessen, will mich nicht ablenken, denn hier«, sie fasste sich auf die linke Brust, dort, wo sie ihr Herz vermutete, »hier drinnen lebt sie weiter für mich. Und dieses Pack, dieser Malte Bennecke und seine kaltschnäuzige Mutter, sind nun auch tot. Ich weiß, ich sollte das in Gegenwart der Polizei nicht sagen, aber ich empfinde eine gewisse Befriedigung bei diesem Gedanken. Es ist, als gäbe es doch eine höhere Gerechtigkeit auf der Welt.«

Pia ließ diesen letzten Satz eine Weile im Raum hängen.

Unruh räusperte sich: »Wurde Malte Bennecke zur Rechenschaft gezogen für den Tod Ihres Kindes?«

»Man hat den Unfall natürlich untersucht und es kam auch zum Prozess. Aber die Richter nannten es fahrlässige Tötung mit mildernden Umständen, oder so ähnlich. Er ist für die kleine Straße zu schnell gefahren, wusste, dass hier kleine Kinder wohnen, aber als sie auf ihrem Bobbycar auf die Straße rollte, konnte er nicht mehr rechtzeitig reagieren. Er versuchte auszuweichen, schleuderte und rutschte quasi in sie hinein. Er selbst hat sich nur ein paar Prellungen zugezogen. Elise schlug so hart mit dem Kopf auf, dass die Ärzte behaupteten, sie sei sofort tot gewesen.« Bettina Rohwer lehnte sich erschöpft zurück, schien sich in sich zurückzuziehen.

Wenn Pia nicht aufpasste, wäre der Redestrom hiermit versiegt. Sie konzentrierte sich auf Bettina Rohwers Haltung, ihre Atmung, versuchte, den Kontakt nicht abreißen zu lassen. Unerwünschte Bilder des Unfalls tauchten vor ihrem inneren Auge auf. Leise fragte sie: »Wie ist es passiert?«

Bettina schloss kurz die Augen, bevor sie zu erzählen begann, was sie in Gedanken wohl immer wieder durchleben musste.

»Es war vormittags, so gegen 10.30 Uhr. Ich war mit Elise draußen und hängte die Wäsche auf, während sie auf ihrem Bobbycar auf dem Hofplatz herumfuhr. Ich hatte mein Telefon am Gürtel, und als es klingelte, ging ich ran. Es war Sinas Klassenlehrerin, die mir mitteilte, dass Sina auf dem Schulhof mit einem anderen Kind zusammengestoßen war. Die Lehrerin dachte, sie hätte sich vielleicht die Nase gebrochen. Nun hat Sina große Angst vor Ärzten, und sie weigerte sich, mit der Lehrerin zusammen zum Krankenhaus zu fahren. Man bat mich, zu kommen und sie zu begleiten. Ich regte mich etwas auf, da mir die Lehrerin unfähig erschien. Deshalb wollte ich schnellstmöglich zur Schule fahren. Da Elise so friedlich beschäftigt schien, wollte ich schnell ins Haus laufen, die Autoschlüssel und mein Handtasche holen und sie dann einsammeln und zur Schule fahren. Drinnen fiel mir ein, dass ich Torge, der um zwölf Uhr aus der Schule kommen sollte, eine Nachricht hinterlassen musste. Ich war vielleicht drei Minuten im Haus – drei Minuten zu lang. In der Zwischenzeit ist Elise mit ihrem Bobbycar die Auffahrt hochgefahren und von dort den kleinen Berg abwärts zur Straße, genau in dem Moment, als Malte Bennecke mit dem Motorrad angerast kam. Ich hörte im Haus die quietschenden Bremsen und den Knall. Ich rannte zur Tür und da sah ich es: Mein Kind und das Bobbycar waren etwa 5 Meter durch die Luft geschleudert worden und lagen am Rand des Asphaltweges. Das Motorrad lag mit sich noch drehendem Rad im Knick. Ich lief hin, ich glaubte irgendwie noch, dass mein Kind leben müsse. Ein paar Knochenbrüche vielleicht, Blutergüsse, aber als ich sie dort liegen sah, wusste ich es sofort. Es war der schlimmste Moment meines Lebens. Was danach kam, weiß ich nicht mehr, das müssen Ihnen andere erzählen. Ich habe keine Erinnerungen mehr, bis zu dem Zeitpunkt, als ich im Krankenhaus aufwachte.«

Einen kurzen Moment lang war es ganz still im Raum. Bettina starrte ins Leere, das Gesicht gezeichnet von dem erlittenen Leid. Nun erkannte Pia, dass Bettina Rohwer noch nicht so alt war, wie sie sie zunächst geschätzt hatte. Die Monate der Trauer und des Zorns hatten sich in ihr Gesicht eingeprägt. Sie war wohl höchstens fünfunddreißig Jahre alt.

»Ich glaube, ich habe ein erstklassiges Motiv, den Benneckes, allen voran Malte und seiner Mutter, den Tod zu wünschen. Aber ich habe es nicht getan«, sagte Bettina Rohwer schlicht.

»Warum betonen Sie, dass Sie Malte und seiner Mutter den Tod gewünscht haben? Was hatte Ruth Bennecke mit der Sache zu tun?«, fragte Pia schließlich.

»Ach, diese kaltschnäuzige Hexe hat doch ihren Sohn erst zu dem erzogen, was er war. Sie hat ernsthaft im Dorf herumerzählt, ihr armer Malte wäre völlig unschuldig, und ich sei die einzig Schuldige.«

Pia konnte eine gewisse Mitschuld Bettina Rohwers auch nicht von der Hand weisen, aber sie hütete sich, etwas in der Richtung zu sagen. Sie wollte die Frau nicht verprellen, jetzt, wo sie gerade etwas offener zu reden begann.

»Wie hat sie ihren Sohn denn erzogen? Was für ein Mensch war Malte Bennecke?«

»Sie hat ihn eher verzogen, er war ihr Ein und Alles. Das Nesthäkchen der Familie. Um ihre ältere Tochter hat sie sich kaum gekümmert, tat mir manchmal direkt Leid, die junge Frau, obwohl ich sie nur selten hier gesehen habe. Sie lebt in Frankfurt und es zieht, oder zog, sie wohl nicht mehr sehr oft auf den Hof ihrer Eltern. Malte hat alles bekommen, was er nur wollte. Dieses verfluchte Motorrad war nur eines von vielen Dingen, die sie ihm in den Hintern geschoben hat. Das Kerlchen war so was von arrogant. Man fragte sich nur, weshalb. Seine Leistungen sollen eher bescheiden gewesen sein, aber er hatte wohl Erfolg bei den Frauen. Besonders bei den etwas älteren. Seine Mutter hat diese Affären auch noch unterstützt und ihm jede Menge Geld zugesteckt, selbst wenn der Vater mal etwas härter durchgreifen wollte. Rainer Bennecke war, soweit ich das beurteilen kann, seiner Frau in keiner Hinsicht gewachsen. Nach außen spielte er zwar immer den Herren auf seinem Hof, aber alle finanziellen Dinge und alle wichtigen Entscheidungen soll sowieso sie getroffen haben. Als Ruth und Rainer heirateten, stand es schlecht um den ›Hof Grund‹. Sie standen kurz vor dem Konkurs. Aber Ruth Bennecke war eine harte, sparsame Frau, mit Sinn fürs Geschäft. Sie hat den Hof wieder in die schwarzen Zahlen gebracht. In den letzten Jahren ging es denen sogar so gut, dass sie sich Maltes Eskapaden leisten konnten. Katrin Bennecke hat jetzt das Glück, einen profitablen Betrieb zu erben, auch wenn sie sich bestimmt nicht für die Landwirtschaft interessiert und verkaufen wird.«

»Woher wissen Sie das alles, wenn Sie keinen Kontakt zueinander hatten?«

Bettina schnaubte verächtlich durch die Nase. »Wir leben hier in einem kleinen Dorf, hier wird halt geredet. Man weiß einfach Bescheid, was bei den Nachbarn so los ist – oder glaubt es zumindest zu wissen«, räumte sie dann ein.

»Was haben sie gestern Abend getan?«

Bettina Rohwer zuckte zusammen.

»Ich war hier. Die Kinder sind gegen halb neun im Bett gewesen, sie müssen, wenn sie Schule haben, schon um sechs Uhr morgens aufstehen. Kay kam so gegen acht von der Arbeit nach Hause. Wir haben gegessen, ferngesehen und waren so um halb elf im Bett.«

»Kann das außer Ihrem Mann noch jemand bestätigen?«, fragte Pia, obwohl sie die Antwort schon zu wissen glaubte. Ein gemütlicher Abend zu zweit, keine weiteren Zeugen.

»Nein.«

»Haben Sie vielleicht etwas gehört, was uns helfen könnte, den Zeitpunkt des Mordes näher zu bestimmen? Sind Autos zu später Stunde vorbeigefahren oder haben Sie die Schüsse gehört?«

Bettina schien einen Moment über diese Frage nachzudenken. Sie rieb sich die Stirn: »Ich weiß nicht, wie der Wind gestern Abend stand, aber eigentlich hätten wir Schüsse vom Grund hören müssen. Man achtet nur manchmal nicht mehr darauf. Hier wird viel gejagt, wissen Sie. Ein Schuss, oder auch mehrere, sind hier nicht ungewöhnlich. Und ich achte auch nicht auf jedes Auto, das vorbeifährt.«

Pia vermutete, dass Bettina Rohwer alles erzählt hatte, was sie in diesem Gespräch äußern wollte. Zum weiteren Nachhaken fehlten ihr bis auf weiteres die Anhaltspunkte.

»Es kann gut sein, dass wir Sie später noch zu uns bitten müssen, um Ihre Aussage offiziell zu Protokoll zu nehmen. Außerdem würden wir uns auch gerne mit Ihrem Mann unterhalten.«

»Mit Kay?« Sie sah erstaunt aus. »Wenn es sein muss, kann ich Ihnen seine Handy-Nummer geben.« Sie kritzelte etwas auf einen Abreißblock an der Wand und gab Pia den Zettel. Dann geleitete sie Pia und Marten Unruh zur Tür. Sie murmelte noch einen Abschiedsgruß, bevor sie geräuschvoll die Haustür schloss.

»Da haben wir Sie!«, bemerkte Unruh, als sie wieder in den Wagen stiegen. »Die perfekte Unschuld vom Lande.«

6. KAPITEL

Kay Rohwer trat das Gaspedal seines 7er BMWs bis zum Bodenblech durch. Er spürte einen angenehmen Ruck, als ihn die Beschleunigung des Autos in den Sitz drückte. Die Heizung des Wagens stand auf Maximum und verbreitete mit ihrer Wärme auch den angenehmen Geruch von Leder und einem Hauch Benzin im Innenraum. Kay warf einen kurzen Blick in den Rückspiegel, um sicherzugehen, dass ihm keine Zivilstreife mit Videoüberwachung folgte. Die Tachonadel näherte sich der 160, als er den kurvenreichen Abschnitt hinter dem Dörfchen Lepahn verließ und in die »Gerade« ging. Die winterliche Landschaft flog an ihm vorbei und er merkte, wie er sich langsam entspannte.

Der Tag war ereignisreich gewesen: Er hatte einen wichtigen neuen Kunden gewonnen, seinem Angestellten Wolf Birnbaum die Meinung gesagt und beim Italiener hervorragende Antipasti zum Mittag gegessen. Danach war alles den Bach runtergegangen. Jemand von der Kripo Lübeck hatte ihn angerufen, um einen »Gesprächstermin« mit ihm zu vereinbaren. Dann hatte sich seine Frau Bettina beunruhigt bei ihm gemeldet und von ihrer Begegnung mit der Polizei berichtet. Dieser Mordfall im ›Grund‹ wühlte die ganze Geschichte mit Elise natürlich wieder auf. Kein Wunder, dass es Bettina dabei schlecht ging. Er spürte selber, wie sich ihm die Erinnerung an ihren Unfall wie ein Gewicht auf die Brust legte. Er musste zwar nicht ständig an den Tod seines Kindes denken, dazu war er zu beschäftigt, aber es lag immer ein dunkler Schatten über allem, was er dachte und tat.

Vollständig den Tag versaut hatte ihm allerdings erst das Telefonat mit Nina Schmidtbauer. Er hatte sie nach dem Gespräch mit Bettina angerufen, um ihr gemeinsames abendliches Treffen abzusagen. Meistens traf er sich dienstags mit Nina, während er Bettina erzählte, er sei beim Sport. Ein sehr entspannendes Arrangement und bestimmt gesünder als Squash oder Krafttraining. Aber Nina wurde langsam unbequem. Kay sorgte immer dafür, dass er seine Affären beendete, bevor es zu ernst wurde. Das dauerte bei den Frauen unterschiedlich lange. Kay hatte die Erfahrung gemacht, dass die ganz jungen, so bis 25 Jahre, und die älteren, so ab 38 Jahren, am dauerhaftesten waren. Die anderen wollten immer selbst noch eine Familie gründen und stellten Forderungen an ihn. Aber eine Familie hatte er ja bereits. So schien es auch bei Nina, 28 Jahre alt, wieder ein schneller Abschuss zu werden ... »Abschuss?« Er zuckte bei seinem eigenen Gedanken zusammen und bremste den Wagen ab, als er sich Lebrade näherte. Dieses Dorf quälte den Durchgangsverkehr mit einer Geschwindigkeitsbeschränkung auf 30 Stundenkilometer.

Er würde Nina natürlich nicht abschießen, sondern sie nett zum Essen ausführen und ihr dort, wo sie garantiert keine Szene wagen würde, den Laufpass geben. Wenn sie anschließend so wütend oder verletzt war, dass sie damit drohte, Bettina alles zu erzählen, würde sie feststellen, dass das nicht ratsam war. Kay behielt es sich vor, im Gegenzug Enthüllungen über sie zu machen, die sich negativ auf ihren weiteren Lebensweg auswirken könnten. Er wusste immer, wo der wunde Punkt lag.

Bei den Benneckes hatte jemand zu drastischeren und gefährlicheren Mitteln gegriffen, um sich zu schützen. Das jedenfalls unterstellte Kay dem Täter als Motiv. Ruth Bennecke war eine unverbesserliche Klatschtante und hatte wahrscheinlich bei ihrem Mörder den gewissen Nerv getroffen, der dann ihren Tod und den ihrer Familie nach sich gezogen hatte.

Kay hatte selber einmal eine sehr unangenehme Erfahrung mit ihr gemacht. Er war damals noch Angestellter in einer anderen Firma gewesen, in der er eine kurze Affäre mit seiner Abteilungsleiterin hatte. Sie war zwar nicht sonderlich attraktiv, aber in diesem Fall hatte sie einmal die Initiative ergriffen und Kay fand die Verquickung von Sex und Macht amüsant. Richtig lustig war es aber erst geworden, als er gleichzeitig ihre Tochter kennen gelernt und verführt hatte, ohne dass Mutter und Tochter voneinander wussten.

Leider gab es einen Spitzel in der damaligen Firma. Eine entfernte Cousine von Ruth Bennecke arbeitete in der Buchhaltung und bekam irgendwie Wind von der Sache. Die Damen in der Buchhaltung steckten ihre Nase ja immer in alles, was sie nichts anging. Diese besagte Cousine hatte es natürlich an Ruth Bennecke weitererzählt, aber die Geschichte erschien ihr wohl zu brisant, als dass sie sie ungeprüft verbreiten wollte. Ruth Bennecke beschränkte sich auf Andeutungen und Sticheleien, die Bettina zwar zu Ohren kamen, die sie aber nicht für voll nahm, da sie Ruth Bennecke sowieso nicht leiden konnte.

Dann machte Malte Bennecke mit verschiedenen kleineren Missetaten auf sich aufmerksam und seine Mutter zog sich etwas vom Dorfklatsch zurück, um nicht selbst zu sehr unter Beschuss zu geraten – schon wieder diese Assoziation!

So jedenfalls erklärte sich Kay das Verstummen der Gerüchte. Bettina sprach ihn einmal auf diese Abteilungsleiterin an, und Kay machte sich den Spaß, die beiden auf einer Betriebsfeier einander vorzustellen. Danach war Bettina überzeugt von der Unwahrheit der Gerüchte. Sie konnte sich scheinbar nicht vorstellen, dass er mit »so einer« etwas hatte.

Bettina war in dieser Hinsicht naiv. Aber gerade das schätzte er an ihr, im Gegensatz zu Frauen wie dieser Ruth Bennecke. Man dachte immer zuerst an sie, wenn man die Benneckes erwähnte. Ihr Ehemann Rainer verblasste gegen sie einfach. Ein schweigsamer, mit den Jahren unansehnlich gewordener Mann. Wenn Kay ihn auf irgendwelchen Dorffesten zufrieden mit seinen Kumpels irgendwo am Tresen hatte stehen sehen, schweigend oder in Gespräche über Rinderzucht und Düngemittel vertieft, hatte er ihn immer ein wenig beneidet. Es war die scheinbare Unkompliziertheit dieser Männerfreundschaften, die er vermisste. In seiner Welt wurden aus Kollegen schnell Rivalen und die Zeit für vertrautes miteinander Schweigen fehlte ebenso.

Nun waren sie also tot, alle drei Benneckes. Erschossen auf dem Hofplatz vor ihrem Haus.

Kay konnte es kaum glauben. Sein Zuhause und das ganze Dorf waren für ihn die Zuflucht vor der bösen Welt, in der er tagtäglich ums Überleben kämpfte. Wo blieb denn das alles, wenn Verbrecher schon den Nachbarn auflauerten? Wo war man denn überhaupt noch sicher?

Kay gestattete sich nicht, den Gedanken weiterzuverfolgen. Wenn er merkte, dass ihn etwas belastete, pflegte er »STOP« zu denken und sich mit angenehmen Gedanken abzulenken. Diese Technik hatte er in einem Managerseminar gelernt, und er wendete sie nach Bedarf immer dann an, wenn es unangenehm wurde.

Als er nach Grevendorf einbog, hatte schon eine verfrühte Abenddämmerung eingesetzt. Wenn er es recht bedachte, war es an diesem Tag gar nicht richtig hell geworden. Er wäre gern erst nach Hause gefahren und hätte sich geduscht und umgezogen, aber er war sowieso schon zu spät dran. Die Kripo erwartete ihn bereits im ›Hotel am See‹.

In Grevendorf angekommen, stellte er seinen Wagen auf dem kleinen Hotelparkplatz ab. Er atmete einmal tief die kühle Luft ein und wieder aus, dann betrat er das Foyer. Im Eingangsbereich stieß er fast mit einer jungen Frau zusammen, die das Hotel verlassen wollte. Sie war groß und schlank und hatte blondes, zu einem Zopf zusammengebundenes Haar. Unter ihrem Arm klemmte eine schwarze Aktenmappe. Sie betrachtete ihn nur kurz, aber ihr Blick war scharf und prüfend.

»Unsympathisch«, war Kays erste Einschätzung. Attraktivität hin oder her, keine Frau sollte so herausfordernd und kühl schauen, wenn sie einem Mann zum ersten Mal begegnete.

Pia Korittki verließ unter den Blicken des Hotelmanagers und des Mädchens an der Rezeption das Hotel. Im Windfang wurde sie fast von einem ungehalten aussehenden Mann angerempelt. Sie musterte ihn kurz, wie es ihre Gewohnheit war, ihre Gedanken waren jedoch schon bei der Befragung von Holger Tramm. Leute, die Leichen entdeckten, entwickelten sich manchmal zu höchst interessanten Zeugen, manchmal stellten sie sich auch als Täter heraus.

Die Befragung des Abdeckers erwies sich als reine Routineangelegenheit. Holger Tramm war ein zurückhaltender Mann, dem die Ereignisse des Morgens scheinbar schwer zugesetzt hatten. Er konnte ihr nur stockend und schluckend berichten, wie er frühmorgens zum ›Hof Grund‹ gefahren war und sich über die dunklen Schatten auf dem Hofplatz gewundert hatte. Zuerst hatte er vermutet, es liege Gerümpel herum, bis er ausgestiegen war und gesehen hatte, dass er es mit drei Toten zu tun hatte. Wieder und wieder beklagte er sich, dass er ihren Arm überfahren hätte, Ruth Benneckes Arm!

Entweder war er ein hervorragender Schauspieler oder tatsächlich der traumatisierte Zeuge eines grausamen Verbrechens. Pia neigte eher Letzterem zu, vermerkte aber die Möglichkeit von weiteren Befragungen.

Auf der Rückfahrt erhielt sie über ihr Mobiltelefon einen Anruf von Marten Unruh. Er sagte, sie solle direkt zum ›Grund‹ kommen. Die Kriminaltechniker vom K6 wären mit ihrer Arbeit vorerst fertig und der Chef der Truppe hätte schon erste Ergebnisse mit ihm besprochen.

Inzwischen war es bereits dunkel geworden. Als Pia in den Grevendorfer Redder abbog, umgab sie, bis auf das Licht ihrer Autoscheinwerfer, totale Finsternis. Die Bäume und Sträucher, die den Weg begrenzten, waren winterlich kahl. Die Zweige und Baumstämme sahen grau aus, wenn das Scheinwerferlicht sie streifte. Pia hatte das Gefühl, durch einen Tunnel aus totem Geäst zu fahren, die Asphaltstreifen vor sich wie einen Strang Schienen, der ins Nichts führte. Ein offen stehendes Gatter und ein rostiger Briefkasten kündigten schließlich den ›Hof Grund‹ an.

Pia stellte den Passat wieder unter die Kastanie und ging zum Wohnhaus hinüber, dessen Tür noch mit dem rotweißen Band der Spurensicherung versperrt war.

Sie klopfte gegen das Holz der Tür, die nur angelehnt war. Im Inneren des Hauses stand Marten Unruh im Türrahmen und kritzelte im Stehen etwas in ein Notizbuch. Als sie eintrat, sah er auf und steckte das Buch in die Jackentasche.

»Na denn«, er löste sich vom Türrahmen, »die Kriminaltechniker sind schon weg. Lass uns auch losfahren, wir haben auf dem Rückweg noch einiges zu besprechen.«

»Ich möchte mir das Haus noch kurz von innen ansehen«, entgegnete Pia. Sie befürchtete, in den folgenden Tagen nicht mehr viel Gelegenheit dazu zu haben.

»Ach, komm schon. Es ist spät und wir haben noch eine lange Fahrt vor uns. Ich erzähle dir im Auto alles, was du wissen willst«.

»Nein, ich muss es selber sehen«, beharrte Pia, obwohl sie auf einmal zum Umfallen müde war.

Marten konnte seinen Ärger über die Verzögerung nur schlecht vor ihr verbergen. Er kniff die Augen zusammen, sah sie kurz prüfend an, wie um zu sehen, ob Widerspruch Erfolg versprechend war, und entschied dann offensichtlich, ihr in diesem Fall ihren Willen zu lassen.

»Also gut, sieh dich kurz um, dann haben wir es hinter uns. Du kannst dann später einen Bericht über unseren Besuch hier schreiben.« Damit drehte er sich um und ging zur Tür hinaus, die fast geräuschlos hinter ihm ins Schloss fiel.

»Idiot!«, zischte Pia, als er gegangen war. Sie lockerte ihre verkrampften Schultern, versuchte, ihren Ärger in den Hintergrund zu schieben, und machte sich auf den Weg durch das leer stehende Haus.

Auffällig war zunächst der Geruch, eine Mischung aus feuchten Steinen, alten Möbeln, Kuhdung und scharfen Putzmitteln. Das Mischungsverhältnis schwankte von Raum zu Raum, die Zusammensetzung blieb weitestgehend die gleiche. Der Eingangsbereich hinter der Haustür war ein schmaler dunkler Flur, an dessen rechter Seite eine Holztreppe hoch ins Obergeschoss führte. Links ging es in die Küche. Die Küche war sehr sauber und aufgeräumt, nur ein Holzbrett mit ein paar Krümeln darauf und ein leeres, benutztes Glas standen in der Nirosta-Spüle. Zwei große, hohe Fenster gingen zum Hof hinaus, dunkle Löcher, in deren Scheiben sich die Kücheneinrichtung und Pia selbst verzerrt spiegelten. Sie erschrak, als sie ein weißes Gesicht mit dunklen Schatten unter den Augen sah, und begriff, dass sie es selbst war.

Sie warf noch einen kurzen Blick in den Kühlschrank und die große Speisekammer, die jeweils gut mit Vorräten gefüllt waren, und verließ den Raum wieder. Vor nur 24 Stunden hatte Rainer Bennecke hier wahrscheinlich sein benutztes Holzbrett abgestellt und sich auf einen ruhigen Abend vor dem Fernseher gefreut. Nun war er tot. Mit ihm seine Ehefrau und sein Sohn.

Als sie wieder den Flur betrat, war sie unschlüssig, welche Richtung sie nun einschlagen sollte. Die Treppe, die ins Obergeschoss führte, endete in einem dunklen, muffigen Nichts. Ein kalter Lufthauch strich die Stufen herunter. Eine Tür, die nur angelehnt war, führte ins Wohnzimmer. Pia tastete nach dem Lichtschalter. Eine Deckenleuchte in 3,50 Meter Höhe tauchte den Raum in ungemütliches Licht. Es war ein Wohnraum mit wuchtiger Ledergarnitur, gruppiert um einen Couchtisch mit Onyxplatte und Schondeckchen. Eine Eiche-Rustikal-Schrankwand nahm die rechte Wand des Raumes ein. Es war wenig Persönliches zu entdecken in dem Raum, den die Benneckes während ihres Feierabends genutzt hatten. Pia hatte Mühe, sich vorzustellen, dass hier bis gestern Menschen gewohnt hatten. Die Luft roch nach dieser kurzen Zeit schon abgestanden.

Sie erkundete noch kurz den Wirtschaftsbereich: Eine Waschküche, ein Badezimmer, die Milchkammer, ein Vorratsraum und ein Flur mit Zugang zum Stall. In der Waschküche blinkte ein rotes Lämpchen am Wäschetrockner auffordernd. Pia ging zurück in den Hauptflur und machte sich dann an den Aufstieg ins Obergeschoss.

Oben sah sie sich nacheinander ein Schlafzimmer, zwei Zimmer, die wohl der Sohn bewohnt hatte, und eine Art Büro an.

Der Raum, der Pias größtes Interesse weckte, war das Büro. Er unterschied sich von den anderen Zimmern, da er mit mehr Feingefühl und Liebe eingerichtet worden war als die anderen. Der Schreibtisch war alt, das Holz glänzte rötlich und eine Schreibtischunterlage aus Leder schützte die Oberfläche. Ein paar Schreibutensilien standen darauf, eine elektrische Schreibmaschine und ein paar Fotos in silbernen Rahmen. Pia betrachtete sie interessiert.

Das erste Foto zeigte eine Frau Mitte 30 mit einem Säugling auf dem Arm, die auf einer Gartenbank im Grünen saß und in die Kamera lächelte. Es konnte Ruth Bennecke sein, aber Pia war sich nicht ganz sicher. Zwischen der Frau auf dem Foto und der Toten, die sie gesehen hatte, lagen ungefähr 20 Jahre.

Dann gab es Bilder von einem Kleinkind, einem Jungen bei der Einschulung, und ein sehr braves Bild eines Teenagers im Anzug, wie es zum Beispiel bei einer Konfirmation zu Stande gekommen sein konnte. Es war unverkennbar Malte Bennecke und zeigte noch einmal, dass dieser ein auf etwas ordinäre Art gut aussehender Bursche gewesen war. Er lächelte selbstbewusst in die Kamera, die blauen Augen von dunklen langen Wimpern umrahmt, der Mund voll und sinnlich. Ein Jugendlicher, der schon mit etwa 15 Jahren eine solche Ausstrahlung hatte, machte Pia nachdenklich.

Es gab vier Fotos, die Malte Bennecke zeigten, jedoch keines, auf dem seine Schwester zu sehen war: Katrin Bennecke, die in Frankfurt lebte. Was für eine Mutter lässt eines ihrer Kinder in der Privatgalerie so vollständig außen vor?

Pia warf einen Blick in Schubladen und Schränke. Sie sah, dass eine Menge Arbeit auf sie wartete, wenn sie sich einen Überblick über die Angelegenheiten der Benneckes verschaffen wollten.

Dieser Fall hier lag anders als die Gewalttaten, mit denen die Polizei in Lübeck sich sonst beschäftigte. Wenn es diese Leute hier getroffen hatte, dann konnte es jeden treffen. Die Morde rückten einen gewaltsamen Tod in die Nähe des Wahrscheinlichen.

7. KAPITEL

Marten Unruh saß unten im Auto. Er hatte den Motor bereits gestartet, um es sich warm zu machen.

»So, alles gesehen? Mir reicht es für heute. Ich habe einen Wahnsinns-Hunger, mir ist kalt, und ich habe das Gefühl, ich rieche nach Kuh!«, lamentierte er, während er den Gang einlegte und vom Hof fuhr.

»Ich musste mir das Haus ansehen«, sagte Pia entschieden. »Wie sollen wir diese Ermittlungen führen, wenn uns die Menschen hier und ihr Leben ein absolutes Rätsel sind?«

»Die Menschen ticken doch überall gleich.«

»Ach ja? Dann sieh dir bei Gelegenheit mal die private Fotogalerie von Ruth Bennecke an.«

Marten Unruh blieb ihr eine Antwort schuldig. Er bog auf die Hauptstraße ab und gab Gas. Pia betrachtete ihn so unauffällig wie möglich im Halbdunkel des Fahrzeuginneren.

Er hatte ein einprägsames Profil, eine gebogene Nase und einen hervorspringenden Adamsapfel. Von seinen Nasenflügeln zu den Mundwinkeln zogen sich zwei Linien in dem sonst noch recht glatten Gesicht. Magenprobleme? Seine Augen waren ein wenig zusammengekniffen. Pia vermutete, dass er eigentlich eine Brille brauchte, jedoch zu eitel war, eine zu tragen. Eitel und von sich eingenommen, dachte sie. Er wird alles daransetzen, sich nicht überrunden zu lassen.

»Du hättest bestimmt lieber mit einem anderen Kollegen zusammengearbeitet?«, fragte Marten plötzlich.

Pia zuckte zusammen, weil sie sich bei ihren Gedanken über ihn ertappt fühlte.

»Du kannst es ruhig zugeben. Ich hätte auch lieber mit Michael Gerlach zusammengearbeitet. Das ist nicht gegen dich als Person gerichtet. Tatsache ist nur, dass du bei uns noch keine Erfahrungen sammeln konntest. Wir werden mit diesem Fall ziemlich ins Licht der Öffentlichkeit gerückt werden. Das bedeutet in jedem Fall Druck. Ganz schön happig, wenn man gerade anfängt.«

»Ich habe bereits die eine oder andere Erfahrung gemacht, auch und vor allem bei der Kripo. Aber da du es unbedingt wissen willst: Ja, ich hätte auch lieber mit jemand anderem gearbeitet. Einem, der weniger voreingenommen ist als du. Gibt es so jemanden in eurem Verein?«

Pia konnte Martens Mimik im Schein der Instrumentenbeleuchtung nur schwer erkennen, aber es sah aus, als ob er lächelte. Trotz ihrer Müdigkeit erboste es sie.

»Man hat mir schon erzählt, dass du die Konfrontation suchst. Sonst wärst du wohl auch nicht so schnell so weit gekommen ... Im Alltag zählt aber nicht nur die Theorie. Du wirst erst mal beweisen müssen, dass du auch bei der Mordkommission Ergebnisse lieferst. Wenn du gute Arbeit leistest, wirst du auch akzeptiert werden. Aber um deine Frage zu beantworten, Korittki: Nein, niemanden.«

Pia kam erst am späten Abend nach Hause. Sie hatte noch eine viertel Stunde mit Unruh im Wagen auf dem Parkdeck gestanden, bis er ihr von den vorläufigen Ergebnissen der kriminaltechnischen Untersuchung berichtet hatte.

Bisher gingen sie davon aus, dass der Täter mit einem Auto zum Wäldchen am ›Hof Grund‹ gefahren war. Er hatte den Wagen an einem nicht einsehbaren Ort abgestellt und dann im Unterholz gewartet, bis Malte und Ruth Bennecke mit dem Wagen nach Hause gekommen waren. Der Täter hatte sieben Schüsse aus einer Entfernung von etwa 120 Metern abgegeben, sechs davon waren Treffer gewesen.

Rainer Bennecke hatte sich scheinbar im Haus befunden und war hinausgelaufen, als er die ersten Schüsse hörte, dem Mörder quasi geradewegs in die Schusslinie.

Die Patronenhülsen waren jetzt auf dem Weg zum Dezernat für Schusswaffenerkennung. Außerdem gab es einen halben Fußabdruck im Gehölz und Reifenabdrücke, die vom Wagen des Täters stammen konnten. Ein Kleinwagen mit abgefahrenen Reifen einer gebräuchlichen Marke. Die Kriminaltechniker hofften, dass sie noch weitere Spuren wie Fasern oder Haare finden würden.

Als sich Pia und Marten voneinander verabschiedeten, war ihr klar, dass sie noch ganz am Anfang standen.

Pia Korittki bewohnte eine Dachgeschosswohnung in einem Hinterhaus in der Lübecker Altstadt. Das Haus gehörte einer Ärztin, die mit ihrem 4-jährigen Sohn im Erdgeschoss wohnte. Im zweiten Stock wohnte ein Handwerker. Ein junger Russe, den Pia nur selten zu Gesicht bekam. Pias Wohnung unter dem Dach war klein, hatte nur ein Duschbad in der Küche und einen Gasofen im größeren der beiden Zimmer. Die Wohnung hatte jedoch den bestechenden Vorteil eines Atelierfensters in der Dachschräge, das gutes Licht zum Malen gab.

Ihr neuestes Werk war mit Acrylfarben auf Karton gemalt und fast zwei Quadratmeter groß. Eine helle, wohl geformte

Hand mit roten Fingernägeln vor ultramarinblauem Hintergrund mit viel Schwarz und ein paar Tupfern Chromoxidgrün. Die Linienführung war ihr gut gelungen, das Bild strahlte eine gewisse Dynamik aus. Störend war allerdings, dass es zu der Hand keinen Körper gab.

Ein Rentner hatte vor ein paar Wochen einen abgetrennten Arm in einem blauen Müllsack gefunden. Pia war als eine der Ersten am Fundort gewesen.

Sie besaß noch weitere Bilder dieser Art, sie standen alle hintereinander gestapelt in einer Abseite ihrer Wohnung. Was hätte sie mit derartigen Werken auch anfangen sollen?

Sie ging in die Küche und warf einen Blick in die angebrochene Flasche Tomatensaft im Kühlschrank. Eine Bloody Mary wäre genau das Richtige nach einem Tag wie diesem: Ein paar Vitamine, viel Pfeffer für den guten Geschmack und etwas Wodka, um einschlafen zu können.

Kurz darauf stand sie mit dem improvisierten Cocktail an den Kühlschrank gelehnt da. Ihr Blick fiel auf ihren Anrufbeantworter. Kein Lämpchen blinkte, niemand hatte eine Nachricht für sie hinterlassen. Sie gestand es sich ungern ein, aber sie wartete auf einen Anruf von Robert.

Nachdem sie sich am Sonntag in Missstimmung von ihm getrennt hatte, hatte er es noch nicht für nötig befunden, sich bei ihr zu melden. Die Erinnerung an ihren unterkühlten Abschied signalisierte ihrem Unterbewusstsein etwas Unerledigtes und störte ihre Konzentration. Der neue Job war belastend genug, warum zum Teufel meldete Robert sich nicht bei ihr?

Sie waren seit zwei Jahren zusammen, wobei sich das Wort »zusammen« nur auf die Wochenenden beschränkte, an denen keiner von ihnen arbeiten musste. Kennen gelernt hatten sie sich schon früher, vor über sieben Jahren in Tarifa. Pia war sich allerdings bis heute nicht sicher, ob Robert sich an ihre erste Begegnung ebenfalls erinnerte.

Nach dem Abitur war Pia als Au-Pair nach Frankreich gegangen. Obwohl der Job an sich sie langweilte, war sie von ihrer neu gewonnenen Freiheit und der Stadt Paris fasziniert gewesen. Die Metropole war eine grandiose Ablenkung von der drängenden Frage, was sie mit ihrem Leben anfangen sollte. Als das Jahr um war, besuchten Pia ein paar Schulfreunde aus Lübeck, die auf der Durchreise nach Spanien waren. Es bedurfte nicht viel Überredungskunst, sie zum Mitfahren zu bewegen. Ihr Ziel war Tarifa, das Surfparadies im Süden Europas.

Sie hatten dort zu siebt in zwei alten Wohnmobilen und einem VW-Bus gelebt und ihre Zeit mit Surfen, Trinken und obskuren Psychospielchen verbracht. Pia hatte von Tomaten, Knoblauch und Rotwein gelebt und ihre gesamten Ersparnisse durchgebracht. Irgendwann wollten sie dort eine Surfschule eröffnen, aber die spanische Sonne erstickte damals jedwede Aktivität, die nach Arbeit aussah, schon im Keim.

Robert tauchte etwa ein Jahr später auf. Ein dreiwöchiger, wohl verdienter Urlaub nach einem harten Jahr Arbeit bei der Kripo in Hamburg. Für die windzerzausten, in den Tag lebenden Surfer hatte er nur milde Verachtung übrig gehabt. Pia hatte sich mit einer Intensität in ihn verliebt, die ihr damals völlig neu war. Sicher, Robert sah gut aus, strahlte Selbstsicherheit aus. Es war jedoch der Kontrast zu ihrem sonstigen Umfeld, der Pias Hormone in Aufruhr brachte. Konfrontation statt Ausweichen, Perspektive statt Ziellosigkeit.

Als Robert wieder abgereist war, verkaufte Pia ihr Surfbrett, kratzte ihr letztes Geld zusammen und erstand ein Flugticket nach Hause.

In der gepflegten Doppelhaushälfte in Lübeck-Stockelsdorf überraschte sie ihre Eltern nicht nur mit ihrer Rückkehr, sondern auch mit der festen Absicht, eine Ausbildung bei der Polizei zu beginnen. Robert traf sie erst fünf Jahre später auf einer Schulung wieder. Er erkannte sie nicht. Die Wandlung von der braun gebrannten Surferin zu der kühlen Kripobeamtin war frappierend. Und dieses Mal gerieten nicht nur Pias Hormone in Aufruhr.

Inzwischen drohte ihre Liebe jedoch in Gewohnheit zu versickern. Robert war die Fahrerei zwischen Hamburg und Lübeck leid, ebenso Pias spartanische Wohnverhältnisse. Er plante den gemeinsamen Kauf einer Eigentumswohnung und Pias Versetzung nach Hamburg, um seinem Leben eine neue Richtung zu geben, wie er es formulierte.

Im ersten Moment war Pia der Richtungswechsel sehr recht, enthob er sie doch ihrer beruflichen Schwierigkeiten ohne einen Gesichtsverlust. Dann erkannte sie die drohende Falle. Sie hatte ein Bild gemalt, das einen langen Korridor zeigte, an dessen Ende nur ein kleines, vergittertes Fenster zu sehen war. »Gefängnisbild« hatte Robert es scherzhaft genannt und den Zusammenhang zu Pias Ängsten nicht sehen wollen.

Inzwischen verstaubte das »Gefängnisbild« mit den anderen in Farben ausgedrückten Albträumen. Pias Ängste verstaubten nicht. Am Sonntag war es über dieses Thema zu einem heftigen Streit zwischen ihnen gekommen. Der Immobilienteil des Hamburger Abendblattes lag zerfetzt im Altpapier und vor dem Durchgang zu Pias Haus hatten die Winterreifen von Roberts Audi TT beim Wegfahren schwarze Spuren hinterlassen.

Nun war schon Dienstag, fast Mittwoch, und Pia hatte noch nichts von Robert gehört.

8. KAPITEL

Am nächsten Morgen war Pia um kurz vor sieben in ihrem Büro. Sie hatte in ihrer Wohnung noch schnell ein paar Sachen in eine Reisetasche geworfen und diese auf dem Rücksitz ihres Wagens deponiert. Eine Vorsichtsmaßnahme für den Fall, dass sie gezwungen sein würde, ein paar Nächte in Grevendorf zu verbringen. Dann war sie zum Polizeihochhaus gefahren. Der Pförtner in seinem Glashäuschen unten am Eingang hatte nur ein unterdrücktes Gähnen für sie übrig gehabt.

Um diese Uhrzeit waren die meisten Büros noch unbesetzt, in den Fluren war es ruhig. Pia setzte die Kaffeemaschine in der Teeküche und ihren Rechner in Betrieb und konzentrierte sich dann auf ihre Aufzeichnungen. Als Unruh um zehn vor acht bei ihr hereinschaute, war sie völlig in ihre Arbeit vertieft.

»Morgen, Korittki, aus dem Bett gefallen heute? Ich hab eine Überraschung für dich.«

»Was ist denn?«, fragte sie, den Blick nicht von ihrem Bildschirm abwendend.

»Ich habe gerade einen Anruf bekommen! Wir werden um acht Uhr von Dr. Mösing erwartet.«

»Klär mich auf, ich habe keine Ahnung, wovon du sprichst ...«

»Vom Institut für Rechtsmedizin. Wir werden um acht Uhr zur Obduktion erwartet.«

»Was? So schnell? Oh, Mist!«

»Beeil dich, die warten auf uns.«

Pia bemerkte, dass ihre Knie zitterten, als sie aufstand. Sie hatte bisher erst bei einer Obduktion dabei sein müssen, und diese Erfahrung reichte ihr eigentlich für ihr gesamtes weiteres Leben. Aber ihr war klar: Bei Ermittlungen in einem Mordfall war im Falle einer Obduktion die Teilnahme von zwei beteiligten Kriminalbeamten vorgeschrieben.

Sie griff nach ihrer Jacke und eilte hinter ihrem Kollegen her, der schon auf dem Weg zum Fahrstuhl war. Das Rechtsmedizinische Institut des Universitätsklinikums lag auf dem Gelände des Krankenhauses Süd. Die Fahrt dorthin dauerte nur knapp fünf Minuten.

Im Institut wurden sie von einem anderen Arzt empfangen als dem, der am Tatort gewesen war. Bei genauerem Hinsehen handelte es sich um eine Ärztin. Androgyn bis in die kurz geschnittenen Fingernägel, aber unverkennbar weiblichen Geschlechts. Das Namensschild an ihrem Kittel wies sie als Dr. Anke Mösing aus, aber in ihrer Gegenwart wagte es bestimmt niemand, Witze über ihren Namen zu machen. Ihre Haut war gebräunt, ihre Haare hellgrau und kurz geschnitten. Das Auffälligste an der Rechtsmedizinerin waren jedoch ihre leuchtend blauen Augen, mit denen sie ihre Besucher durchdringend musterte.

Marten schien sie schon länger zu kennen, er stellte sie und Pia kurz einander vor.

Anke Mösing nahm die neue Kriminalkommissarin mit einem Nicken zur Kenntnis. Dann ging sie voraus in einen kleinen Raum, einer Art Schleuse, wo sie Kittel und Mundschutz anlegten. Die Medizinerin band sich eine große Plastikschürze um und zog zwei Paar Handschuhe über. Dann stieß sie die Türen zum Obduktionsraum auf wie ein Diener, der die Gäste in den Ballsaal zu einem rauschenden Fest geleitet.

»Herr Bachmann ist heute mein Präparator«, sagte sie und nickte einem jungen Mann zu, der gerade die Leichen aus dem Kühlraum hereinrollte. Der Geruch im Sektionsbereich war nervenaufreibend: Desinfektionsmittel, Formalin und der Geruch des Todes vermischten sich zu etwas, das Pia an diesem Morgen lieber nicht eingeatmet hätte.

Dr. Mösing sprach ein paar einleitende Sätze ins Mikrofon ihres Diktiergerätes und überprüfte noch einmal die Identität der drei Toten, die sie vor sich hatte. Der Präparator ordnete mit teilnahmslosem Gesicht die Messer und Skalpelle auf dem Instrumentenwagen. Dann zog er das Tuch von Ruth Benneckes Leiche.

Ihr schlaffer, kalter Körper war nun den Blicken der Anwesenden preisgegeben. Pia fühlte Erbitterung in sich aufsteigen, dass diese Frau dies alles nun auch noch zu erdulden hatte. Sie zwang sich, daran zu denken, dass sie nur noch eine Hülle war, tote Materie. Sie warf einen Blick auf Marten, der äußerst konzentriert aussah. Er spürte ihren Blick und sah sie ebenfalls an:

»Wenn dir schlecht wird, nimm die Tür da vorne ...«, sagte er.

Pia nickte nur, denn sie hatte plötzlich Unmengen von Spucke im Mund, die sie schlucken musste.

Ruth Benneckes Körper wurde gewogen und gemessen. Dr. Mösing untersuchte die Oberfläche ihrer Haut, ganz besonders die Ein- und Austrittswunden der Munition. Als sie mit dem großen Skalpell zum Y-Schnitt ansetzte, zwang sich Pia, sich auf ihre Notizen zu konzentrieren.

Es wurde eine lange, anstrengende Prozedur. Immer wenn Pia von ihren Notizen aufblickte, sah sie, wie sich der Körper auf dem Tisch auf groteske Weise veränderte. Organe klatschten in die Waagschalen, Blut verteilte sich auf allen Oberflächen, der Fußboden rund um den Obduktionstisch wurde rot und rutschig. Das Schlimmste war der Gestank, der sich beim Öffnen des Magens im Raum verbreitete. Sogar die Ärztin wurde unter ihrer Bräune etwas blasser. Sie sah zu Marten und Pia hinüber und bemerkte beiläufig:

»Was machen Sie hier eigentlich schon wieder, Unruh? Wollte Dr. Lechner Sie nicht mindestens für sechs Wochen aus dem Verkehr ziehen?«

»Das hat er auch fast geschafft, aber seit drei Wochen bin ich wieder im Dienst.«

»Sie sehen aber noch nicht wieder okay aus ...«, sagte sie und griff nach dem langen Messer, mit dem sie die meisten Schnitte ausführte.

»Ich bin in Ordnung«, antwortet Marten knapp.

Pia sah überrascht auf und wurde unfreiwillig Zeugin, wie Dr. Mösing von den inneren Organen auf dem Untersuchungstisch kleine Partien für die mikroskopische Untersuchung abschnitt. Die Geschicklichkeit und Schnelligkeit, mit der sie die feinen Schnitte ausführte, faszinierte Pia.

Als Dr. Mösing ihren Blick auffing, lächelte sie und zwinkerte ein wenig. Pia sah verwirrt zur Seite. Leider gab es in diesem Raum nichts, auf dem ihr Blick gern länger verweilen wollte.

Nach einem fast endlos scheinenden Vormittag konnten Pia und Marten das Institut für Rechtsmedizin wieder verlassen. Sie hatten nun die offizielle Bestätigung, dass Ruth, Rainer und Malte Bennecke an den Folgen ihrer Schussverletzungen gestorben waren.

Rainer Bennecke hatte, nachdem er getroffen war, noch ein paar Minuten gelebt. Die anderen beiden waren sofort tot gewesen. Malte Bennecke war zum Zeitpunkt seines Todes in ausgezeichneter körperlicher Verfassung gewesen. Sein Vater hatte eine geschädigte Leber gehabt, wahrscheinlich auf Grund von Alkoholmissbrauch. Ruth Bennecke hatte sich nach der Geburt ihrer Kinder sterilisieren lassen.

Frau Dr. Mösing hatte den wahrscheinlichen Zeitpunkt der Todesschüsse zwischen 21.30 Uhr und 23.30 Uhr am Montagabend angegeben. Die Ergebnisse der mikroskopischen Untersuchungen standen allerdings noch aus.

Im Dezernat für Schusswaffenerkennung würde noch die sichergestellte Munition untersucht werden. Frau Dr. Mösing erlaubte sich jedoch vorab schon mal die Einschätzung, dass der Mörder so etwas wie einen Jagdkarabiner benutzt hatte.

Ein feiner, gischtartiger Regen erschwerte die Sicht, als sie eine halbe Stunde später auf der Autobahn in Richtung Grevendorf unterwegs waren. Die Temperatur draußen lag knapp über null Grad und im Autoradio warnte man vor Eisregen. Die Autoheizung tourte auf Hochbetrieb und die Luft im Fahrzeuginneren war trocken und stickig. Das monotone Schaben der Scheibenwischer und die Wärme machten Pia schläfrig. Um nicht einzuschlafen, konzentrierte sie sich auf die Umgebung draußen.

Auf Höhe von Eutin mussten sie die Autobahn verlassen. Die Landstraße verlief schnurgerade, aber in einem für diese Breiten rasanten Auf und Ab, in Richtung Eutin. Die mit Wintersaat bestellten Felder zogen sich in schwungvollen Wellen dahin, bis sie im feuchten Nebel verschwanden. Von den Chausseebäumen fielen pladdernd dicke Wassertropfen auf die Frontscheibe und das Autodach.

Pias Gedanken wanderten zu der Unberechenbarkeit des menschlichen Daseins. Die drei Benneckes hatten keine Chance gehabt. Sie stellte sich vor, wie Ruth und Malte Bennecke am Montagabend nach Hause gefahren waren. Waren sie völlig ahnungslos gewesen? Sie parkten auf dem Hofplatz, stiegen aus und gingen auf ihr Haus zu. Währenddessen lauerte in der Finsternis ein Mensch mit einem Gewehr im Anschlag auf sie. Pia stellte sich einen männlichen Täter vor, obwohl es dafür noch keinen konkreten Hinweis gab. Die ersten Schüsse trafen Malte Bennecke, er ging zu Boden. Seine Mutter schrie vielleicht noch und wollte zu ihm hinlaufen, als ein weiterer Schuss fiel, dann noch zwei. Beide waren sofort tot. Rainer

Bennecke befand sich zu dem Zeitpunkt, als die ersten Schüsse fielen, höchstwahrscheinlich im Haus. Er hatte wohl nachsehen wollen, was die Geräusche bedeuteten. Draußen sah er seine Frau und seinen Sohn am Boden liegen und lief hin. Auch ihn trafen zwei Kugeln. Er war aber nicht sofort tot. Er verblutete. Möglicherweise war der Täter noch aus dem Wäldchen gekommen, um sicherzugehen, dass er Erfolg gehabt hatte. Vielleicht hatte Rainer Bennecke vor seinem Tod den Mann gesehen, der seine Familie zerstört hatte.

Pia war so in ihre Vorstellungen versunken, dass sie aufschreckte, als Marten sie ansprach. Er deutete aus dem Fenster, wo über dem Grevendorfer See die Wolkendecke aufbrach und türkisblauen Himmel freigab. Die Wolkenränder leuchteten in weiß bis gelb-orange und das Wasser glitzerte im Sonnenlicht. »Schau mal, ist doch ein netter Empfang hier, oder?«

Der tatsächliche Empfang war allerdings weniger nett.

Im Hotel erwartete sie Katrin Bennecke. Sie vergeudete keine Zeit mit Begrüßungsfloskeln, sondern fiel sofort vorwurfsvoll über die gerade Angekommenen her:

»Ich nehme an, Sie sind von der Kriminalpolizei. Ich warte hier schon seit gestern Abend auf Sie!«

»Sind Sie Katrin Bennecke, die Tochter von Ruth und Rainer Bennecke?«, fragte Pia und versuchte sich trotz des Dämmerlichts im Foyer einen Eindruck von der Frau zu verschaffen. Sie war von kräftiger Gestalt und hatte ein rötliches Gesicht mit leicht hervortretenden Augen. Ihre Kleidung sah teuer und geschäftsmäßig aus, machte sie sofort zu einem Außenseiter in dieser Umgebung.

»Wer sonst? Ihre Kollegen in Frankfurt haben mich gestern über den Vorfall hier informiert. Fast unglaublich, die Geschichte! Sie drängten mich, schnellstmöglich herzukommen, obwohl das Kind wohl bereits in den Brunnen gefallen ist. Kurzum, ich hab mich gleich auf den Weg gemacht und sogar einen wichtigen Termin deswegen abgesagt. Aber bis jetzt hat sich hier noch nichts getan, was meine Anwesenheit erforderlich gemacht hätte.«

»Frau Bennecke«, sagte Marten, nicht weiter auf ihre Vorwürfe eingehend, »ich bin Hauptkommissar Marten Unruh und das ist meine Kollegin Pia Korittki. Ich leite die Ermittlungen in diesem Fall.«

»Ach ja? Dann können Sie mir vielleicht erklären, warum ich so eilig herbestellt werde, nur um dann hier herumzusitzen. Meine Zeit kostet schließlich Geld. Also: Was soll nun passieren?«

»Sie müssen die Opfer offiziell identifizieren«, sagte Marten in einem Tonfall, den er sich sonst wohl eher für aufsässige Teenager aufsparte.

Die Anweisung, sich nach Lübeck zu begeben, stieß erwartungsgemäß auf lauten Unmut.

Als Katrin Bennecke endlich einsah, dass ihr Ausbruch zu nichts führte, wurde sie umgänglicher. Pia beschrieb ihr den Weg zum Krankenhaus Süd und zu Frau Dr. Mösing.

Katrin Bennecke protestierte noch etwas, fügte sich dann aber in ihr Schicksal und verschwand erhobenen Hauptes zur Tür hinaus. Pia und Marten wechselten einen Blick.

»Also, wenn das meine Tochter wäre, dann hätte ich mich auch erschießen lassen«, bemerkte er, »aber es gibt ja noch Hoffnung ...«

»Was für eine Hoffnung?«

»Sie ist unsere Hauptverdächtige. Immerhin hat sie ein handfestes Motiv. Oder was glaubst du, wer den ganzen Schlamassel dort erben wird?«

»Noch wissen wir gar nichts«, meinte Pia. »Außerdem glaube ich nicht, dass sich Katrin Bennecke etwas aus Kühen und Milchquoten macht. Und ich sehe sie auch nicht mit einem Gewehr über der Schulter herumlaufen.«

»Man muss ja nicht alles eigenhändig machen.«

9. KAPITEL

Pia beschloss, Agnes Kontos nach ihrem Unterricht in der Schule abzufangen. Sie fragte im Lehrerzimmer nach dem Mädchen und wurde schließlich zur Sporthalle geschickt. Drinnen wurde Pia von dem muffigen Gestank nach Schweiß und Bohnerwachs an ihre eigene Schulzeit erinnert. Auch die Geräusche klangen vertraut: Quietschende Sportschuh-Sohlen auf Linoleumboden, das Rufen und Kreischen der Mädchen und das Aufschlagen eines Balles auf dem Hallenboden.

Agnes schloss ihren heutigen Schultag mit einer Partie Volleyball ab.

»Entschuldigen Sie, wir können hier gerade keine Zuschauer gebrauchen, die Mädchen spielen für die nächste Halbjahresnote.« Die Sportlehrerin entdeckte Pia am Rande der Halle fast sofort und verteidigte ihr Revier. Ihr Ton war so forsch, dass er nur mit viel Wohlwollen als höflich zu bezeichnen war.

»Ich wollte nicht zuschauen. Ich bin von der Kriminalpolizei Lübeck. Ich muss einer ihrer Schülerinnen ein paar Fragen stellen«, antwortete Pia unbeeindruckt.

»Ach, um welches Mädchen handelt es sich denn?«

»Agnes Kontos. Ist sie hier?«

»Sie spielt gerade. Sie hat doch hoffentlich keinen Ärger mit der Polizei?«

Ihr Ton war reine Neugier, kaschiert mit einem Anflug von Besorgnis.

»Nein, sie wird nur als mögliche Zeugin befragt. Wann kann ich sie sprechen?« Pia konnte sehen, wie es hinter der glatten, von Ponyfransen dekorierten Stirn arbeitete. Ein paar lose Informationsteilchen verknüpften sich.

»Sie ermitteln wohl in diesem Mordfall in Grevendorf! Agnes wohnt ja auch in dem Dorf. Malte Bennecke war übrigens mal für kurze Zeit mein Schüler ...« Sie schüttelte bedauernd den Kopf.

»Welches der Mädchen ist Agnes Kontos?«

»Hier vorn, die mit den dunklen Haaren und dem weißen T-Shirt. Nach dem Spiel werde ich ihr Bescheid sagen, dass sie draußen erwartet wird. Heute ist der letzte Termin, um die Endnoten zu korrigieren. Das wollen Sie Agnes doch nicht versauen?«

Pia hatte das zweifelhafte Vergnügen, nicht nur das falsche Lächeln, sondern auch gleich noch die falschen Vorderzähne der Sportlehrerin bewundern zu dürfen.

Sie verließ die Halle und positionierte sich am Stamm einer alten Linde, von wo sie den Hallenausgang gut im Blick hatte.

Nach etwa 15 Minuten verließ Agnes als eine der Letzten das Gebäude. Sie trottete, die große Sporttasche quer über dem Rücken hängend, in Richtung Ausgang. Pia ging auf sie zu.

»Hallo, Sie sind doch Agnes Kontos?«

»Ja ...«, antwortete das Mädchen, ohne den Blick vom Fußboden zu heben.

»Hat Ihre Sportlehrerin gesagt, weshalb ich hier bin?«

»Kann schon sein ...«

»Hey, ich rede mit Ihnen. Ich habe ein paar Fragen, die ich stellen muss, und Sie könnten mich zumindest einmal ansehen, wenn ich mit Ihnen spreche«, sagte Pia, die keine Lust hatte, sich von einem Teenager ignorieren zu lassen.

Agnes blieb abrupt stehen und sah zu Pia hoch, die fast einen Kopf größer war. Ihre Wangen waren gerötet und ihre Augen funkelten.

»Sie hätten auch gleich ein Plakat malen oder es im Radio bringen können. Wenn Sie Frau Thomas was erzählen, weiß es morgen die ganze Schule«, sagte sie aufgebracht.

»Ist das ein Problem? Irgendwie musste ich Sie ja auftreiben. Ich habe ein paar Fragen an Sie. Es geht um einen dreifachen Mord.«

»Ich weiß nichts über die Morde. Ehrlich. Ich war zu Hause an dem Abend. Ich weiß nicht, womit ich ihnen weiterhelfen könnte.«

Pia ging nicht weiter auf diesen Einwand ein. Sie ließ ihren Blick über das öde Schulgelände streifen.

»Gibt es hier einen Ort, wo wir uns ungestört unterhalten können?«

Agnes schien nachzudenken. Als sie wieder sprach, klang sie wesentlich kooperativer als zuvor:

»Auf dem Schulgelände eigentlich nicht. Aber wenn Sie mit mir runter in die Stadt kommen, zeige ich Ihnen ein Café, wo wir reden können ...«

Pia stimmte zu. Sie folgte Agnes einen abschüssigen Fußweg hinunter in die Innenstadt.

In dem Café waren um diese Uhrzeit nur wenige Tische besetzt. Agnes steuerte zielbewusst einen Tisch in der dunkelsten Ecke an und ließ sich auf der Bank an der Wand nieder. Nachdem sie Kaffee und Kakao bestellt hatten, meinte Agnes unvermittelt:

»Sie können mich ruhig duzen. Kommt mir sonst komisch vor, als wäre ich plötzlich steinalt«.

Pia nickte. Sie musterte Agnes im Schein der 40-Watt-Funzel über ihren Köpfen. Sie war sehr schlank, ohne knochig zu sein. Ihr Haar war dunkelbraun und kurz und fedrig geschnitten. Sie musste einen guten Frisör haben, die Frisur brachte ihre großen Augen und ihre Zartheit zur Geltung. Pia war sich unsicher, ob Agnes' Naivität echt war oder nur eine Masche, um unangenehmen Dingen auszuweichen.

»Wie gut kanntest du die Benneckes, hattest du mit einem von ihnen mal näheren Kontakt?«

»Nicht sehr gut, sie waren halt unsere Nachbarn. Meistens habe ich sie nur mit dem Auto vorbeifahren sehen. Nur Malte habe ich öfter mal gesehen, in der Stadt oder auf Rothenweide ...«

»Du meinst dieses Gut? Was habt ihr auf Rothenweide gemacht?«

»Mein Pferd steht da. Ich fahre fast jeden Tag zum Reiten hin. Malte hat eine Zeit lang an den Wochenenden dort gearbeitet. Er hat immer damit angegeben, wie viel Trinkgeld er von den reichen Typen dort bekommt.«

»Weißt du, wer Maltes Freunde waren? Hatte er eine Freundin?«

»Keine Ahnung, so gut kannte ich ihn dann doch nicht.«

Pia registrierte, dass das Mädchen ihren Fragen auswich. Agnes rührte emsig in dem Becher herum, den die Bedienung gerade vor ihr abgestellt hatte, und erschwerte es Pia enorm, einen richtigen Kontakt herzustellen. Pia versuchte ihr zu drohen und kam sich mies dabei vor:

»Wenn du uns Informationen vorenthältst, kann das ernste Konsequenzen für dich haben. Wir suchen den Täter irgendwo im nahen Umfeld der Benneckes.«

»Wieso?« Agnes verschluckte sich an ihrem Getränk. Sie hustete und wischte sich mit dem Handrücken über ihre Oberlippe »Sie glauben nicht, dass es ein Verrückter war, einer, der einfach mal rumballern wollte?«

»Unwahrscheinlich. In den meisten Fällen steht ein Mörder in einem recht nahen Verhältnis zu seinem Opfer oder zu seinen Opfern. Wir suchen jemanden, der ganz geplant mit einem Jagdgewehr zum ›Grund‹ gefahren ist und dort lange in der Dunkelheit gelauert hat, bis er Malte, Ruth und Rainer Bennecke erschießen konnte.«

Agnes wirkte verunsichert. Gedankenverloren zerriss sie ein leeres Zuckertütchen in kleine Papierfetzen.

»In der Zeitung haben sie es so dargestellt, als wäre es irgendein Geisteskranker gewesen. Ich hätte nie gedacht, dass das persönlich gemeint sein könnte. Dann war es ja vielleicht sogar jemand, den ich kenne!«

Dieser Gedanke schien ihr neu. Pia hakte nach: »Das ist sogar wahrscheinlich. Hast du irgendeine Idee, wer ein Motiv haben könnte?«

»Nun«, Agnes wurde ziemlich verlegen, »Sie haben es bestimmt schon gehört, ich meine die Sache mit der kleinen Elise. Das war so schrecklich, wie sie gestorben ist ... Sie war so süß und so jung. Ein richtiger kleiner Engel! Hellblond gelockt und blauäugig, die Haut fast durchsichtig. Ganz anders als Sina und Torge, ihre Geschwister. Im Nachhinein dachte ich, dass es vielleicht vorbestimmt war. Elise war nicht richtig von dieser Welt, ein Feenkind, das bei uns zu Gast war ...«

Agnes schien ihr Gefühlsausbruch peinlich zu sein.

»Du meinst, Bettina und Kay Rohwer hatten ein Motiv? Der Tod ihres Kindes ist aber schon zwei Monate her. Wenn man von Schmerz und Kummer überwältigt zur Waffe greift, dann doch gleich?«

»Ich weiß auch nicht. Es sind nur die Einzigen, die mir einfallen, die wirklich einen Grund hatten, die Benneckes zu hassen ...«

»Und wer hat sie ohne triftigen Grund gehasst?«, übersetzte Pia ihre Andeutung.

»Ach, viele konnten die Benneckes nicht ausstehen. Meine Mutter auch nicht. Dabei haben ihr diese Menschen nie auch nur das Geringste getan. Bei meiner Mutter ist jemand, der mal nach Kuhstall riecht oder Gummistiefel trägt, gleich unten durch. Außerdem hat man Ruth Bennecke nachgesagt, sie sei ein kaltschnäuziges Biest und Rainer sei Alkoholiker. Malte galt als verzogenes Muttersöhnchen, mit nichts als Unfug im Kopf. Aber das haben sie doch bestimmt alles schon gehört ...«, sagte Agnes unsicher. Sie sah aus, als würde sie ihre Worte am liebsten sofort wieder zurücknehmen.

»Schon, aber noch nicht so direkt«, sagte Pia. »Nun schau bitte nicht so schuldbewusst, ich muss das alles so oder so erfahren, wenn ich meine Arbeit machen will.«

»Nur – was für einen Eindruck bekommen Sie jetzt? Das ist einfach unfair, denn die Benneckes können sich ja nicht mehr verteidigen. Ich fand sie eigentlich ganz nett. Malte war immer gut drauf, viel lockerer als die anderen hier.«

»Bei welchen Gelegenheiten hast du ihn denn so erlebt?«

»Ich weiß nicht genau, auf Dorffesten und so?«

Schon wieder ein Ausweichmanöver.

»Wohl kaum, Agnes. Hattet ihr vielleicht gemeinsame Freunde, du und Malte Bennecke? Leute, von denen deine Mutter nichts wissen soll? Ich werde dich nicht verraten, falls du dir Sorgen darum machst.«

Agnes rührte in dem Rest Kakao in ihrem Becher und zögerte einen kleinen Moment. Als sie wieder aufschaute, sagte sie:

»Ich weiß es von Verena – Verena Lange. Sie arbeitet auf

Rothenweide bei den Pferden. Aber Sie müssen sie schon selbst nach Malte Bennecke fragen«.

10. KAPITEL

Marten fluchte leise, als er den Dienstwagen auf den Hofplatz der Suhrs lenkte und nach einer Parkmöglichkeit Ausschau hielt. Es war ihm nicht vergönnt, einen Parkplatz zu finden, wo er beim Aussteigen nicht eine Pfütze vom Ausmaß einer Doppelbadewanne überqueren musste. Ein großer, schmutziger Rottweiler kam eilig um die Hausecke gerannt und positionierte sich genau vor der Fahrertür. Seine Haltung war angespannt und wachsam, er bellte jedoch nicht.

»Mist, ich hasse solche Hunde. Außerdem hasse ich das Landleben, und überhaupt, was wollen wir hier eigentlich?«, murrte er schlecht gelaunt vor sich hin.

Pia ging nicht weiter darauf ein. Sie stieg aus und sah sich um: Das Hauptgebäude des Suhrschen Hofes war ein lang gestreckter Fachwerkbau, groß und sehr gepflegt aussehend. Im rechten Winkel dazu befand sich ein Einfamilienhaus neueren Datums, mit einer Fassade ganz aus Holz und Glas. Der Architekt hatte es verstanden, die moderne Architektur an das ältere Gebäude anzupassen, ohne auf Modernität zu verzichten.

Die beiden Häuser verband ein großzügiger Garten mit einem kleinen Teich. Im Hintergrund konnte Pia Ställe und eine offene Scheune ausmachen.

Marten stampfte sofort auf die zweigeteilte Haustür zu und klopfte. Nach kurzer Wartezeit öffnete ihm ein großer Mann mit einem karierten Geschirrtuch in der Hand, mit welchem er sich gerade die Hände abtrocknete. Pia schätzte ihn auf Anfang 60, eine massige Gestalt mit vollem, weißem Haar. Er stand schweigend da und zog nur fragend die buschigen Augenbrauen hoch.

Marten stellte sie kurz vor und erklärte den Grund ihres Besuchs. Daraufhin änderte sich der Gesichtsausdruck des Mannes von neutral zu ablehnend. Mit einer Handbewegung ließ er seine beiden Besucher eintreten.

Er führte sie schweigend in eine große, sehr saubere Küche, in der es nach einem gehaltvollen Mittagessen roch. Am Tisch unter dem Fenster saß ein weiterer Mann, quasi eine Zweitausgabe des älteren Mannes, etwa 30 Jahre jünger. Er trug eine blaue Arbeitslatzhose und ein kariertes Hemd mit aufgekrempelten Ärmeln. Vor sich hatte er eine aufgeschlagene Zeitung und einen Becher Kaffee stehen.

Sie stellten sich als August und Hanno Suhr vor, Vater und Sohn. Nachdem Pia und Marten zum zweiten Mal den Grund ihres Besuches genannt hatten, tendierten auch die Gesichtszüge des Sohnes in Richtung Unmut. Pia fragte nach ihrem Verhältnis zu den ermordeten Benneckes.

»Wir hatten mit den Benneckes nicht viel zu schaffen«, murrte der Ältere, »fragen Sie lieber unsere Petra, die kennt jeden im Dorf. Sie kann Ihnen vielleicht mehr erzählen ...«

»Wer ist Petra?«

»Meine Frau«, erklärte der Jüngere und faltete geräuschvoll seine Zeitung zusammen. »Sie ist allerdings gerade im Stall, hat mich abgelöst bei einer Sau, die Probleme beim Ferkeln hat.«

»Sagen Sie uns doch erst einmal, was es für Verbindungen zwischen Ihnen und den Benneckes gibt, verwandtschaftlicher, gesellschaftlicher oder wirtschaftlicher Natur?« Pia war ein paar Schritte auf die Männer zugegangen, die eine gemeinsame Front gegen die Eindringlinge bildeten, während Marten sich im Hintergrund hielt und den Fotokalender an der Wand betrachtete.

»Keine, oder fast keine. Der Kontakt beschränkte sich immer auf das Nötigste. Die Benneckes fühlten sich als etwas Besseres als unsereins, weil sie schon seit Generationen auf dem ›Grund‹ sitzen, während dies hier früher ein Meierhof von Rothenweide war und ich den Hof hier erst nach dem Krieg gepachtet habe. Rainer Bennecke hat es zeit seines Lebens nicht geschafft, von dieser Schiene herunterzukommen, auch wenn er im Grunde vielleicht ein ganz anständiger Kerl war. Aber er hat die falsche Frau geheiratet.«

»Inwiefern?«

»Na, das hat ja wohl jeder in Grevendorf gewusst, dass auf dem ›Grund‹ seine Frau die Hosen angehabt hat.«

Pia kam es mittlerweile so vor, als hörte sie den gleichen Text mit anderer Melodie zum hundertsten Mal. Selbst ein Stirnrunzeln als Antwort schien Kraftverschwendung zu sein.

»Hatten Sie Kontakt zu Katrin Bennecke, der Tochter? Sie muss doch in etwa ihr Jahrgang gewesen sein«, wandte sie sich an den Sohn.

Hanno errötete, ob nun allein schon auf Grund der Tatsache, dass Pia ihn so direkt ansprach, oder weil er zumindest mit einem Mitglied der Familie Bennecke näheren Kontakt gehabt hatte.

»Äh, Katrin ist ein paar Jahre älter als ich. Sie ist auf das Gymnasium gegangen und ich auf die Realschule. Wir haben uns natürlich im Bus gesehen und manchmal in der Stadt oder so ...«

Pia fragte sich, ob der Kontakt wirklich so beiläufig gewesen war, wie Hanno es betonte. Leicht besorgt behielt er seinen Vater im Auge, der sich mit einem Lappen an der klinisch reinen Arbeitsplatte zu schaffen machte.

»Und Malte Bennecke, der ging doch auch auf die Realschule, wenn er auch ein paar Jahre jünger war?«

»Sieben Jahre«, kam es spontan von Hanno. »Aber ich hatte auch mit ihm nichts am Hut. Er war ein Angeber und Spinner, der sich nicht für die Landwirtschaft interessierte. Der wollte sich nicht die Finger schmutzig machen und trotzdem irgendwann das große Geld abkassieren. Kann doch nichts Gutes dabei herauskommen ...«, murrte er und sein Vater nickte bekräftigend, während er ein paar Wasserflecken auf der Mischbatterie zu Leibe rückte.

»Sie bewirtschaften den Hof gemeinsam mit ihrem Vater?«, fragte Pia, um dem Gespräch eine etwas andere Richtung zu geben. Marten war inzwischen zur Pinnwand hinübergeschlendert und studierte die angehefteten Notizen.

»Nein. Ich habe den Hof vor drei Jahren übernommen. Als ich Petra geheiratet habe, hat mein Vater sich zurückgezogen und springt jetzt nur noch in Notfällen ein. Petra und ich haben uns das neue Haus gebaut, gleich rechts neben der Einfahrt. Haben Sie es gesehen?«

»Ja, es ist mir aufgefallen. Es passt zum alten Haus, auch wenn es etwas ganz Neues ist«, bestätigte Pia und sah, wie der Besitzerstolz seine Züge aufhellte und ihn gleich offener und freundlicher wirken ließ. Marten im Hintergrund verdrehte ungeduldig die Augen.

»Nicht wahr? Petra hat lange mit dem Architekten zusammen geplant, bis sie es endlich so hatte, wie wir wollten ...«

»Wie sie es wollte, nicht wie ihr es wolltet, Hanno. Du wolltest ein Massivhaus bauen«, mischte sich der Vater ein und brachte die Freude des Sohnes kurzerhand zum Erlöschen. »Es ist etwas ungewöhnlich, dass das junge Paar sich ein neues Haus baut, normalerweise wird ein neues Altenteil gebaut«, berichtete August Suhr, »aber meine Schwiegertochter ist ja auch eine etwas ungewöhnliche Frau. Sie hat sich geweigert, mit in dieses Haus zu ziehen. Dabei ist hier Platz für mindestens acht Personen, oben sind allein noch vier Kinderzimmer frei ...«

»Hör auf damit, Vater«, entfuhr es Hanno Suhr. Sein rotes Gesicht ließ vermuten, dass der Vater ein unbeliebtes Thema angeschnitten hatte.

Da Marten sich bei diesem Gespräch mal wieder auf stille Zuhörerschaft zu beschränken schien, fuhr Pia mit der Befragung fort: »Wo waren Sie am Montagabend, Herr Suhr?«, fragte sie den alten Suhr, der daraufhin verärgert den Lappen in die Spüle schmiss und die Arme vor der Brust verschränkte.

»Wieso, was soll das? Bin ich unter Verdacht?«

»Beantworten Sie doch einfach meine Frage.«

»Ich sehe nicht ein, weshalb ich Ihnen solche Auskünfte geben sollte ...«

»Möchten Sie lieber mit uns kommen und im Kommissariat in Lübeck eine offizielle Aussage machen?«, fragte Pia.

»Na schön. Ich war hier zu Hause. Gegen sieben habe ich Abendbrot gegessen, gespült und aufgeräumt. Um acht Uhr zu den Nachrichten habe ich vor dem Fernseher gesessen. Dort blieb ich, bis ich gegen halb elf ins Bett gegangen bin. Leider weiß ich niemanden, der meine Aussage bestätigen kann. Keine Anrufer, keine Besucher, nichts«, berichtete er. Dann sah er Hanno an: »Aber vielleicht kannst du ja bestätigen, dass mein Auto den ganzen Abend auf dem Hof stand?«

»Natürlich, Vater, aber zu den Benneckes kann man schließlich auch zu Fuß gehen. Keine zehn Minuten von hier, würde ich sagen. Wir waren übrigens auch zu Hause, Petra und ich. Petra hat am Rechner gesessen und ich habe gelesen.«

Pia nahm sich vor, die Gegend rund um den ›Grund‹ später noch einmal zu Fuß zu erkunden, auch wenn Gummistiefel dazu unerlässlich sein würden.

»Kann ich jetzt gehen?«, fragte Hanno ungeduldig und wischte sich die scheinbar feucht gewordenen Handflächen an der Arbeitshose ab. Er sah von Pia zu seinem Vater und zurück. Der alte Suhr räumte die benutzten Kaffeebecher in die Spülmaschine und tat so, als wären sie alle gar nicht vorhanden.

»Sagen Sie mir nur noch, ob Sie mit einem Jagdgewehr schießen können und ob Sie eines besitzen.« Pia beobachtete, wie Hanno in der Bewegung erstarrte. Auch Marten im Hintergrund und August Suhr schienen einen Moment innezuhalten und abzuwarten.

»Ich habe natürlich einen Jagdschein, fast jeder hier hat einen. Und unsere Gewehre befinden sich im Waffenschrank in Vaters Büro. Sie können gerne nachschauen, nur weiterhelfen wird es Ihnen nicht. Wir haben mit dem Mord an den Benneckes nichts zu tun.«

»Auch ein Ausschluss bringt uns voran. Danke für das Angebot«, versetzte Pia trocken. »Sie können jetzt gehen, ich habe nur noch ein paar Fragen an Ihren Vater.«

Hanno sah unschlüssig von einem zum anderen, dann zuckte er gleichgültig mit den Schultern und verließ den Raum.

Als die Haustür ins Schloss fiel, drehte sich August Suhr um und sah Pia direkt in die Augen: »Sie halten uns jetzt wahrscheinlich für unfreundlich, aber uns regt die ganze Geschichte, die da unten auf dem ›Grund‹ passiert ist, furchtbar auf. So ein Mord in direkter Nachbarschaft, bei Leuten, die man kennt, das bringt uns doch hier alle in Verruf«, sagte er resigniert. »Ich verstehe, dass Sie auch nur Ihre Arbeit tun, aber niemand lässt sich in seinem eigenen Haus gern behandeln wie ein Schwerverbrecher.«

»Wir behandeln Sie nicht wie Schwerverbrecher, wir versuchen nur herauszufinden, wer Ihre Nachbarn ermordet hat. Wenn Sie irgendetwas wissen, eine Kleinigkeit, die uns weiterhelfen könnte, so sagen Sie es einfach. Ist Ihnen etwas aufgefallen, was mit dem Mord in Zusammenhang stehen könnte? Haben Sie vielleicht einen Verdacht? Ein komisches Gefühl? Alles könnte wichtig sein. Entscheidend ist doch, dass wir den Mörder zu fassen bekommen. Oder möchten Sie weiterhin hier leben und wissen, dass sich in Ihrer Mitte jemand befindet, der mit einem dreifachen Mord davongekommen ist? Gehen Sie das Risiko ein, jedes Mal, wenn Sie abends nach Hause kommen und aus dem Auto steigen, an die Benneckes zu denken und wie ein Unbekannter ihnen im Gebüsch aufgelauert hat? Stellen Sie sich das Gefühl vor und sagen Sie dann noch einmal, dass wir Sie in Ihrer Küche wie einen Schwerverbrecher behandeln, weil wir lediglich Fragen stellen.«

Pia holte tief Luft und wartete auf August Suhrs Reaktion. Man sah förmlich, wie es hinter der kantigen Stirn ihres Gegenübers arbeitete. Er starrte kurz aus dem Fenster und wandte sich ihr dann wieder zu.

»Also gut, ich werde Ihnen sagen, was ich weiß oder was ich glaube zu wissen: Dass die Benneckes nicht sonderlich beliebt waren, ist allgemein bekannt. Wenn Sie einen Menschen suchen, der einen Grund hatte, sie umzubringen, dann fangen Sie am besten bei der Tochter an. Sie ist von klein auf miserabel behandelt worden. Nach dem Tod ihrer Großmutter hatte das arme Ding niemanden mehr, der sich für sie interessierte. Der später geborene Sohn wurde dagegen behandelt wie ein Prinz, der alles bekam und nie die Folgen seiner Missetaten spüren musste. Als er älter wurde, bandelte er reihenweise mit den Mädchen an und ließ sie dann fallen wie heiße Kartoffeln. Vielleicht hat eine von ihnen richtig sauer reagiert, oder vielleicht auch ein Vater. Fragen Sie mal meine Schwiegertochter, die kann Ihnen mehr erzählen. Ansonsten wenden Sie sich ruhig auch mal an unsere Nachbarn auf Rothenweide, an die ehrenwerten Försters. Die hatten immer mal wieder mit Malte Bennecke zu tun. Die fanden sich anziehend wie die Schmeißfliegen die Scheiße, um es drastisch auszudrücken. Und einen Jagdschein und Gewehre haben sie alle! Die kommen doch oft nur her an den Wochenenden, um rumzuballern. Und was sie sonst noch Unanständiges treiben in ihrem Gutshaus. In einem haben Sie jedoch Recht, ich möchte mich wirklich nicht fragen müssen, ob der Kerl, mit dem ich nach Feierabend im Krug ein Bier kippe, ein Mörder ist.«

Pia nickte. Dann fragte sie: »Wo können wir Ihre Schwiegertochter finden, Herr Suhr?«

»Im Abferkel-Stall! Kein Ort für eine junge Frau, wenn Sie mich fragen, aber Ihnen muss ich das wohl nicht erzählen. Sie scheinen sich ja auch in einem Männerberuf beweisen zu müssen«.

»Vielen Dank für das Gespräch«, sagte Pia und drehte sich dann auf dem Absatz um, um die Küche zu verlassen.

Sie standen wieder im kalten Nieselregen. Marten schlug den Kragen seiner Lederjacke hoch und zog die Schultern ein. Er versuchte, sich trotz der hohen Luftfeuchtigkeit eine Zigarette anzuzünden.

»Du hättest mir vorher sagen können, dass es dir bei Landluft die Sprache verschlägt«, meinte Pia.

»Ich studiere nur deine Technik.« Er sah sich kritisch den matschigen Weg zu den Ställen an, dann auf seine Schuhe hinunter.

»Ich habe noch etwas Wichtiges im Hotel zu erledigen. In Schweineställen riecht es immer so streng. Sprich du noch mal allein mit dieser Petra Suhr und berichte mir nachher.«

»Mit Vergnügen«, sagte sie spöttisch.

Pia blickte hinüber zum Abferkelstall. Sie fühlte eine gewisse Neugier auf die Frau, die zum Missfallen ihres Schwiegervaters dort hinter den grünen Stalltüren ihrer Arbeit nachging.

11. KAPITEL

Das Erste, was Pia Korittki von Petra Suhr erblickte, als sie den Schweinestall betrat, war ein rundliches Hinterteil. Es wurde durch den knallblauen Stoff eines Arbeitsoveralls betont und ragte über den Rand einer Schweinebox hinaus. Es roch hier drinnen intensiv nach Schwein, war überraschend warm und das Gequieke und Gegrunze der Tiere ohrenbetäubend.

Als Petra die Tür gehen hörte, richtete sie sich mit einem kleinen Ächzen auf und wischte sich mit dem Handrücken über die Stirn. Sie trug ein geblümtes Kopftuch um den Kopf geschlungen, ihr Gesicht war gerötet, und zwei grau-grüne Augen blickten Pia überrascht an.

Pia stellte sich vor, Petra nickte und blickte kurz an sich herunter:

»Gehen Sie lieber raus und warten draußen auf mich, sonst riechen nachher alle Ihre Sachen nach Schwein«, sagte sie. »Ich komme gleich nach, ich bin sowieso fast fertig hier.«

Pia blickte auf die riesige Sau, die zwischen grauen Gitterrosten eingeklemmt lag, und auf die winzigen Ferkel, die sich an ihren Zitzen zu schaffen machten.

»Ist das hier die Wöchnerinnen-Station?«, fragte sie.

»Ja. Die Sau liegt so festgeklemmt, damit sie ihre eigenen Ferkel im Liegen nicht erdrückt. Es ist ein guter Wurf, zwölf lebende Ferkel, von denen es voraussichtlich elf schaffen werden.«

Pia sah sich die kleinen Ferkel genauer an. Sie hatten hellblaue Augen und einen Kranz blonder Wimpern. Ihr Ausdruck erinnerte Pia spontan an eine Person aus der Klatschpresse.

Kurze Zeit später folgte Petra Suhr der Kommissarin vor die Stalltür. Den Stall zu verlassen und eine Packung Zigaretten aus der Jackentasche zu ziehen schien eins zu sein.

»Macht es Ihnen etwas aus, wenn wir erst einmal einen Augenblick hier draußen reden? Ich brauche eine Zigarette und im Haus rauche ich nicht.«

»Wenn wir hier unter dem Vordach bleiben, habe ich kein Problem damit«, sagte Pia und starrte auf die Wasserwand, die sich aus einer überlaufenden Regenrinne einen Meter vor ihr ergoss. Die frische Luft tat ihr gut.

Mit einer ungeduldigen Handbewegung zog sich Petra das Kopftuch ab und entblößte zu Pias Überraschung einen streichholzkurzen Schopf hellroten Haares. Ihrem Hautton nach war Petra eher aschblond. Die unnatürliche rote Farbe leuchtete wie ein Signal.

Sie stopfte das Kopftuch in ihre Hosentasche und fuhr sich mit gespreizten Fingern durch ihr Haar: »Ziemlich krass, was? August hätte beinah einen Herzinfarkt bekommen, aber ab und zu tut ein bisschen neuer Schwung hier ganz gut.«

Petra zündete sich die begehrte Zigarette an, indem sie die Flamme des Feuerzeugs geschickt mit der gewölbten Hand vor dem Wind abschirmte. Sie inhalierte den ersten Zug tief.

»Wie standen Sie zu den Benneckes? Kannten Sie Ihre Nachbarn gut?«

Pia wollte sich die entspannte Situation zu Nutze machen. Petra sollte gar nicht erst lange darüber nachdenken, was sie der Polizei erzählen wollte und was nicht.

»Nein, nicht richtig gut«, antwortete sie, »ich mochte Ruth Bennecke ganz gern, auch wenn sonst niemand hier sie richtig gut leiden konnte. Sie war eine ehrliche Person, geradlinig und eine Kämpfernatur. Ihren Mann fand ich eher nichts sagend. Ein Typ, der ab und zu in der Dorfkneipe ein paar Biere trinkt und ansonsten lieber auf seinem Trecker sitzt. Und über ihren Sohn, diesen Malte Bennecke, lasse ich mich lieber nicht zu sehr aus. Der war ein Arsch, entschuldigen Sie bitte, aber für diese Sorte Mensch habe ich einfach nur Verachtung übrig.«

»Was für eine Sorte Mensch war er denn Ihrer Meinung nach?«

»Er hat die Menschen nur nach ihrem Äußeren beurteilt, die Schönen und die Reichen, denen ist er hinterhergelaufen. Die Hässlichen und Armen, für die hatte er nur einen Fußtritt übrig. Dabei hatte er selbst noch nichts geleistet in seinem Leben. Er ist von Mami und Papi finanziert worden, hat keinen richtigen Beruf gelernt und eine Menge Blödsinn verzapft. Der Unfall mit der kleinen Rohwer war ja wohl die Härte ...« Petra schüttelte den Kopf und sah Pia dann direkt in die Augen.

»Also, wenn das mein Kind gewesen wäre, ich hätte Malte Bennecke umgelegt. Aber damit will ich nicht sagen, dass die Rohwers es tatsächlich waren. Zu kopflastig die beiden ...«

»Woher kannten Sie Ruth Bennecke? Alle, mit denen wir bisher gesprochen haben, sagten aus, sie hätten Ruth Bennecke eher gemieden. Aber irgendwelche sozialen Kontakte muss die Frau doch auch gehabt haben.«

»Wenn wir uns begegnet sind, haben wir immer ein paar Zeilen gequatscht. Man musste Ruth nur zu nehmen wissen. Sie konnte es nicht ertragen, wenn ihr jemand Vorschriften machen wollte.«

»Inwiefern?«

»Na, haben Sie schon von ihrer Schwiegermutter gehört, Elfriede Bennecke? Das soll ein richtiger Despot gewesen sein. Sie mochte ihre Schwiegertochter nicht, hat sie wohl für nicht gut genug gehalten für ihren Sohn. Elfriede Bennecke soll ihre Schwiegertochter jahrelang terrorisiert haben. Ruth kam aus sehr armen Verhältnissen und war noch jung, als sie heiraten musste. Der ›Grund‹, so heruntergewirtschaftet der Hof damals auch war, war ein Glücksfall für sie.«

Beide schwiegen einen Moment. Petra bohrte mit der Spitze ihres Gummistiefels im Kies.

»Man sagt, Ruth Bennecke hätte ein sehr schlechtes Verhältnis zu ihrer Tochter gehabt. Wissen Sie etwas darüber?«

»Nein, so gut kannte ich sie nun auch nicht. Es war ein grundsätzliches Gefühl des Verständnisses da, aber sie hätte mir niemals ihr Herz ausgeschüttet. Niemandem, so wie ich sie einschätze. Steht Katrin Bennecke denn unter Verdacht? Ich dachte immer, sie lebt in München ...«

Pia ließ das unkommentiert. Sie hatte den Fehler, eine Information unbedacht weiterzugeben, einmal gemacht. Die Erinnerung an die Folgen ließ sie heute noch erröten.

»Wollen Sie jetzt mit reinkommen? Ich friere mir gerade die Zehen ab«, sagte Petra, nachdem sie aufgeraucht hatte.

Drinnen sah sich Pia interessiert um. Der Gegensatz zwischen der peniblen Sauberkeit und Sterilität des Haupthauses zu der Unordnung und Schmuddeligkeit des neuen Hauses hatte demonstrativen Charakter. Petra ersparte ihr jede Entschuldigung über den Zustand ihres Zuhauses, sondern stellte stattdessen zwei Gläser und eine Flasche Saft auf den Tisch.

»Bedienen Sie sich, ich muss mal in meinem Gehirn nachforschen, ob mir zu Katrin Bennecke noch was Schlaues einfällt. Ich mochte sie nämlich genauso wenig wie ihren Bruder, die arrogante Nuss. Sie war schon fort, bevor ich Hanno kennen gelernt habe. Was ich über sie weiß, ist fast nur das, was so geredet wird. Wusste Hanno nicht mehr?«

Pia schüttelte verneinend den Kopf.

»Na ja, der sagt ja eh nicht viel. Und was Schlechtes über andere Leute kriegt man fast nie aus ihm raus.«

»Sind Sie schon lange verheiratet?«

»Ein paar Jahre. Ich denke, ich habe es ganz gut getroffen. Mit Hanno und allem ... Ich mache jedenfalls die Arbeit, die ich immer gewollt habe. Haushalt interessiert mich leider nicht so sehr ...«. Sie blickte sich viel sagend um.

»Die Landwirtschaft füllt Sie aus?«

»Mir macht hier keiner Vorschriften.«

»Denken Sie noch einmal nach. Sie kennen sich hier aus: Wo könnten die Beweggründe für die Morde liegen? Irgendwer muss hier doch noch ein paar Leichen im Keller liegen haben ...«, drängte Pia.

»Leichen im Keller ist gut. Ganz schön schaurig auf dem ›Grund‹, nicht wahr? Ich möchte dort keine Nacht allein verbringen. Nachher kommen die Leichen hoch ... Aber im Ernst, haben Sie schon mit Verena Lange gesprochen? Sie arbeitet nebenan auf Rothenweide als Pferdewirtin. Sie hatte mal was mit Malte Bennecke, ist aber schon eine Weile her. Im Frühjahr will sie heiraten: Klaus Biel, einen Langweiler erster Güte. Wenn noch jemand etwas über Malte Bennecke weiß, dann vielleicht Verena.«

»Das werde ich tun. Verena Lange?«

»Genau, aber tun Sie mir einen Gefallen, Frau Korittki?«

»Was denn?«

»Bitte verraten Sie Verena nicht, dass ich Ihnen den Tipp mit ihrem Verhältnis zu Malte gegeben habe. Die Sache war nämlich geheim damals«.

»Wieso das?«

»Malte war gut 10 Jahre jünger als Verena ...«

»Ja und wenn schon?«

»Sie leben nicht in einem Dorf, nicht wahr? Hier wird ziemlich viel geredet, und nicht immer die nettesten Sachen. Es gibt hier Dinge, die ich nicht an die große Glocke hängen würde. Und wenn ich mit Malte Bennecke herumgemacht hätte, gehörte das dazu«.

Als Pia Korittki am späten Nachmittag ins Hotel zurückkam, empfing sie Marten Unruh ungewöhnlich aufgekratzt.

»Na, was hast du noch herausbekommen bei den freundlichen Suhrs?«, fragte er sie, kaum dass sie Jacke und Schal abgelegt hatte.

»Nicht besonders viel. Hinweise auf eine Verena Lange, die Pferdewirtin auf Rothenweide. Sie soll ein heimliches Verhältnis mit Malte Bennecke gehabt haben. Die neue Frau auf dem Suhrschen Hof scheint den Laden etwas aufgemischt zu haben. Feuerrote Haare, sagt, was sie denkt, und interessiert sich mehr für ihre Schweine als ihre Küchenarbeitsplatte. Sehr erfrischend!«

»Klar, dass du das so siehst ...«

»Jedenfalls gibt sie an, mit Verena Lange befreundet zu sein. Sie hat sie uns allerdings auch in Bezug auf Malte Bennecke ans Messer geliefert. Frau Lange soll auf gar keinen Fall erfahren, woher wir unsere Kenntnisse haben. Ach ja, und sie konnte Ruth Bennecke ganz gut leiden.«

»Nichts über ein kleines Problemchen zwischen den Suhrs und den Benneckes?«

»Nein.«

»Dann weiß sie es nicht, oder sie verheimlicht es ebenfalls ...«

»Was denn? Hätte ich ihr vielleicht Daumenschrauben anlegen sollen?«

Marten zögerte die Antwort mit Absicht ein wenig hinaus.

Pia ließ sich in einen der Sessel in der leeren Empfangshalle fallen und rieb sich die Stirn, die vom Tragen des Fleece-Stirnbands juckte. Marten setzte sich ebenfalls und deutete der jungen Frau, die sich im Frühstücksraum zu schaffen machte, an, dass sie gern zwei Tassen Kaffee haben wollten. Es gelang ihm, seine Wünsche auch ohne Worte deutlich zu machen. Dann wandte er sich wieder an seine Kollegin:

»Wir haben eben einen Anruf von einer Anwältin aus Neustadt bekommen. Sie scheint die letzte Person zu sein, die Malte und Ruth Bennecke lebend gesehen hat. Mit Ausnahme des Täters natürlich.«

»Waren die Benneckes privat oder aus geschäftlichen Gründen bei ihr?«

»Geschäftlich. Aber viel mehr war aus der Frau noch nicht herauszubekommen. Ich werde gleich mal zu ihr nach Neustadt fahren.«

Sie wurden von der jungen Frau unterbrochen, die den gewünschten Kaffee auf einem Tablett servierte. Marten dankte ihr mit einem grandiosen Lächeln, das sie zum Erröten brachte. Dann schaute er wieder mit völlig nüchternem Ausdruck zu Pia.

»Du übernimmst jetzt den Part Rothenweide. Ich habe noch einen zweiten Wagen organisiert. Willst du einen von den Eutiner Kollegen mitnehmen?«

»Ich reiße mich nicht darum«.

»Ist auch okay. Es ist ja erst mal eine ganz inoffizielle Befragung. Du wirst diese Frau Lange schon in den Griff kriegen.«

»Was machen wir mit Katrin Bennecke?«

»Mit der können wir heute Abend hier im Hotel reden. Wenn es sehr spät wird, bekommen wir hier zwei Zimmer. Ich hab nämlich gleich für morgen Früh eine Dienstbesprechung mit allen Kollegen eingeplant. Halb acht in unserem Raum.«

12. KAPITEL

Katrin Bennecke saß bei laufendem Motor in ihrem Auto und blickte durch die Windschutzscheibe auf das Haus, das sie in einem anderen Leben einmal ihr Zuhause genannt hatte. Sie war direkt von Lübeck aus hierher gefahren. Gewissermaßen hatte sie den Schwung ausgenutzt, um es sich nicht wieder anders zu überlegen. Mit vor Aufregung zittrigen Fingern drehte sie den Schlüssel im Zündschloss um und der Motor erstarb.

Der Wind rüttelte leicht am Wagen. Die Zweige der Bäume in dem kleinen Gehölz, das ihre Familie immer die »Wildnis« genannt hatte, bogen sich in Richtung Haus. Dort hatte der Mörder auf ihre Eltern gewartet, und auf ihren Bruder.

Auf dem Hofplatz war durch die Markierungen der Spurensicherung noch zu erkennen, wo die Leichen gelegen hatten. Katrin Bennecke stieg aus und schlug einen großen Bogen um dieses Stück des Hofplatzes. Sie spürte dieselben Beklemmungen wie immer an dieser Stelle.

»Ich muss mich innerlich wappnen«, sagte sie sich, »ich habe das alles erfolgreich hinter mir gelassen, vor sehr langer Zeit schon. Es kann mir nichts mehr anhaben.«

Aber die gedachten Worte klangen in ihrem Kopf dünn und leer. Sie bewahrte die Erinnerungen an eine Kindheit in Isolation und Kälte tief in ihrem Inneren auf, aber hier in diesem Haus drohten sie wieder lebendig zu werden. Der Himmel wurde immer grauer und die Farben verblassten schon. Bald würde es dunkel sein.

Katrin atmete tief durch, schloss die Haustür auf und trat ein. Es überfiel sie plötzlich und unerwartet: Der Geruch! Sie hatte den Geruch vergessen. Sie machte ein Geräusch, das sich in ihren eigenen Ohren wie das Aufheulen eines Tieres anhörte, und ging einen Schritt rückwärts.

Katrin Bennecke war plötzlich wieder zehn Jahre alt und kam von der Schule nach Hause. Es war der letzte Schultag vor den Sommerferien und sie war stolz auf das Versetzungszeugnis zum Gymnasium. Es herrschte eine bedrückende Stille im Haus. Sie rief nach ihrer Mutter, die sie in der Küche vermutete. Ruth Bennecke kam jedoch die Treppe herunter, ihr Blick war seltsam. Sie sah aus wie ein Hund, der verbotenerweise die Speisekammer geplündert hat. Sie begrüßte Katrin mit falscher Freundlichkeit.

»Schön mit dem Zeugnis, war ja aber auch nicht anders zu erwarten gewesen. Komm mit nach oben, es ist etwas passiert.« Sie führte Katrin die steile Treppe hoch. Es wurde immer kälter oben, die Vorhänge im Büro waren zugezogen, der Wind blähte den Stoff nach innen.

Große Geheimnistuerei. Wo war ihre Großmutter? Katrin wollte ihr auch von dem Zeugnis erzählen ... Ruth öffnete die Tür zu Großmutters Zimmer: Elfriede Bennecke lag unnatürlich steif im Bett, ihr Profil sah spitz und vogelartig aus.

»Deine Großmutter ist heute Nacht von uns gegangen. Ich fand sie heute Morgen, als du schon zur Schule warst.« Hatte es an diesem Tag genauso gerochen im Haus? Spielte ihr das Erinnerungsvermögen einen blöden Streich? Sie versuchte, in die Rolle der erwachsenen, erfolgreichen Katrin zu schlüpfen. Eine Rolle, die Halt und Sicherheit versprach. Langsam ging sie durch alle Räume im Erdgeschoss, hatte einen Blick für die Details, wie ein Makler, der ein Haus schätzen soll.

Sie sah Tapeten mit Stockflecken, Teppichboden mit Laufspuren und abgewetztes Mobiliar. Ihre Eltern hatten keinen Wert auf häusliche Behaglichkeit gelegt. Alles war sauber und ordentlich, aber ohne Charme oder Stil. Warum hatten ihre Eltern es sich nicht etwas schöner gemacht? Am Geld konnte es Katrins Wissen nach nicht gelegen haben, der Hof lief seit einigen Jahren gut, wenn auch Maltes Ausgaben den Gegenpol zu der pedantischen Sparsamkeit ihrer Eltern gebildet hatten.

Im Grunde waren sich Malte und Katrin in einigen Dingen doch recht ähnlich gewesen: Beide hatten gegen den bescheidenen Lebensstil ihrer Eltern rebelliert. Katrin, indem sie das Geld dazu selber erarbeitete und sich mit ihren Möglichkeiten ein angenehmes Leben erschaffte. Malte, indem er das Geld seiner Eltern nahm, um sich damit ein paar Extravaganzen zu leisten. Allein dieses Motorrad, das jetzt langsam in der Scheune verstaubte, musste eine Stange Geld gekostet haben. Nun war es an ihr, es wieder zu Geld zu machen …

Es war Ruth und Rainer nicht gelungen, ihren eigenen Begriff von Sparsamkeit und Bescheidenheit an ihre Kinder weiterzugeben. Der Gedanke, dass das alles hier von nun an ihr gehörte, erregte sie und machte sie gleichzeitig beklommen. Zurzeit kümmerte sich ein Betriebshelfer von der Alterskasse um die Kühe und den Betrieb, aber bald würde Katrin Entscheidungen treffen müssen, die in jedem Fall endgültig waren. Das wäre dann das Aus für den ›Hof Grund‹, der Schlussstrich unter ihrer verpfuschten Kindheit.

»Großmutter, hilf mir«, flüsterte sie, bevor sie sich an den Aufstieg ins Obergeschoss machte. Oben war ein Geräusch zu hören, als flatterte ein Vorhang im offenen Fenster.

Es war nicht weiter schwierig für Pia, Verena Lange auf Gut Rothenweide aufzuspüren. In der Stalltür wäre sie fast von einer mit Mist beladenen Schubkarre umgefahren worden, die eine Frau schwungvoll herausschob.

»Wer sind Sie denn?«

»Kriminalkommissarin Korittki. Ich bin von der Kriminalpolizei Lübeck und ermittle im Mordfall Bennecke. Ich suche Verena Lange.«

»Ich bin Verena Lange. Einen kleinen Moment mal, ich muss erst den Mist hier herausbringen, dann komme ich zu Ihnen«, antwortete sie. Sie schien verärgert über die Störung zu sein.

Als sie wieder in den Stall kam, wusch sie sich in einem kleinen Blechwaschbecken die Hände und wischte sie dann an ihrer staubigen Reithose trocken.

Pia betrachtete sie neugierig. Sie war etwa so alt wie sie, Anfang 30, vielleicht auch jünger. Sie trug Reithosen, kurze Stiefel und eine gesteppte Weste über einem Wollpullover. Ihr Haar war kurz geschnitten und über der Stirn zu einer schwungvollen Welle frisiert. Verena Lange hatte braune Augen, mit denen sie Pia ungeduldig ansah. Was sie sah, schien ihr nicht zu gefallen. Zwischen ihren Augenbrauen erschien eine ausgeprägte Falte.

»Wird es lange dauern?«, fragte sie und warf den Pferden einen sehnsüchtigen Blick zu. »Ich habe noch eine Menge zu tun und außerdem eine Verabredung heute Abend.«

»Ich muss Ihnen ein paar Fragen stellen. Je eher, desto besser. Als ich vorhin im Stall auftauchte, sahen sie ziemlich erschrocken aus. Die meisten Menschen macht ein frei herumlaufender Mörder nervös.«

»Man betritt auch nicht unaufgefordert einen fremden Stall«, entgegnete Verena. »Kommen Sie mit ins Büro, dort können wir einen Moment reden ...«

Verena schritt energisch voraus. Sie steuerte auf das Torhaus zu, das sich im rechten Winkel zum Pferdestall befand. Dann stieß sie die Eingangstür auf und ging einen kurzen, dunklen Gang hinunter zu einer Tür, auf der PRIVAT stand. Sie knipste die Deckenbeleuchtung an und wies Pia einen Stuhl zu, der einem abgewetzten Schreibtisch gegenüberstand. Verena selbst nahm ebenfalls Platz. Sie lehnte sich in ihrem Schreibtischstuhl zurück und strich sich mit beiden Händen das rotblonde Haar aus der Stirn.

»Um es gleich vorweg zu sagen: Viel werde ich Ihnen über die Benneckes nicht berichten können. Ich arbeite zwar hier auf Rothenweide und der ›Grund‹ ist ein Nachbarhof, aber wir hatten wenig Berührungspunkte. Die Benneckes hielten Milchvieh, ich habe hier nur mit den Pferden zu tun. Der Einzige, den ich manchmal zu Gesicht bekam, war der Sohn, Malte Bennecke. Er hat hier seit zwei Jahren ab und zu für die Försters gearbeitet.«

»Als was hat er hier gearbeitet?«

»Das wurde nicht näher definiert. Im landwirtschaftlichen Betrieb hat er jedenfalls keinen Finger krumm gemacht. Er hat den Chauffeur und Botenjungen gespielt. Wenn die Försters hier am Wochenende mit Gästen eintrafen, musste er Besorgungen machen, sich um das Catering kümmern, Barmixer spielen, Diskjockey, Fremdenführer, was weiß ich. Bernhard Förster ist mein Arbeitgeber, und er bezahlt mich gut dafür, dass ich mich um seine Pferde und um die Pensionspferde kümmere. Es ist halt eines seiner kostspieligen Hobbys. Ganz Rothenweide ist sein Hobby und wir leben alle nicht schlecht damit. Aber was er an den Wochenenden hier treibt, möchte ich gar nicht so genau wissen. Wer klug ist, bleibt dumm ... Ich sehe immer zu, dass ich mich hier so wenig wie möglich blicken lasse, wenn mal wieder Wochenend-Party angesagt ist. Malte war da anders. Er fand es schick, sich in diesen Kreisen zu bewegen, und sei es auch nur als Handlanger.«

Pia und Verena registrierten beide zugleich, dass sie sich hier gerade selbst widersprach. Ihre Kenntnisse, zumindest über einen Bennecke, waren scheinbar doch detaillierter. Verenas Wangen röteten sich ein wenig. Pia griff die Gelegenheit auf:

»Es hört sich so an, als ob Sie Malte Bennecke doch etwas

besser kannten. Warum nicht die Sache abkürzen und mir alles erzählen? Letzten Endes werden wir schon zu den Informationen kommen, die wir benötigen.«

»Es hat doch schon jemand ausgeplaudert, oder wie?«, giftete Verena sie ungehalten an. »Wer war das? Mit wem haben Sie bereits gesprochen? Wir haben so einige Klatschtanten hier, aber die schlimmste ist ja nun tot. Das war nämlich Ruth Bennecke!«

»Dann stellen Sie es doch einfach richtig, was immer ich mir auch angehört haben mag«, entgegnete Pia müde. Diese Frau war wirklich anstrengend in ihrem Bemühen, eine tadellose Person zu präsentieren.

Verena kaute ein wenig an ihrer Unterlippe, was das Bild einer viel jüngeren, weniger reservierten Frau heraufbeschwor.

»Ich hatte kurze Zeit ein Verhältnis mit Malte Bennecke: Nichts Ernstes, wir waren etwa vier Monate zusammen. Er hat mich, als er anfing hier zu arbeiten, so hartnäckig umworben, dass ich schließlich mal mit ihm ausgegangen bin, als ich niemand Besseren hatte.«

»Weshalb diese Reserviertheit? Weil er jünger war als Sie?«

Pia bedauerte aufrichtig, dass Malte keine Gelegenheit mehr haben würde, seine Sicht dieser Affäre zu präsentieren. Verena konnte jetzt das Blaue vom Himmel herunterlügen. Andererseits schien sie gerade den Entschluss gefasst zu haben, reinen Tisch zu machen. Pia kannte die Anzeichen dafür aus früheren Befragungen. Ein resignierter und trotzdem leicht aggressiver Unterton signalisierte Verenas Absicht.

»Waren Sie schon mal mit einem Mann zusammen, der zehn Jahre jünger ist als Sie?« Sie schnaubte verächtlich durch die Nase. »Sie haben keine Ahnung, was so alles geredet wurde. Davon mal abgesehen, war er einfach unreif. Allein die Tatsache, dass er sich von den Försters und ihrem Gehabe so beeindrucken ließ. Zu faul, richtig zu arbeiten, war er auch. Er ließ sich doch alles von seiner Mutter bezahlen. In diesem einzigen Fall können Sie beruhigt alles Schlechte glauben, was über ihn geredet wird. Er war genau so ...«

Pia fragte sich, weshalb es dann überhaupt zu einem Verhältnis zwischen Malte Bennecke und Verena Lange hatte kommen können. Laut meinte sie:

»Irgendetwas muss er doch gehabt haben, dass er Sie für sich einnehmen konnte, und sei es auch nur für vier Monate?«

Verena wurde richtig rot. Die Verlegenheit und der Ärger ließen ihre Stimme unnatürlich hoch klingen:

»Haben Sie schon Fotos von ihm gesehen? Er sah verdammt gut aus. Und er war so witzig. Ich habe in meinem Leben vorher noch nie so viel gelacht wie mit ihm. Respektlos, schamlos und fantasievoll war er. Reicht Ihnen das?«

Verena schien ihr Geständnis zu erleichtern. Vielleicht, weil Pia eine Außenstehende war und die monatelange Geheimhaltung sie belastet hatte?

»Was wollten Sie von Malte Bennecke? Einen Zeitvertreib, bis sich etwas Aussichtsreicheres bietet? Oder hatten Sie vor, eine langfristige Beziehung einzugehen?«

»Na, jetzt hab ich wohl in jedem Fall schlechte Karten, egal wie ich antworte. Entweder bin ich das leichtlebige Flittchen, das zum Spaß mit einem 20-Jährigen herumgemacht hat, oder ich bin die dumme Kuh, die etwas Dauerhaftes anfangen wollte mit dem allseits bekannten Dorf-Casanova. Sie können selbst entscheiden, zu welcher Kategorie ich gehöre«, antwortete Verena.

Pia griff dieses Angebot auf, weil Provokation Verena am Reden zu halten schien.

»Ich könnte mir vorstellen, dass Sie sich eher widerwillig in Malte Bennecke verliebt haben, eben weil er so ganz andere Qualitäten hatte, als Sie von einem Mann erwarten. Aber als

Ihr Verhältnis länger andauerte, haben Sie vielleicht doch gehofft, dass sich mehr ergeben würde. Immerhin hatte er einen Hof zu erben und Sie möchten vielleicht nicht Ihr Leben lang für Leute wie Försters arbeiten müssen. Vielleicht wollen Sie auch Kinder? Wenn man den 30. Geburtstag hinter sich gelassen hat, denkt man als Frau ja schon mal daran, eine Familie zu gründen. Sie sehen mir nicht wie der Typ Frau aus, der sich über Monate hinweg mit einem Mann abgibt, nur um sich zu amüsieren. Ich möchte auch gar nicht, dass Sie mir hier Ihre geheimsten Wünsche offenbaren, Frau Lange«, sagte Pia und drosselte ihr Tempo ein wenig, weil sie sah, dass Verena allmählich die Fassung verlor. Es wäre keine Hilfe, wenn sie eine wichtige Zeugin für alle Zeiten vergraulte. »Ich möchte lediglich herausfinden, wer Ihren Freund, oder Ex-Freund, sowie dessen Eltern erschossen hat.«

Verena starrte einen Moment aus dem Fenster, wo nichts zu sehen war als Dunkelheit. Pia schwieg. Die Frau ihr gegenüber wollte reden, das war jetzt deutlich zu sehen.

»In einem Punkt haben Sie Recht: Ich habe mich tatsächlich nur sehr widerwillig in Malte verliebt, eben weil er so einen schlechten Ruf hatte, so viel jünger war und auch nicht gerade das, was man aussichtsreich nennt. Das erste Mal, als wir miteinander geschlafen haben, ist es einfach so passiert. Und dann dachte ich: Jetzt, wo ich es einmal getan habe, ändert sich auch nichts mehr, wenn es noch mal passiert. Für die Klatschtanten im Dorf bin ich eh abgestempelt, also kann ich mich jetzt auch amüsieren. Aber so einfach war es natürlich nicht. Erst hatte ich die Oberhand: Malte hat mich umworben, fühlte sich geschmeichelt, von mir ernst genommen zu werden. Als wir länger zusammen waren, wendeten sich die Machtverhältnisse: Er merkte, dass ich mit ihm ins Bett gehen wollte und mich auf unsere Treffen zunehmend freute. Über eine Zukunft mit ihm verschwendete ich allerdings keinen Gedanken, ich wollte einfach immer so weitermachen. Aber ein Mann wie Malte Bennecke bekommt schnell Oberwasser und wird dann sehr unangenehm. Er wollte mir irgendwann Vorschriften machen, wann, wo und wie wir uns treffen. Außerdem bekam ich mit, dass er sich auch noch mit anderen Frauen verabredete. Da musste ich irgendwann einen Schlussstrich ziehen. Es traf sich ganz gut, dass zu diesem Zeitpunkt gerade ein alter Freund Kontakt zu mir aufnahm, der in vielen Punkten besser zu mir passt als Malte. Er heißt Klaus Biel und wir werden im Juni dieses Jahres heiraten. Sie sehen also: Ich war nie scharf auf den ›Grund‹, mit Malte als Ehemann und Ruth Bennecke als Schwiegermutter. Lieber hätte ich den Rest meines Lebens Bernhard Förster die Stiefel geputzt. Aber jetzt, wo ich Ihnen alles erzählt habe, verraten Sie mir: Sind Sie dadurch dem Mörder auch nur einen Zentimeter näher gekommen?«

Verenas Stimme hörte sich schon wieder so schnippisch an wie zu Beginn des Gesprächs. Pia überdachte kurz, was sie eben gehört hatte. Es klang zumindest plausibel und schloss in diesem Fall Verena als Mörderin aus Eifersucht aus.

»Sie haben bestimmt Verständnis dafür, dass ich den Stand der Ermittlungsarbeit nicht mit Ihnen diskutieren werde, Frau Lange«, blockte sie Verenas Frage unverbindlich ab. »Wenn Sie mir jetzt noch Ihre derzeitige Adresse, die von Herrn Klaus Biel und die der Försters geben, dann können wir unser Zusammentreffen hier beenden.«

Verena Lange riss einen Zettel von einem Block auf ihrem Schreibtisch ab und kritzelte die Adressen darauf.

»Bitte«, sagte sie kühl und reichte Pia den Zettel über den Schreibtisch hinweg zu. Verena Lange bedauerte ihre Mitteilsamkeit anscheinend schon.

Die beiden Frauen erhoben sich. Beim Hinausgehen traf Pia

auf einen großen, blonden Mann, der gerade hereinkommen wollte. Er stellte sich als Jens Petersen vor, Gutsverwalter auf Rothenweide. Er sagte, er hätte im Büro nach dem Rechten sehen wollen, als er bemerkt habe, dass um diese Uhrzeit noch Licht brannte.

»Normalerweise hätte unser Fräulein Lange um diese Uhrzeit nämlich schon Feierabend«, bemerkte er mit einem entschuldigenden Lächeln. Pia wäre ihm bei einer solchen Bezeichnung ihrer Person an die Gurgel gesprungen, aber Verena quittierte die Feststellung nur mit einem mädchenhaften Neigen des Kopfes. Sie schien die Bezeichnung »Fräulein« nicht weiter zu stören. Stattdessen verabschiedete sie sich mit der Bemerkung, sie werde jetzt noch den Stall zu Ende ausmisten.

13. KAPITEL

Pia fand sich mit Jens Petersen auf dem Hofplatz vor dem Torhaus wieder. Sie musterten sich gegenseitig neugierig. Jens Petersen war etwa 40 Jahre alt, fast einen halben Kopf größer als Pia und von kräftiger Gestalt. Er war nicht dick, aber er hatte einen schweren Knochenbau und gute Gebrauchsmuskeln, die nicht nach Fitness-Studio, sondern körperlicher Arbeit aussahen. Sein Gesicht war groß und flächig, mit hellen Augen und fast unsichtbaren Wimpern. Sein Haar war blond, vielleicht in Ansätzen auch schon grau. Man sah ihm an, dass er sich hauptsächlich an der frischen Luft aufhielt. Er hatte seine Hände tief in die Taschen seiner Jacke versenkt und wippte auf den Fußballen auf und ab.

»Sie werden mich jetzt sicher auch befragen wollen?«, sagte er und es klang ausnahmsweise einmal nicht widerstrebend.

»Wir unterhalten uns mit jedem, der etwas Brauchbares über die Benneckes und ihr direktes Umfeld beisteuern kann«, antwortete Pia. »Je eher wir alle Informationen haben, desto besser.«

»Und wenn ich nun überhaupt keine Zeit habe?«

»Ihrer momentanen Haltung nach ist das eher unglaubwürdig. Aber sei es drum, früher oder später werden Sie sich die Zeit nehmen müssen.«

»War ja nur eine Frage, rein hypothetisch sozusagen ... Wie soll ich Sie überhaupt ansprechen? Frau Kriminalkommissarin?«

»Von mir aus. Frau Korittki tut es auch, solange Sie nicht Fräulein Korittki daraus machen.«

»Also gut, Frau Korittki. Ich muss drüben im Haupthaus noch ein paar Handwerker kontrollieren, bevor die sich aus dem Staub machen. Wenn Sie Lust haben, begleiten Sie mich doch einfach. Wir können uns dabei unterhalten und anschließend noch in mein Büro gehen, je nachdem, für wie ergiebig Sie mich befinden.«

Pia stimmte zu und ließ sich von Petersen durch die Anlage führen. Das Gut Rothenweide wirkte im schwindenden Tageslicht imposant und irreal wie eine Filmkulisse. Hinter ihnen befand sich das Torhaus mit seiner breiten Durchfahrt. Auf derselben Achse stand vor ihnen in einiger Entfernung das Herrenhaus. Es war kompakt und symmetrisch gebaut, mit zwei Vorbauten links und rechts vom Portal. Seitlich wurde die Anlage von gewaltigen Stallgebäuden und Scheunen begrenzt. Das Gut befand sich auf einer Art Insel, die Rückfront grenzte an den Grevendorfer See, seitlich und vorn rahmten ein Flussarm und ein künstlich angelegter Graben das Gelände ein.

Mit einem Anflug von Stolz in der Stimme bemerkte Jens Petersen: »Es ist etwas ganz Besonderes, nicht wahr? Teile des

Herrenhauses stammen aus dem Mittelalter. Wenn es mir mal nicht so gut geht, dann gehe ich einfach raus und mache einen Spaziergang über Rothenweide. Ich versuche dann, alles bewusst wahrzunehmen. Ich nehme mich dann selbst nicht mehr so wichtig. Was bedeutet mein kurzes Leben gegen diese Gemäuer, die seit fast 500 Jahren hier stehen und Kriege und Naturkatastrophen überdauert haben?«

»Wenn man es so betrachtet ...« Auch ein aufmunterndes »hm« hätte ausgereicht, Petersen am Reden zu halten.

Pia ließ ihn gewähren. Wenn Menschen über ihre Leidenschaften sprechen, verraten sie unbewusst sehr viel von sich selbst, wusste sie.

»Der Standort mit einer kleinen Burg wird erstmalig im 13. Jahrhundert erwähnt. Spätere Besitzer haben die Burg dann aufgegeben und das jetzige Herrenhaus errichtet. Es ist ein typischer spätmittelalterlicher Bau, bestehend aus zwei Querhäusern. Anfangs befand sich die Eingangstür etwa zwei Meter über dem Erdboden, damit man abends eine hölzerne Leiter einziehen und so den Zugang zum Haus erschweren konnte. Das Haus war eine Stätte der Verteidigung, aber im Laufe der Jahrhunderte ist natürlich immer wieder an- und umgebaut worden. Die Wirtschaftsgebäude sind erst im 16. und 17. Jahrhundert gebaut worden, als aus den Ritterburgen allmählich landwirtschaftliche Großbetriebe der neuen Zeit wurden. Aber ich schwärme Ihnen hier etwas vor, weil ich mich selber so begeistern kann ...«

Sie waren inzwischen vor einem Stallgebäude links vom Herrenhaus angekommen, durch dessen blinde Fenster etwas Licht fiel.

»Würden Sie einen Augenblick hier auf mich warten?«, fragte Jens Petersen plötzlich geschäftsmäßig. »Ich habe mit denen da drinnen ein Hühnchen zu rupfen. Ich bin gleich wieder da.«

Pia nickte. Ihre Neugier trieb sie dazu, in Richtung Herrenhaus zu schlendern und sich umzusehen. Das gesamte Gebäude war unbeleuchtet und sah mit seinen dunklen Fensterscheiben und der massiven Holztür verlassen und unbewohnt aus. Pia fiel auf, dass vor den Fenstern im Kellergeschoss neue Metallgitter angebracht worden waren. Das war bemerkenswert, da ansonsten alles in seinem ursprünglichen Zustand belassen zu sein schien. Hatte der jetzige Besitzer Angst vor Einbrechern?

Durch die kahlen Baumstämme hinter dem Haus schimmerte der See. Pia nahm den Geruch von Wasser und faulenden Pflanzen wahr. Im Sommer, bei Sonnenschein, strahlte dieser Ort sicherlich eine gewisse Heiterkeit aus, jetzt verursachte Pia das heisere Schreien eines Wasservogels eine Gänsehaut. Hinter ihr knirschten Schritte im Kies und sie drehte sich um.

»Schade, dass es schon so dunkel ist. Es lohnte sich sonst, einmal um das Gelände herumzugehen und alles anzuschauen. Ich bin jetzt frei, Ihre Fragen zu beantworten.«

»Sie arbeiten hier auf dem Gut als Verwalter?«

»Ja. Einer muss sich ja um alles kümmern. Die Besitzer kommen immer nur an den Wochenenden oder für eine Woche Urlaub hierher.«

»Wie lange arbeiten Sie schon auf Rothenweide?«

»Fast zehn Jahre. Ich bin angestellt worden, kurz nachdem Bernhard Förster es gekauft hat. Die Vorbesitzer konnten es nicht mehr halten, es war völlig heruntergewirtschaftet.«

»Und wie läuft der Betrieb jetzt?«

»Es trägt sich gerade mal so. Es ist schwierig, mit so alten Gebäuden Gewinn bringend zu arbeiten. Außerdem ist das auch gar nicht Försters vorrangiges Interesse. Er hat sich hier einen Traum erfüllt: den Traum vom Leben eines Landadligen.

Dazu gehören die Pferde, die Jagd und das schöne Haus voller Antiquitäten.«

»Herr Förster lässt sich seinen Traum einiges kosten?«

»Er scheint es zu haben. Mehr interessiert mich nicht. Mein Arbeitsgebiet ist die Landwirtschaft, ich bin nicht Försters Seelenklempner.«

»Wie kommen Sie jetzt darauf?«

»Ach wissen Sie ...«, Petersen sah unbehaglich zum Haupthaus hinüber, »ich werde oft auf Försters Benehmen angesprochen: das verschlossene Tor, die unbedingte Anonymität, die er zu wahren versucht. Das macht sich nicht gut bei den Leuten hier. Förster ist vielleicht ein bisschen paranoid, aber er ist ein fairer Arbeitgeber.«

»Inwiefern paranoid?«

»Sehen Sie mal, da drüben ... und dort ... das sind Überwachungskameras. Das Gelände wird videoüberwacht. Wer weiß, vielleicht ist sogar der Pferdestall verwanzt ...«

Er lächelte schwach über den vermeintlichen Witz.

»Was hatte Malte Bennecke mit all dem zu tun? Ich hörte, er hat für Förster gearbeitet?«

»Ah, jetzt kommen wir zum Thema ...«

Pia sah ein Aufblitzen in Jens Petersens Augen.

»Er war eine Art Laufbursche, lungerte herum und wartete, dass jemand ihm einen Auftrag gab.«

»War er den Försters lästig?«

»Nein, die sind so ein Benehmen gewohnt, nehme ich an.«

»Was meinen Sie, warum Malte das gemacht hat. Auf dem elterlichen Betrieb gab es bestimmt genug zu tun.«

»Hätte, könnte, sollte ... Malte war halt Malte. Er versprach sich wohl davon, dass etwas von dem Glanz und dem Reichtum auf ihn abfallen würde. Ich glaube nicht, dass er ernsthaft vorhatte, den ›Grund‹ zu übernehmen und Milchbauer zu werden. Er hat mir einmal vorgerechnet, dass es für einen Landwirt günstiger sei, eine Lehrerin mit entsprechendem Gehalt zu heiraten, als einen neuen Stall für 60 Rinder zu bauen.«

»Er war kurze Zeit mit Frau Lange liiert«, sagte Pia. Es war mehr eine Feststellung als eine Frage. Petersen tat das mit einem Augenzwinkern ab.

»Ach, das war doch nur eine Kinderei. Ich habe es nie verstanden, weder von seiner noch von ihrer Seite aus.«

»Eine gewisse Anziehung wird wohl bestanden haben, und warum auch nicht?«

»Nur dass Verena Lange eigentlich an etwas ganz anderem interessiert ist. Sie möchte einen Mann haben und eine Familie gründen. Deshalb heiratet sie jetzt im Sommer auch ihren Exfreund. Einen Mann übrigens, den sie vor einem halben Jahr noch als großen Langweiler bezeichnet hat.«

Pia meinte, einen Anflug von Eifersucht aus seinen Reden herauszuhören. Vielleicht war Jens Petersen seinem Fräulein Lange mehr zugetan, als er zugab. Er wirkte auf Pia wie ein Mensch, der zu großer Leidenschaft fähig ist, sei es nun für einen Beruf, eine Frau oder einen Haufen alter Steine. Vielleicht mochte er Malte Bennecke schon deshalb nicht, weil ihm etwas gelungen war, was ihm vielleicht für immer vorbehalten blieb: mit Verena ins Bett zu gehen.

»Sind sie verheiratet, Herr Petersen?«, fragte sie ihn unvermittelt und sah, dass sie ihren Gesprächspartner damit in Verlegenheit brachte.

»Ich bin der Richtigen noch nicht begegnet«, rettete er sich in einen Allgemeinplatz. Jens Petersen hing einen kurzen Moment seinen Gedanken nach. Dann sagte er leise:

»Ich gelte hier in Grevendorf als Sonderling, schon über 40 und noch unverheiratet. Weil ich völlig normal aussehe, ich meine, nicht absonderlich hässlich bin, ein gutes Einkommen habe und auch sonst keine erkennbaren Mängel, verstehen die Leute nicht, warum ich noch keine Frau gefunden habe. Einige halten mich für schwul, pervers, absonderlich, was weiß ich. Anfangs wurde ich viel eingeladen und mit den unverheirateten Töchtern zusammengesetzt, mittlerweile haben sie es aufgegeben. Ich pflege wenig gesellige Kontakte, weil ich mich allein immer als fünftes Rad am Wagen fühle. Hier auf Rothenweide nimmt man mich so, wie ich bin. Ich liebe das Gut und meine Arbeit, ich vermisse eine Partnerin gar nicht so sehr. Klar, Weihnachten oder wenn ich mal krank bin, aber ansonsten ...«, er zuckte die Achseln, »bin ich kein unzufriedener Mensch.«

»Was ist mit Kindern?«

Petersens Augen verengten sich, er sah Pia wachsam an. »Was soll damit sein. Ohne Frau keine Kinder! Das hat doch jetzt nichts mehr mit den Morden zu tun.«

Petersens Verärgerung, ein vielleicht schon lange genährter Schmerz, waren ihm ins Gesicht geschrieben. Er verschränkte demonstrativ die Arme vor der Brust. Pia vermerkte sich im Geiste ein Ausrufungszeichen.

Leider schienen plötzlich sowohl Petersens gute Laune als auch seine Redelust dahin. Pia musterte ihn forschend. Es machte bei ihrem derzeitigen Kenntnisstand wenig Sinn, aufs Geratewohl weiterzufragen.

Sie verabschiedete sich knapp von Jens Petersen und trat den Rückweg an.

Rothenweide wirkte bei völliger Dunkelheit gar nicht mehr wie eine romantische Filmkulisse. Und wieso galt man hier gleich als paranoid, wenn man abends sein Tor verschloss? Da konnte ja jeder kommen, in dieser Einöde ...

Katrin Bennecke hatte nicht gewusst, wonach sie eigentlich suchte, als sie die Regale im Arbeitszimmer abgegangen war und die Schreibtischschubladen durchwühlt hatte.

Sie hatte den zerknitterten Umschlag aus braunem Packpapier zuerst achtlos zur Seite gelegt, dann aber doch hineingesehen. Der Inhalt des Umschlages ließ sie die Luft anhalten. In einer zierlichen weiblichen Handschrift geschrieben, enthielt der Umschlag Briefe, und beim Lesen wurden Katrin die Knie weich. Sie hatte gerade die ersten drei Schreiben überflogen, als sie das Geräusch eines Automotors hörte, das kurz darauf erstarb.

Im ersten Moment fürchtete Katrin, ihre Mutter würde kommen und sie wegen der Briefe zur Rede stellen. Ihre tief verwurzelte Angst vor Ruth kam in unkontrollierten Momenten immer wieder hoch. Dann gewann ihre Vernunft die Oberhand und sie überlegte, wer hier abends noch auf den ›Grund‹ kommen konnte? Besucher, die noch nichts von den Morden wussten? Unwahrscheinlich. Die Polizei? Die hatten doch sicher schon längst Feierabend gemacht. Eine boshafte kleine Stimme aus ihrem Inneren flüsterte ihr zu, dass dann ja wohl nur noch einer übrig blieb: der Mörder!

Die Autotüren schlugen zu. Kurz darauf wurde die Haustür unten geöffnet und sie vernahm zwei Stimmen, die sich leise miteinander unterhielten. Sie unterdrückte den Impuls, sich zu verkriechen oder laut zu schreien, sondern rief stattdessen:

»Hallo, wer ist denn da?«

»Unruh, Kriminalpolizei. Sind Sie das, Frau Bennecke?«

Katrin stopfte die Briefe und den braunen Umschlag in ihre große Umhängetasche. Als Marten und Pia das Büro betraten, saß sie äußerlich vollkommen gelassen hinter dem Schreibtisch ihrer verstorbenen Mutter.

»Sie sollten sich abends nicht allein hier im Haus aufhalten«, bemerkte Marten, »nach allem, was hier in den letzten Tagen passiert ist.«

»Dieser Ort hier ist immer gottverlassen«, antwortete Katrin mit einem Achselzucken, »egal ob es Nacht ist oder Tag.«

»Wir sind hier, um den transportablen Inhalt des Büros mitzunehmen«, sagte Pia, ohne sich anmerken zu lassen, dass die letzte Bemerkung ihr Unbehagen verursachte. Sie trug zusammengefaltete Pappkartons unter dem Arm.

»Sind die Sachen hier drinnen nicht mein Eigentum?«, fragte Katrin, nur um ein bisschen zu provozieren, nicht weil sie hoffte, dass sie etwas ausrichten könnte.

»Sie bleiben auch Ihr Eigentum. Wir werden das alles sichten, und wenn sich nichts Interessantes ergibt, bekommen Sie es zurück«.

»Dann tun Sie mal Ihre Arbeit ...«, sagte sie und stemmte sich aus dem abgesessenen Bürostuhl, »ich werde ins Hotel zurückfahren und mich ein wenig frisch machen. An mir haftet noch der Geruch von Tod und Formalin.«

»Übernachten Sie auch im ›Hotel am See‹?«

»Bleibt mir wohl nichts anderes übrig ...«

»Dann sollten wir heute Abend noch miteinander sprechen.«

»Wir können meinetwegen zusammen essen. Ich habe einen Tisch für neun Uhr reserviert. Der Hotelmanager ist fast in Ohnmacht gefallen, als ich die Zeit nannte. Da geht sein Koch wohl normalerweise schon zu Bett ...«

Marten und Pia wechselten einen Blick.

»Das geht in Ordnung. Neun Uhr im Hotelrestaurant.«

»Ein Arbeitsessen. Ich glaube, ich habe die Polizei bisher immer unterschätzt ...«, versetzte Katrin Bennecke anzüglich. Damit verließ sie den Raum.

In ihrem Hotelzimmer, einem muffigen kleinen Kabuff unter Dachschrägen, stellte sich Pia erst mal unter die Dusche. Gerade als sie sich halbwegs trocken gerubbelt hatte, klingelte ihr Telefon. Sie musste erst einen Moment überlegen, wo es sich befand: in der Innentasche ihrer Jacke. Und diese lag mit den übrigen Klamotten auf dem Doppelbett.

Der Anruf konnte nur von Robert sein, er war eigentlich schon längst überfällig. Pia spürte den ungeklärten Konflikt zwischen Robert und ihr als leises, nagendes Unbehagen, das sie die ganze Zeit begleitete. Ihr fehlte nicht nur eine Aussprache über die Zukunft ihrer Beziehung. Ihr fehlte, das gestand sie sich ungern ein, Robert an sich. Seine Stimme, der leise Spott, mit dem er gewöhnlich ihre Unmutsäußerungen kommentierte. Die Sicherheit, die er ausstrahlte, und die Gewissheit, in ein paar Tagen wieder in seinen Armen zu liegen. Sie schaffte es, nach dem vierten Klingeln das Gespräch anzunehmen.

Es war ihre Mutter, Anna Liebig, die acht Jahre nach Pias Geburt ihren Nachnamen Korittki gegen den ihres neuen Ehemannes, Günther Liebig, getauscht hatte. Pia war enttäuscht und erleichtert zugleich.

»Ach du bist es, Anna.«

»Pia, du bist so außer Atem. Wo befindest du dich eigentlich?«

»In einem Hotel in Grevendorf, Ostholstein. Wir ermitteln hier am Ort in einem Mordfall. Ich hab viel zu tun, deshalb habe ich mich auch noch nicht gemeldet.«

»Na wunderbar. Bist du wenigstens in netter Gesellschaft?«

»Es geht. Reizende Kollegen, sture Zeugen und jemand, der gerade drei Menschen umgebracht hat.«

»Sei bloß nicht gleich wieder so zynisch, Pia. Ich interessiere mich für dein Leben. Ehrlich gesagt, mache ich mir etwas Sorgen um dich ...«

»Wieso das denn?«

»Nele hat gesagt, du siehst schlecht aus und du hättest Probleme mit deinen neuen Kollegen.«

Pia hatte ihre Halbschwester, Nele Liebig, zufällig am Sonntagabend vor ihrem Haus getroffen. Sie waren zusammen etwas trinken gegangen. Pia hatte ein paar Andeutungen über Robert und ihren Job fallen gelassen. Ein taktischer Fehler unter Einfluss von ein paar Gläsern Bier am frühen Abend. Nele hatte die vertraulichen Bemerkungen scheinbar sofort an ihre Mutter weitergegeben. Das Verhältnis zwischen Pia und Nele war die ganze Kindheit hindurch von Eifersucht und Misstrauen geprägt gewesen. Auch als Erwachsene hielt Nele Pia auf Abstand. Pia konnte jedoch auch nicht behaupten, dass sie das Leben ihrer Schwester mit liebevoller Besorgnis verfolgte. Zu viele Liebhaber, Bewunderer, Verflossene und Zukünftige scharwenzelten um Nele herum. Jedenfalls, wenn man ihrem Gerede Glauben schenken konnte. Sie studierte und jobbte nebenbei als Fotomodel. Der Traum ihrer Mutter! Pias Wunsch, zur Polizei zu gehen, war ihrer Mutter hingegen von Anfang an völlig unverständlich gewesen. Wenn Anna Liebig mal nicht über Pias Job herzog, machte sie spitze Bemerkungen über ihren Freund Robert Voss, der in ihren Augen ein Blender war. Es sah gut aus, hatte gute Manieren, aber keine guten Absichten.

»Hast du mal wieder was von Robert gehört?«, kam es dann auch prompt von ihr.

»Wir haben uns Sonntag zuletzt gesehen. Wie du weißt, sehen wir uns nur an den Wochenenden«, antwortete Pia gezwungen.

»Ich weiß, ich weiß. Ihr braucht euren Freiraum. Ich an deiner Stelle …«

»Ich weiß, Anna, du hättest ihn längst in die Wüste geschickt und einen der vielen anderen Anwärter ausprobiert«, antwortete Pia entnervt.

Mittlerweile wurde ihr ziemlich kalt, weil sie nur mit einem Handtuch umwickelt auf dem Bett lag. Außerdem fand sie bei näherer Betrachtung die Tagesdecke ekelig. Ihre Mutter seufzte:

»Es gibt weiß Gott andere Männer, die sich darum reißen würden, dich näher kennen zu lernen. Wenn du nur nicht so stur und verbissen den ganzen Tag irgendwelchen Verbrechern hinterherjagen würdest ...«

Pia setzte sich auf dem Bett auf und suchte in ihren Klamotten nach etwas, das sie sich mit einer Hand überziehen könnte.

»Ich muss jetzt Schluss machen, Anna«, sagte sie nach einer kleinen Pause, »ich will noch ein bisschen Jagen gehen. Mit einem sehr charmanten Kollegen übrigens.«

»Ach ja? Wie ist er denn so?«

»Wenn er fünf Zentimeter größer wäre, wäre er drei Zentimeter größer als ich.«

14. KAPITEL

Pia Korittki, Marten Unruh und Katrin Bennecke trafen fast zur gleichen Zeit im Hotelrestaurant ein. Das Abendessen versprach, in eisiger Atmosphäre stattzufinden. Als Ausgleich dafür, dass sich niemand von ihnen von der Gesellschaft der anderen Vergnügen versprach, wählten sie alle ein kalorienreiches, gutbürgerliches Gericht auf der Speisekarte aus; Katrin Bennecke bestellte Wein dazu, Pia und Marten Wasser. Das gehaltvolle Essen dämpfte die Missstimmung am Tisch. Die beiläufige Geste, mit der Unruh Katrin Bennecke nach dem Essen Feuer gab, sah fast freundschaftlich aus.

»Was werden Sie mit dem Hof Grund tun?«, fragte Pia, um jedwede Verbrüderung mit dem Feind im Keim zu ersticken.

Katrin Bennecke versteifte sich sofort wieder. »Ist es denn schon sicher, dass ich die Erbin bin? Meine Eltern haben mich über die Pläne für die Zeit nach ihrem Tod immer im Unklaren gelassen. Ich ging davon aus, dass Malte den Hof eines Tages erben würde.«

»Wer käme denn außer Ihnen sonst noch in Frage?«

»Keine Ahnung. Aber bevor ich nicht weiß, was im Testament steht, mache ich keine Pläne.« Katrin Bennecke griff noch einmal nach der Karte und studierte die Rückseite mit den Nachspeisen.

»Warum dieses Misstrauen?«, schaltete sich Marten in die Unterhaltung ein. »Befürchten Sie etwa, Ihre Eltern hätten alles dem Tierschutzverein hinterlassen?«

Katrin Bennecke lachte auf: »Oh, nein. Dazu waren sie viel zu fantasielos und konservativ. Ich mache deshalb keine Pläne, weil mir diese ganze Angelegenheit zuwider ist. Am liebsten würde ich meine Tasche packen und diesem gottverlassenen Nest ein für alle Mal den Rücken kehren.«

»Waren Sie mit Ihren Eltern zerstritten?«

»Ich weiß zwar nicht, was Sie die letzten zwei Tage hier in Grevendorf gemacht haben, aber wenn es halbwegs dem entspricht, was ich vermute, dann kennen Sie meine Familiengeschichte. Ich war das ungeliebte Kind meiner Eltern. Malte war das Hätschelkind. Fragen Sie mich nicht, warum das so war. Mein Psychofritze nimmt ein Heidengeld von mir, aber ich bin immer noch so schlau, wie ich am Anfang war.«

Katrin erlangte die Aufmerksamkeit der Bedienung und bestellte sich noch eine Birne Helene. Pia ertappte sich bei dem sehnsüchtigen Gedanken an Alkohol in beliebiger Erscheinungsform. Sie bestellte wie Unruh einen Espresso.

»Wann haben Sie Ihre Familie zuletzt gesehen?«

»Ich habe Sie zwei Mal im Jahr besucht, hauptsächlich wegen meines Vaters. Ich dachte wohl immer, da kommt noch mal was von ihm – an Zuneigung, meine ich. Lustig war das Verhältnis zu meiner Mutter. Sie mochte mich immer noch nicht, aber mein Erfolg flößte ihr mittlerweile Respekt ein. Das letzte Mal war ich im Herbst hier, um den dritten Oktober herum.«

»War da irgendetwas anders als sonst?«

Katrin schien einen Moment nachzudenken. Dann schüttelte sie bedauernd den Kopf.

»Wir waren alle so nett zueinander wie immer. Sogar Malte gab sich richtig Mühe, er wollte mich nämlich anpumpen ...«

»Wissen Sie, wofür er Geld brauchte?«, fragte Pia.

»Für diese Höllenmaschine, die er sich kurz darauf gekauft hat, nehme ich an. Irgendwie scheint er das Geld dann doch noch aufgetrieben zu haben. Was dabei herausgekommen ist, wissen wir ja ...«, setzte sie leise hinzu.

»Woher könnte er das Geld für das neue Motorrad denn bekommen haben?«

»Keine Ahnung. Ersparnisse hatte er jedenfalls keine. Wahrscheinlich hat unsere Mutter es ihm zugesteckt. So war das früher jedenfalls immer ...«

Unter dem Einfluss von zwei Gläsern Wein kamen jetzt doch ein paar verschüttete Gefühle an die Oberfläche. Katrin Bennecke sah auf einmal traurig aus.

»Können Sie sich einen Grund vorstellen, warum Ihre Familie ermordet worden ist?«, fragte Marten Unruh in die Pause hinein.

»Sagen Sie bloß, Sie stehen noch nicht kurz vor einer Verhaftung, Kommissar Unruh?«

Die Bedienung kam und unterbrach die Unterhaltung für einen Moment. Katrin Bennecke betrachtete die soeben servierte Birne Helene mit kritischem Blick.

»Wir können ja Sie verhaften«, meinte Pia mit ernstem Gesicht. »Sie haben immerhin ein Motiv.«

»Unsinn«, entgegnete Katrin Bennecke ärgerlich, »wie hätte ich das denn bewerkstelligen sollen. Ich kann zweifelsfrei nachweisen, dass ich in Frankfurt war. Am Montagabend war ich mit einer Freundin essen. Alles nachprüfbar.«

»Das kommt Ihnen sicher sehr gelegen. Aber bedenken Sie bitte, dass Sie es ja nicht eigenhändig getan haben müssen.«

Katrin Bennecke starrte ihre Tischnachbarn angewidert an.

»Wie viel bekommen Sie für den Hof, wenn Sie einen Käufer finden?«, fragte Pia unbeeindruckt weiter.

In diesem Moment fiel die Maske überlegener Gelassenheit von Katrin Bennecke ab.

»Ich muss mir das hier nicht anhören! Ich kann auch über meinen Anwalt mit Ihnen reden.«

»Ja, im Kommissariat in Lübeck«, kam es von Marten Unruh zurück. Die Verbrüderungs-Zigarette war aufgeraucht, die Wirkung verpufft.

Pia rührte in ihrem Espresso. Dann sah sie Katrin Bennecke direkt in die Augen:

»Wer hatte einen Grund dafür, Ihre Familie zu ermorden?«

Katrin Bennecke zuckte hilflos mit den Schultern. Sie starrte auf den See aus Schokoladensauce auf ihrem Teller, der sich langsam mit einer Haut überzog.

»Nichts hier in Grevendorf hat wirklich Klasse«, sagte sie zusammenhanglos, »dieser Nachtisch nicht, das Hotel nicht. Das ganze verdammte Kaff ...«

Ihre Kraft schien erschöpft zu sein. Pia und Marten sahen einander an. Wer auch immer den Benneckes in dem Wäldchen aufgelauert hatte, Katrin Bennecke würde ihm heute Abend kein Gesicht geben.

Über Nacht begann es in Schleswig-Holstein zu schneien. Pia schlief unruhig. Am Morgen, als sie die Vorhänge zurückzog, war der Himmel von Wolken verhangen. Feine weiße Flöckchen hatten alle horizontalen Flächen mit einer dünnen Schneeschicht bedeckt. Ihren Weckruf um halb sieben hatte sie überhört. Nun war sie so spät dran, dass sie sich zwischen Frühstück und pünktlichem Erscheinen zur Dienstbesprechung entscheiden musste. Sie ignorierte den Duft nach frischen Brötchen und Kaffee aus dem Frühstücksraum und begab sich direkt in den Besprechungsraum am Ende des Ganges.

Die anderen sahen auch nicht viel wacher aus, als Pia sich fühlte. Nach einer kurzen Begrüßung legte Marten Unruh los. Er fasste die Ergebnisse der Obduktionen für alle noch einmal zusammen. Dann ließ er sich über die Arbeit des Spurensicherungsteams aus. Anschließend berichteten Hartmut Weber und Thomas Roggenau von ihren Befragungen.

Roggenau führte das Wort, genoss ganz offensichtlich die Aufmerksamkeit der anderen. Die Dorfbewohner, die befragt worden waren, hatten alle mehr oder weniger das wiedergegeben, was auch Rohwers, Kontos' und Suhrs erzählt hatten. Die Geschichte um das totgefahrene Kind war den meisten Dorfbewohnern noch frisch im Gedächtnis. Niemand wusste jedoch, wo Malte Bennecke und seine Mutter am Montagabend gewesen waren. Niemand äußerte einen konkreten Verdacht und niemand hatte an diesem Abend irgendetwas Außergewöhnliches bemerkt.

»Es scheint verdammt einfach zu sein, jemanden zu ermorden«, bemerkte Hannes Steen spöttisch. »Man geht einfach hin, erschießt die Leute und haut wieder ab. Kein Mensch bemerkt was, alles bleibt ruhig ...«.

»Das ist doch nichts Neues«, entgegnete Marten, »selbst wenn die Leute etwas hören oder sehen, verkriechen sie sich lieber vor dem Fernseher, als zu reagieren. Und hinterher ist es ihnen dann peinlich und sie halten die Klappe.«

Roggenau scharrte unruhig mit den Füßen. Pia sah, dass er noch ein Ass im Ärmel hatte.

»Eine Kleinigkeit gab es doch noch ...« Er machte eine Kunstpause, bis er die Aufmerksamkeit wiedererlangt hatte: »Wir haben mit einer Frau Kopp gesprochen, die uns eine interessante Geschichte erzählt hat. Ihr Mann ist Taxifahrer. Er hat vor etwa drei Wochen eine junge Asiatin an der Hauptstraße von Grevendorf aufgelesen, die er dann nach Kiel gefahren hat, in ein Hotel.«

»Ja und?«, fragte Marten.

»Sie soll mit irgendeinem Glitzerfummel bekleidet gewesen sein, war barfuß und sprach nur gebrochen Deutsch. Außerdem hat ihr Mann ihr erzählt, dass die Frau am ganzen Leib zitterte ...«

»Nicht vor Kälte«, ergänzte Hartmut Weber. »Herr Kopp soll gesagt haben, sie hätte vor irgendetwas Angst gehabt.«

Thomas Roggenau sah stirnrunzelnd zu ihm hinüber. Dann blätterte er in seinen Unterlagen und fuhr fort: »Richtig. Die Befragte sagte, ihr Mann hätte die Frau als überaus ängstlich und verstört beschrieben. Und nun kommt das Wichtigste: Sie soll von Gut Rothenweide gekommen sein, dessen Besitzer ja bekanntermaßen Bernhard Förster ist, für den Malte Bennecke gearbeitet hat. Die Frau vertraute uns an, dass man im Dorf so einige Vermutungen hätte, was Förster dort treibe ...«

»Sie haben sicher auch erfahren, was genau dort vermutet wird?«, wollte Marten wissen

»Ich musste Frau Kopp ziemlich unter Druck setzen, aber schließlich ...«

»Nachdem wir ihren Marmorkuchen probiert hatten ...«

Kommissar Weber war kurz davor, sich mit seinem Einwurf von seinem jüngeren Kollegen eine einzufangen.

»Schließlich rückte sie damit heraus, dass Förster vielleicht eine Art Bordell in seinem Schuppen betreibe. Mädchenhandel und so weiter. Die junge Asiatin war von dort geflohen, als der Taxifahrer sie aufgriff.«

»Habt ihr auch Herrn Kopp persönlich gesprochen?«

»Nein, bisher noch nicht.«

»Dann seht zu, dass ihr ihn zu fassen bekommt. Aus zweiter Hand ist so eine Geschichte nicht viel wert«, fertigte Marten Unruh Thomas Roggenau kurz ab. Pia beobachtete, wie sich Roggenaus Miene versteinerte. Er hatte sich offensichtlich eine andere Reaktion erhofft.

Dann war Hannes Steen an der Reihe. Er berichtete von den Reaktionen aus der Bevölkerung, die bei der Polizei eingegangen waren. Es mussten einige Hinweise verfolgt und überprüft werden, von denen sich die meisten jedoch als völlig unwichtig erweisen würden. Ein Hinweis war aber dabei gewesen, dem Marten Unruh sofort nachgegangen war: Das war der Anruf der Anwältin aus Neustadt, die Malte und Ruth Bennecke am Abend des Mordes in Neustadt getroffen hatten. Die Anwältin hatte auf Unruhs Nachfrage hin angegeben, dass die Benneckes tatsächlich wegen einer Rechtsberatung bei ihr gewesen seien.

Unruh hatte erfahren, dass es bei dem Gespräch um ein größeres Grundstück, das nach jüngstem Beschluss in Bauland umgewandelt werde sollte, gegangen war. Die Benneckes beanspruchten dieses Grundstück für sich, während es laut Grundbucheintragung im Besitz ihrer Nachbarn war.

Pia zuckte zusammen, als der Name Suhr in diesem Zusammenhang fiel. Das Land sollte in Parzellen aufgeteilt werden, die als Baugrundstücke zwischen 20.000 und 40.000 Euro verkauft werden konnten. Insgesamt sollten es 10 bis 14 Baugrundstücke werden, je nach Größe. Pia sah förmlich, wie jeder der Anwesenden kurz die Summe überschlug, die dieses Land in Kürze wert sein würde. Da lohnte es sich schon mal, eine Anwältin zu konsultieren. Diese hatte sich jedoch weder über die Aussichten der Benneckes bei einem Rechtsstreit geäußert, noch hatte sie erklärt, worauf sich der Anspruch der Benneckes eigentlich berief.

Marten Unruh ließ diese Geschichte erst einmal so im Raum stehen und forderte Pia auf, über ihre letzten Gespräche zu referieren. Als sie von Agnes Kontos, Petra Suhr, Verena Lange und Jens Petersen berichtet hatte, zögerte sie einen Moment.

»Ich glaube, wir haben bei Katrin Bennecke noch etwas übersehen: Ich kann mich täuschen, aber als wir sie im Büro ihrer Mutter überrascht haben, schien es mir, als hätte sie etwas vor uns versteckt.«

»Mir ist nichts aufgefallen«, bemerkte Marten verstimmt, »was soll das denn gewesen sein?«

Pia zuckte mit den Schultern. Es war nur ein flüchtiger Eindruck gewesen.

»Ich bin mir nicht sicher, aber ich wollte sie noch mal damit konfrontieren. Ist doch möglich, dass sie Beweismaterial zurückhält.«

»Aller Wahrscheinlichkeit nach täuschst du dich. Aber wenn es sein muss, frag sie halt danach.«

»Genau das habe ich vor.«

Marten ging nicht weiter darauf ein. Er bestimmte, dass Pia mit ihm gemeinsam die Försters befragen würde und anschließend Freunde von Malte Bennecke ausfindig machen sollte. Er teilte auch den übrigen Kollegen ihre Aufgaben zu. Unter anderem mussten sie schnellstmöglich die Tatwaffe finden, die sich wieder in irgendeinem Waffenschrank, aber auch auf dem Grund des Grevendorfer Sees befinden konnte. Außerdem musste nach dem Auto gefahndet werden, das die Reifenspuren am Tatort hinterlassen hatte. Wenn der Mörder mit dem Wagen zum ›Grund‹ gefahren war, dann musste sich auch das verwendete Auto irgendwo befinden. Bisher passten die Reifenspuren jedoch zu keinem der Fahrzeuge, die von den Menschen in der näheren Umgebung des Tatortes gefahren wurden. Das hieß, dass die Polizei sich auch um gestohlen gemeldete Autos und Mietwagen kümmern musste.

Außerdem waren da noch die privaten Papiere der Benneckes, die gesichtet werden mussten. Gespräche mit Geschäftspartnern der Benneckes und der Bank standen an.

Jeder der fünf Kriminalbeamten verließ den Besprechungsraum mit einer ansehnlichen Anzahl von Aufgaben. Einzig Marten Unruh selbst schien sich den Rücken freizuhalten. Nach dem Gespräch mit den Försters wollte er zurück nach Lübeck fahren.

Pia bereitete der Verlauf, den die Ermittlungen nahmen, ein hohles Gefühl im Magen. Der erste Eindruck, der Täter müsste im näheren Umfeld der Benneckes zu finden sein, trog vielleicht. Wenn sowohl die Tatwaffe als auch das Fahrzeug verschwunden blieben, sprach einiges für einen Täter von außerhalb. Das bedeutete, beinahe jeder, Alibi und Schießkünste hin oder her, konnte diesen Mord in Auftrag gegeben haben. Was am Anfang so einleuchtend schien – eine Beziehungstat mit einem Gewehr, das der Täter im Schrank stehen hatte –, konnte sie durchaus in eine Sackgasse führen. Und die Zeit lief …

Vorerst half aber vielleicht auch ein Brötchen aus dem Speisesaal gegen dieses Gefühl.

15. KAPITEL

Nicht schlecht. Zumindest dann, wenn man auf so altes Zeug steht ...«, murmelte Marten Unruh, als sie durch das Torhaus von Rothenweide fuhren.

»Lächeln ...«, meinte Pia, als sie an den Kameras vorbeikamen. Sie hatte Marten Unruh von Petersens Ausführungen erzählt. Er schien es nicht sonderlich bemerkenswert zu finden, wenn jemand seinen Besitz auf diese Art und Weise zu schützen gedachte.

Langsam passierten sie die schnurgerade Zufahrt zu dem alten Herrenhaus. Pia ernüchterte der Anblick von bröckelndem Putz, morschen Holztüren und kaputten Fensterscheiben, den Rothenweide im harten Licht der Wintersonne bot. Der Zauber des gestrigen Abends war verflogen.

Bernhard Förster empfing die Kommissare in einem großen Raum mit Seeblick, dessen feuchte Kälte auch ein knisterndes Kaminfeuer nicht zu lindern vermochte.

»Wenn ich es richtig mitbekommen habe, ist dies hier Ihr Wochenendhaus«, eröffnete Marten das Gespräch, nachdem sie Platz genommen hatten. »Wie oft kommen Sie hierher?«

»Fast jedes Wochenende und manchmal auch für ein oder zwei Wochen Urlaub. Für uns ist Rothenweide eine Art Fluchtburg vor der Hektik des Alltags. Die Landwirtschaft und Pferdezucht sind ein weiterer Aspekt. Außerdem vermiete ich Boxen für Gastpferde und veranstalte hin und wieder eine Antiquitätenmesse. Meine Frau und ich haben gerne Menschen um uns. Meistens kommen wir nicht allein her, sondern mit Gästen, die mit uns das Wochenende verbringen.«

»Waren Sie auch am letzten Wochenende hier?«

»Nein, wir waren in der Schweiz. Freunde von uns besitzen dort ein kleines Chalet. Zuletzt waren wir vor drei Wochen hier, zusammen mit etwa zwölf Gästen. Wenn Sie noch genauere Daten benötigen, müssen Sie sich mit meinem Assistenten Mark Tetzlaff in Hamburg unterhalten. Er führt über jeden meiner Schritte Buch.«

»Kann er uns eine genaue Gästeliste geben?«

»Aber sicher ...«

»Wie gut kannten Sie die Familie Bennecke?«

»Denen gehörte doch der Hof ›Grund‹, südwestlich von hier? Ach, wissen Sie, es ist recht schwierig für uns, mit der Bevölkerung hier in Kontakt zu kommen. Man begegnet uns mit einigem Misstrauen, jedenfalls die Älteren. Bei den Jungen ist das etwas anderes, die sind flexibler als ihre Eltern. Zum Beispiel dieser Malte Bennecke, das war ein sympathischer Bursche. Er hat sich hier ab und zu recht nützlich gemacht.«

»Wie kam es dazu?«

»Er hat mich vor einem guten Jahr angesprochen. Er suchte einen Job. Ich hab ihm leider nichts Festes anbieten können, aber wenn wir hier größere Aktivitäten hatten, habe ich ihn eingesetzt. Er hat Chauffeurdienste übernommen, Besorgungen gemacht und sich auf ein paar Feiern um die Musik gekümmert. Ich hatte sogar schon daran gedacht, ihn mit nach Hamburg zu nehmen und ihm eine Ausbildung zukommen zu lassen. Er war aufgeweckt und er wollte mehr ... hat mich ein wenig an mich selbst erinnert in jungen Jahren.«

»Haben Sie mit Malte Bennecke darüber gesprochen? Haben Sie ihm einen konkreten Vorschlag unterbreitet?«

»Nein. Sein Tod ist mir, so abgeschmackt das auch klingen mag, zuvorgekommen.« Bernhard Förster sah einen kleinen Moment betreten zu Boden. Als er wieder aufblickte, glänzten seine Augen jedoch vor Neugier.

»Ist es denn schon sicher, dass er ermordet wurde? Kann es nicht auch ein tragischer Unfall gewesen sein?«

»Kaum. Drei Menschen wurden gezielt mit einem Jagdgewehr erschossen, von einem guten Schützen. Haben Sie Gewehre im Haus, Herr Förster?«

»Aber selbstverständlich. Ein Grund, Rothenweide zu kaufen und vor dem Verfall zu retten, war, dass eine eigene Jagd dazu gehört. Wenn man in der Großstadt lebt, sehnt man sich doch nach ein bisschen Ursprünglichkeit. Ich bin passionierter Jäger und viele meiner Gäste sind es auch. Wenn ich meine Quote mal nicht erfüllen kann, kümmert sich mein Verwalter Jens Petersen darum. Er ist ebenfalls ein hervorragender Schütze. Das war auch ein Grund dafür, dass ich ihn eingestellt habe. Meine Gewehre befinden sich im Jagdzimmer, in einem gut verschlossenen Schrank. Es sind ein paar richtige Schätze darunter, und während unserer Abwesenheit wird alles mit Alarmanlagen gesichert. Suchen Sie noch nach der Tatwaffe?«

Statt darauf zu antworten fragte Pia: »Wussten Sie von Malte Benneckes Freundschaft zu Verena Lange?«

»Unsere Verena, Sie meinen meine Pferdewirtin Verena Lange? Nein, das halte ich für unwahrscheinlich. Sagt sie das selber? Dem Gerede der Leute hier würde ich nämlich nicht viel Beachtung schenken an Ihrer Stelle.«.

»Laut ihrer Aussage hatte sie eine Affäre mit Malte Bennecke, das liegt aber ein paar Monate zurück.«

Bernhard Förster wirkte weiterhin ungläubig, machte aber keine Einwände mehr.

»Haben Sie Kenntnis von weiteren Frauen, mit denen Malte Bennecke ein Verhältnis hatte? Vielleicht jemand von Ihren Gästen?«

»Nein! Solche Dinge interessieren mich auch nicht. Sie glauben doch nicht im Ernst, dass hier das Motiv für seine Ermordung liegen könnte.«

»Was ist denn Ihrer Meinung nach ein schlüssiges Motiv für diese Morde?«

»Der- oder diejenige, die vom Tod dieser drei Menschen profitiert. Der Hof ›Grund‹ mag zwar nicht viel wert sein, aber es sind schon Leute für ein Butterbrot erschlagen worden«, verkündete er. Seiner selbstzufriedenen Miene nach hatte er gerade einen neuen Aspekt menschlichen Verhaltens enträtselt.

Nach dem Gespräch mit Bernhard Förster trennten sich Marten und Pia. Marten wollte sich mit Bernhard Försters Ehefrau Marlies unterhalten. Pia ging nach draußen. Sie hoffte, vielleicht eines der »Pferdemädchen« dort anzutreffen. Wer mit wem eine Beziehung hatte, darüber würden diese Mädchen am ehesten plaudern. Da traf es sich gut, wenn sie allein in den Ställen auftauchte.

Marlies Förster empfing Marten Unruh in einer Art Gymnastikraum. Ein junger Mann mit gerötetem Gesicht verabschiedete sich gerade sehr höflich von ihr. Offensichtlich hatte er ein gutes Trinkgeld für eine Dienstleistung erhalten, die Unruh irgendwo zwischen Fitnesstraining und Massage vermutete. Er erläuterte der gestylten Frau im Seidenkimono sein Anliegen.

Marlies Förster lächelte herablassend und wippte mit einem ihrer Pantöffelchen. Sie gab an, in Grevendorf keine Kontakte zu pflegen. Marten musste ihr erst erklären, wer die Benneckes überhaupt gewesen seien. Der Hof ›Grund‹ war für sie so weit entfernt, er hätte auch in Sibirien liegen können.

Marten sah sich gezwungen, ihrem Gedächtnis etwas nachzuhelfen, bis sie zugab, die Existenz eines jungen Mannes bemerkt zu haben, der ab und zu ausgeholfen hatte. Der Name

Malte Bennecke schien nach mehrmaligem Wiederholen auf eine schwache Resonanz in ihrem Kopf zu stoßen. Dann hellten sich ihre Züge auf und sie gab lächelnd zu, er hätte ausgesehen wie ein amerikanischer Schauspieler, dessen Name Marten nichts sagte und den er sofort wieder vergaß. Die Möglichkeit einer Verbindung zwischen Verena Lange und Malte Bennecke leugnete Marlies Förster jedoch hartnäckig:

»Wissen Sie, dieser Bennecke war ein wirklich attraktiver Junge. Unsere Pferdewirtin Frau Lange macht einen guten Job hier und hat Ahnung von Pferden. Aber die Gute ist doch so erotisch wie ... wie dieser Aschenbecher hier.«

Sie drückte ihre Zigarette in selbigem aus und sah Marten mit einer Mischung aus Triumph und Unsicherheit an. Sie war sich offensichtlich nicht ganz sicher, ob sie übers Ziel hinausgeschossen war oder nicht.

»Ich glaube, Ihre Frau Lange muss ich unbedingt noch kennen lernen«, bemerkte Marten. Er wusste keine weiteren Fragen mehr und beendete das unergiebige Gespräch. Eine Wolke schwülen Parfüms begleitete ihn noch bis nach draußen. Der Geruch verflog erst in der klaren Winterluft.

Oben, auf dem Treppenabsatz des Portals, blieb Marten Unruh stehen und genoss die schwachen Strahlen der Wintersonne auf seinem Gesicht. Die Schneereste der vergangenen Nacht glitzerten im kalten Sonnenlicht und blendeten ihn. Über den gewaltigen Dächern von Scheune, Remise und Stallgebäuden erstreckte sich der Himmel in klarem, winterlichem Blau.

Marten atmete tief durch und ging dann in Richtung Pferdestall. Dort hoffte er, Pia zu finden, vielleicht auch Verena Lange, Jens Petersen oder wer immer sich hier sonst noch herumtrieb. Von den Försters hatte er jedenfalls erst einmal die Nase voll.

Pia hatte unterdessen einen Rundgang über das Gutsgelände gemacht und sich mit ein paar Leuten unterhalten, die dort beschäftigt waren. Sie erfuhr jedoch nichts Neues, außer der Tatsache, dass Verena Lange auf Rothenweide bei den Pferdemädchen großes Ansehen genoss.

Vor der Remise traf sie auf Jens Petersen, der sich in einem schmutzigen Arbeitsoverall zusammen mit einem bärtigen jungen Mann an einem Trecker zu schaffen machte. Als er sie erkannte, wischte er sich die mit Öl verschmierten Hände an seinem Overall ab und kam auf sie zu, um sie zu begrüßen.

»Frau Korittki, haben Sie etwa noch ein paar Fragen an mich auf Lager?«, fragte er, aber es klang nicht unerfreut. Er schüttelte ihr die Hand und bemerkte nicht, dass Pias Hand nun fast so schwarz war wie seine.

»Ich hatte einen Termin mit Herrn Förster. Aber im Allgemeinen gehen mir die Fragen sowieso nie aus.«

»Und, sind Sie jetzt schlauer?«

Pia nickte nur und fragte: »Ich habe ein komisches Gerücht gehört über das, was die Försters hier angeblich so treiben sollen ...«

»Die Leute langweilen sich halt. Wenn jemand anders ist, wird über ihn geredet. Was niemand weiß, wird erfunden ... Försters geben sich leider auch nicht viel Mühe, mit den Leuten hier warm zu werden. Rothenweide ist für sie eher eine Kulisse, vor der sie sich selbst inszenieren können. Ich kann mich allerdings nicht beschweren. Im Rahmen meines Aufgabenbereichs kann ich hier schalten und walten, wie ich es für richtig halte. Ich finde sowieso, man muss die Menschen so nehmen, wie sie nun einmal sind. Leider sehen viele Leute hier im Dorf das nicht so.«

»Ach ja?«

»Ich glaube, ihre Lebensweise ist den Leuten einfach fremd.

Das ganze Geld, das großspurige Auftreten, die vielen Gäste ...«

»Ein weiblicher Gast ist neulich im Dorf aufgefallen. Eine Frau im Abendkleid, die nur gebrochen Deutsch sprach und sehr verstört gewirkt haben soll.«

Petersens amüsierter Gesichtsausdruck überraschte Pia.

»Davon habe sogar ich schon gehört. Sie soll bei Nacht und Nebel von hier geflohen sein, bekleidet mit einem knapp sitzenden Abendkleid und ohne Schuhe! Sie hat die Fantasie der Leute regelrecht beflügelt.«

»Und was war mit ihr?«

»Ehrlich gesagt interessiert es mich nicht. Sie war vielleicht die Frau oder Freundin eines Gastes. Es gab einen Streit und die Dame zog es vor, den Aufenthaltsort zu wechseln. Vielleicht hat sie auch nur unser altehrwürdiges Gespenst gesehen?«

»Lassen Sie das, Petersen. Wir werden die Gästelisten überprüfen.«

»Sie geben in dieser Hinsicht wohl nicht so schnell auf?«

»Wenn das Motiv für einen dreifachen Mord hier seinen Ursprung hat, dann werden wir es über kurz oder lang herausfinden.«

»Die Polizei kratzt doch nur an der Oberfläche.«

Pia merkte auf. Jens Petersens Haltung war unverändert, sein Ton gleichmütig.

»Wenn es um ein Kapitalverbrechen geht, sollten Sie sich nicht zu Loyalität Ihrem Arbeitgeber gegenüber verpflichtet fühlen.«

»Försters gegenüber? Oh, nein, bewahre! Obwohl ich zugebe, dass mir mein ruhiges Leben hier sehr gut gefällt.«

»Finden Sie es nicht manchmal etwas zu ruhig?«

Jens Petersen dachte kurz nach, bevor er antwortete. Sein Blick war in die Ferne gerichtet: »Ich bin mitten in der Stadt aufgewachsen. Mein Vater war Werftarbeiter in Kiel. Wenn ich an meine Kindheit denke, dann denke ich an die Enge, den Lärm und die Perspektivlosigkeit – nicht nur in räumlicher Hinsicht. Rundherum nur Steine, Beton, Asphalt und Dreck! Erst starb mein Vater, dann wurde meine Muter krank: Lungenkrebs. Sie hat nie geraucht. Als es ihr zunehmend schlechter ging, verbrachte ich die Sommerferien bei meinem Onkel auf dem Land. Sie nahmen wohl an, ich wäre zu laut und anstrengend für meine Mutter. Er hatte an der Schlei einen kleinen Hof. Nur ein paar Kühe, Federvieh ... Ich habe mich dort zum ersten Mal in meinem Leben wohl gefühlt. Den ganzen Tag draußen, viel Bewegung, die Befriedigung, etwas geleistet zu haben ... Darum habe ich mich für die Landwirtschaft entschieden: Ich habe einen Beruf, den ich liebe. Hier lässt man mich in Ruhe. Wahrscheinlich bin ich deshalb so eine Art Einsiedler geworden ...«

»Aber der Beruf ist doch nur ein Aspekt des Lebens ...«, sagte Pia und hätte die Worte am liebsten sofort zurückgenommen. Das klang ja, als wäre sie persönlich interessiert.

Jens Petersen nahm ihre Verlegenheit nicht wahr. Er starrte auf einen Punkt weit außerhalb von Rothenweide. Seine Gesichtszüge hatten sich verhärtet:

»Meinen Sie, mir fehlt eine Frau? Ich habe einmal sehr geliebt, wahrscheinlich mehr, als gut für mich war. Das wird mir kein zweites Mal widerfahren!«

»Was ist passiert?«

»Sie ... war es nicht wert. Es ist vorbei.«

Pia wollte nachhaken, aber Petersen wurde in diesem Moment abgelenkt. Er sah über die Wiese zum Herrenhaus hinüber. Marten Unruh kam über den Rasen auf sie zu. Er wirkte froh, den mittelalterlichen Mauern entkommen zu sein.

16. KAPITEL

Marten und Pia kehrten zur Mittagszeit im Dorfkrug von Grevendorf ein. Unruh bemerkte, dass man bei Ermittlungen dieser Art niemals wüsste, wann man wieder ein anständiges Essen bekäme. Daraufhin bestellten sie beide die in ausgelassenem Speck zubereiteten Bratkartoffeln nebst Eiern und Sauerfleisch. Pia verbrauchte zusätzlich fast den halben Inhalt des Pfefferstreuers.

Nachdem die Teller restlos geleert vor ihnen auf dem Resopaltisch standen, gähnte sie verstohlen und bestellte noch den unvermeidlichen Kaffee hinterher.

»Du musst heute für mich hier die Stellung halten«, sagte Marten unvermittelt. »Ich habe keine Ahnung, wann ich wieder hier sein werde.«

Pia sah ihn überrascht an. »Was hast du denn alles vor in Lübeck? Ich dachte, dieser Fall hätte oberste Priorität?«

»Hat er auch. Ich brauche noch jemanden, der ein paar Erkundigungen über die Försters in Hamburg einziehen kann. Außerdem muss ich mit Gabler reden ...«

Bei der Erwähnung von Hamburg schweiften Pias Gedanken kurz ab. Robert hatte sich immer noch nicht gemeldet. Heute war schon Donnerstag ... Die ungeklärte Beziehung nervte sie wie ein ständiges Hintergrundrauschen, das nur manchmal bis ins Bewusstsein dringt.

»He Korittki, hörst du mir überhaupt zu?«

»Ja?«

»Ich sagte gerade, dass du nachher noch mal mit den Kollegen aus Eutin sprechen sollst. Vielleicht haben die ja schon eine Spur von dem Auto, mit dem der Täter am Tatort war.«

Pia nickte. Unter dem Tisch auf Höhe ihres rechten Schienbeins bullerte ein Heizkörper und verströmte trockene, ungesunde Hitze. Draußen wirbelten wieder vereinzelte Schneeflocken durch die Luft.

»Also los.« Marten stand auf und zog sich seine Jacke über. Sie bezahlten und verließen unter dem interessierten Blick des Wirtes den Gasthof.

Nachdem Marten weggefahren war, stand Pia noch einen Augenblick unschlüssig vor dem Krug, beobachtete, wie die großen, nassen Schneeflocken vor ihr auf den Asphalt fielen und sofort schmolzen. Sie blickte nach rechts und links, die Dorfstraße hinunter. Nichts rührte sich. Als sie sich endlich aus ihrer Erstarrung löste und zu ihrem Auto gehen wollte, hörte sie ein lautes Quietschen.

Ein Fahrrad kam wenige Meter hinter ihr zum Stehen. Auf dem Sattel saß ein etwa 13-jähriger Junge. Pia erkannte ihn mit einer Sekunde Verzögerung wieder. Es war Torge, der Sohn von Bettina und Kay Rohwer. Sie hatte ihn kurz bei ihrem Gespräch mit seiner Mutter gesehen. Er musterte sie. Es sah so aus, als wolle er sie ansprechen, wüsste aber nicht so recht, wie.

»He, wir kennen uns doch. Du bist Torge Rohwer, nicht wahr?«

»Jaaaaa.«

»Ist hier immer so viel los? Ich hab mich schon gefragt, ob ich im falschen Film bin ...«

»Ich soll nicht mit Fremden sprechen!« Er grinste sie frech an und fuhr sich mit dem Handrücken über das erhitzte Gesicht.

»Betrachte mich als Ausnahme. Ich bin von der Polizei«, sagte Pia und wedelte kurz mit ihrer Dienstmarke, um ein wenig Eindruck zu machen.

»Darf ich mal sehen?« Er hielt ihr seine schmutzige, erstaunlich große Hand entgegen. Pia entschied sich für eine Geste des

Vertrauens und reichte ihm das Ding. Er studierte es genau, gab es aber dann zurück.

»Sieht echt aus. Stimmt es, dass Malte Bennecke auch ermordet worden ist?«

»Ja, es stimmt. Kanntest du ihn gut?«

»Ziemlich. War ein cooler Typ.«

»Tut mir Leid für dich, dass er tot ist.«

»Wieso hat der Mann alle drei Benneckes auf einmal getötet?«

»Wir wissen noch nicht einmal, ob es ein Mann war ...«

Pia fragte sich allmählich, was der Junge beabsichtigte. War er nur neugierig oder verfolgte er einen bestimmten Zweck.

»Vielleicht mach ich das später auch. Zur Polizei gehen, meine ich. Ich lerne schon seit zwei Jahren Karate ...«

»Willst du mir von deinem Training erzählen oder hast du noch etwas anderes auf dem Herzen?«

»Ich geh auch zum Schwimmtraining«, fuhr der Junge unbeirrt fort. »Papa sagt, ich soll mich für eine Sache entscheiden. Warum fordern Erwachsene dauernd solche Sachen?«

»Könnte was mit der Schule zu tun haben ...«

Torge wirkte gelangweilt: »Ja, ich weiß. Aber wenn ich Karate später brauche? Und beim Schwimmen trainiere ich für den Rettungsschwimmer. Ich kann da nicht einfach aufhören. Angefangen habe ich im Sommer vor drei Jahren. Ich wäre damals beinahe im See ertrunken. Ich bin einfach immer weiter rausgeschwommen und meine Mutter wäre beinahe gestorben vor Angst. Zu der Zeit konnte ich noch nicht gut schwimmen, und wenn ich einen Krampf bekommen hätte, oder ... Jens Petersen hat mich rausgezogen. Mama sagt, er hätte mir das Leben gerettet. Kennen Sie Petersen?«

»Ja. Deine Eltern waren ihm bestimmt sehr dankbar, dass er dir das Leben gerettet hat«, vermutete Pia. Sie klimperte mit dem Autoschlüssel.

»Ach, Papa weiß gar nichts davon. Nur Mama, Sina und ich. Wir sollten es ihm nicht erzählen. Papa wird so schnell wütend. Ich glaube, Mama hatte Angst, dass Papa ihr die Schuld geben würde. Dabei konnte sie nichts dafür. Ich wollte damals nur sehen, ob ich es bis zur Insel schaffe.«

»Streiten deine Eltern sich oft?«

»Es geht so. Wenn ich höre, was die aus meiner Klasse erzählen. Da sind schon über die Hälfte der Eltern geschieden.«

So viel zum friedlichen Landleben, dachte Pia. Laut sagte sie: »Wenn es so ist, muss man damit klarkommen. Ich muss jetzt losfahren, Torge.«

»Ich hab auch zu lange gequatscht«, antwortete er lässig. Er schwang sich auf sein Fahrrad und setzte einen Fuß auf die Pedale, »tschüs, bis irgendwann mal ...«

Pia sah ihm nachdenklich nach. Hatte er sie angesprochen, weil er etwas über den Mord an Malte Bennecke wissen wollte? Sie musste sich der Erkenntnis stellen, dass Kinder in diesem Alter ihr ein absolutes Rätsel waren.

Agnes Kontos saß auf einer großen Holzkiste in der Sattelkammer und putzte Zaumzeug. Mechanisch rieb sie an den Lederriemen einer Trense und lauschte dabei auf die Schritte und Stimmen im Stall. Sie wartete auf Verenas Rückkehr. Die Ställe auf Rothenweide, in denen es sonst immer ausgesprochen entspannt zuging, waren heute von Unruhe erfüllt.

Es lag daran, dass die Försters da waren. Sie verbreiteten Hektik und Nervosität, sobald sie irgendwo auftauchten.

Marlies Förster musste nur in der Stallgasse erscheinen, schon hoben alle Pferde die Köpfe und fingen an zu scharren oder gegen die Boxenwände zu treten. Ihre schrille Stimme und ihr aufdringlicher Geruch machten jedes Lebewesen im

Umkreis von 500 Metern nervös. Auch Agnes ertappte sich dabei, wie ihre Absätze rhythmisch gegen die Holzkiste klopften und sie immer wieder den Kopf hob, um die Geräusche draußen zu sondieren.

Die Stalltür fiel ins Schloss und Agnes lauschte auf das, was folgen würde. Es war Verenas leichter Schritt und ihre angenehm dunkle Stimme, mit der sie den Pferden etwas zurief. Agnes rutschte von der Kiste herunter und schlüpfte aus der Sattelkammer.

»Verena? Hast du einen Moment Zeit für mich?«

»Agnes, du? Ich dachte, du würdest dich donnerstags immer mit Karla zum Lernen treffen.« Eine von Verenas angenehmen Eigenschaften war, dass sie sich für die Mädchen im Stall wirklich interessierte. Sie wusste nicht nur die vollen Namen und Adressen aller Mädchen, sondern auch über ihre Familienverhältnisse, ihre Freundschaften und Probleme Bescheid. Sie hielt sich stets mit überflüssigen Ratschlägen zurück, sondern war einfach nur aufmerksam und mitfühlend.

»Ich wollte gleich noch zu Karla fahren«, antwortete Agnes. »Ich hätte dich nur vorher gern mal was gefragt ...«

Verena holte Rosemont, einen jungen Hengst, aus seiner Box und begann, ihn mit kräftigen Strichen zu putzen. Agnes sank der Mut.

»Worum geht's denn?«

»War die Polizei schon hier, du weißt schon, wegen der Benneckes ...?«

»Eine Kriminalbeamtin hat mit mir gesprochen, wenn du das meinst. Haben sie dich auch ausgefragt?«

»Ja, direkt nach der Schule. Nun weiß halb Eutin, dass ich etwas mit den Morden zu tun habe.«

»Sie haben dich befragt, weil du fast direkt nebenan wohnst, daran ist doch nichts Ungewöhnliches«, erwiderte Verena.

»Ich hab noch nichts über mich und Malte gesagt. Ich meine darüber, dass wir miteinander gegangen sind«, sagte sie und vermied es, Verena dabei anzusehen. Sie hörte, wie Verena unfroh auflachte und die Kardätsche so unsanft gegen Rosemonts Hals klatschte, dass er einen kleinen Satz machte.

»Ach, Agnes. Es ist doch kein Verbrechen, wenn man mit jemandem befreundet ist. Nicht einmal für eine 16-Jährige ist es ungewöhnlich. Vielleicht solltest du es hinter dich bringen und endlich alles deiner Mutter beichten. Dann kann dir auch eine neugierige Polizeibeamtin nichts mehr anhaben ...«

»Hast du es ihnen erzählt ... ich meine, dass du ...?« Agnes schluckte und wusste nicht mehr weiter. Bevor sie sich mit Malte einließ, war er bekanntermaßen mit Verena zusammen gewesen. Agnes wusste bis heute nicht, ob sie der Grund für die Trennung gewesen war. Dieser Punkt überschattete ihr Verhältnis zu Verena. Sie hatten nie darüber gesprochen. Agnes ahnte nur, dass Verena von ihrer Beziehung zu Malte gewusst hatte. Hatte er es ihr selber gesagt? Das war unwahrscheinlich. Aber sie war schließlich eine gute Beobachterin und hatte vielleicht selbst eins und eins zusammengezählt. Die ganze Heimlichtuerei war nur deshalb nötig gewesen, weil Agnes' Mutter die Beziehung zwischen Malte Bennecke und ihrer Tochter niemals geduldet hätte.

Agnes vermutete, dass es ihrer Mutter eigentlich ziemlich egal war, was ihre Tochter trieb. Sie wollte jedoch vor Agnes' Vater gut dastehen. Und der verstand, was die Moral seiner Tochter betraf, überhaupt keinen Spaß.

»Die Polizistin wusste es schon vorher. Irgendjemand muss gequatscht haben. Aber es ist mir auch egal – und du solltest dir auch ein dickeres Fell zulegen.«

Es wurde nicht die Art Gespräch, die Agnes sich erhofft hatte. Diese verdammten Morde schienen hier alle Leute aus der

Fassung zu bringen. Hätte sie noch jemand anderen gewusst, an den sie sich in ihrer Not hätte wenden können, sie wäre jetzt gegangen. So aber schluckte sie ihre Enttäuschung herunter.

»Ich nehme an, du weißt, was passiert ist. Ich meine mit mir, und was wir getan haben …« flüsterte sie mit tränenerstickter Stimme. Sie hatte noch nie mit einem Menschen darüber sprechen können. Aber sie wusste, dass Verena etwas bemerkt hatte, und hoffte, nicht mehr erklären zu müssen.

»Ach du armes Ding. Entschuldige bitte, dass ich so unsensibel war. Ja. Ich habe mir zumindest etwas gedacht. Ich meine deine Übelkeit und die ganzen heimlichen Termine in Kiel. Du warst schwanger, nicht wahr? Hattest du eine Abtreibung?«

Verena war zu Agnes getreten und hatte einen Arm um ihre zuckende Schulter gelegt.

»Du brauchst jetzt nicht zu antworten. Was für ein furchtbares Geheimnis für dich. Was für eine Belastung, wenn man es nicht einmal seiner eigenen Mutter erzählen kann …«

Das Mitgefühl nach all den Wochen des Schweigens war zu viel für Agnes. Sie machte sich los und ging zum Pferd hinüber. Sie legte ihr Gesicht an den warmen Hals des Tieres und rang um Fassung.

»Ich habe nur solche Angst, dass meine Mutter es erfährt. Denn wenn sie das meinem Vater erzählt, dann spricht er nie wieder ein Wort mit mir. Dann bin ich für ihn tot!«, flüsterte sie. Rosemonts weiches Fell und der vertraute Pferdegeruch beruhigten sie ein wenig.

»Ich glaube nicht, dass deine Mutter es ihm erzählen würde. Ich meine, welches Licht würde das denn auf ihre Erziehungsmethoden werfen?«, sagte Verena in möglichst neutralem Ton. Sie war sich unsicher, ob Agnes' Mutter schweigen würde, aber sie hoffte es um Agnes' willen.

»Und da ist noch etwas …«, sagte Agnes mit rauer Stimme.

»Was denn?«, fragte Verena. Ihre Stimme klang so, als ob sie es nicht wirklich hören wollte.

»Es geht um die Sache mit Elise und um diese Morde. Ich wohne doch direkt nebenan und bekomme so einiges mit. Also Bettina hat, glaube ich, auch ... also ...«

»Agnes, du sprichst in Rätseln. Was ist mit Bettina Rohwer?«

»Ich habe etwas mit angehört. Unfreiwillig, weil mein Fenster offen stand. Alle denken immer nur, ihr Mann betrügt sie andauernd, aber sie ...«

In diesem Moment schepperte es am anderen Ende der Stallgasse. Es hörte sich so an, als wäre ein Pferd oder ein Mensch gegen einen Blecheimer getreten. Die Stille, die dem Geräusch folgte, verursachte Agnes ein Prickeln zwischen den Schulterblättern.

»Hallo? Petersen, sind Sie das?«, fragte Verena mit kräftiger Stimme. Es raschelte im Stroh, das war alles.

»Ich fahr dann mal«, sagte Agnes, »Karla wartet schon auf mich.« Sie tauchte unter dem Hals des Pferdes hindurch und verließ den Stall. Verena sah ihr einen Augenblick verwirrt nach. Dann schüttelte sie den Kopf und wandte sich wieder Rosemont zu, der all dem völlig ungerührt gelauscht hatte.

17. KAPITEL

Bettina Rohwer beobachtete vom Fenster ihres Schlafzimmers aus, wie ihr Mann nach Hause kam. Es war schon kurz nach zehn Uhr. Normalerweise rief Kay sie an, wenn es später als acht werden würde. Heute jedoch hatte er nichts von sich hören lassen.

Bettina hatte das vorbereitete Abendbrot mittlerweile abgedeckt in den Kühlschrank gestellt und mit Chips und ein paar Gläsern Wein ihre immer größer werdende Wut bekämpft.

Nun hörte sie, wie die Autotür ins Schloss fiel. Sie sah ihren Mann mit gesenktem Kopf und aufgestelltem Mantelkragen auf die Haustür zueilen. Von hier konnte sie deutlich sehen, dass sich sein einst volles Haar schon merklich lichtete. Im Flur ging sie ihm entgegen.

»Oh, hallo, Bettina. Es ist spät geworden heute ...«, sagte er und warf einen prüfenden Blick in den Garderobenspiegel. Bettina holte tief Luft:

»Bei wem warst du? Ich habe versucht, dich im Büro und auf dem Handy zu erreichen, ohne irgendeinen Erfolg!«

»Ich hatte eine wichtige Besprechung mit einem Kunden. Wir waren im ›Chez Pierre‹. Ich habe das Handy ausgeschaltet, um nicht gestört zu werden. Es war sehr wichtig«, antwortete Kay ruhig. Er sah ihr dabei unverwandt in die Augen.

»Das hast du dir ja schön zurechtgelegt. Aber dieses Mal glaube ich dir nicht. Ich habe zufällig mit deiner Sekretärin gesprochen und sie sagte mir, du hättest keine Termine mehr heute Abend.«

Kay stieß einen Laut des Unmuts aus.

»Verdammt, Bettina, ich habe dir doch schon mehr als einmal gesagt, dass du nicht hinter mir herspionieren sollst. Das ist peinlich. Es ist deiner nicht würdig. Es gibt Termine mit Kunden, von denen auch Regine nichts weiß.«

»Ja, besonders, wenn sie weiblich sind, hübsch und wahrscheinlich leicht zu haben ...«

Bettinas Wut wich langsam einem Gefühl der Taubheit. Auch dieses Gespräch würde wieder zu nichts führen: Sie bekam Kay nicht richtig zu fassen. Im Grunde gab es nur eine Möglichkeit, die Situation zu ändern. Aber die wollte sie schon wegen der Kinder nicht zu Ende denken ...

»Bettina, deine Eifersucht ist ja fast schon krankhaft. Der Kunde hieß Manfred Dillinger von der Firma Benson Marketing. Du kannst im ›Chez Pierre‹ nachfragen, du kannst bei Herrn Dillinger nachfragen, aber ich fürchte, es wird dir nicht helfen ...«

»Ich weiß, dass du wieder fremdgehst, auch wenn es heute Abend vielleicht ausnahmsweise einmal nicht so war. Du hast doch immer irgendetwas laufen. Ich kenne dich nun seit 15 Jahren ...«

»Moment«, Kay hob die Hand wie bei einer Wortmeldung, »bevor wir diese Diskussion noch endlos weiterführen, habe ich eine Frage: Gibt es noch etwas zu essen für mich in diesem Haus? Sonst sterbe ich gleich vor Hunger. Dann sind deine Probleme auch gelöst.«

»Ich dachte, du warst Essen im ›Chez Pierre‹?«

»War ich auch. Aber du kennst doch die Portionen dort ...«

»Im Kühlschrank steht dein Abendessen«, sagte Bettina und ging vor ihm her in die Küche, um es zu holen. Sie benahm sich gerade so, als wüsste Kay nicht, wo Küche, Kühlschrank und Esstisch waren. Der Widerspruch in ihrem Verhalten war ihr bewusst, aber die Gewohnheit war stärker als der Wunsch, reinen Tisch zu machen.

»Ich habe es einfach satt, so satt«, sagte sie, während sie die üblichen Handgriffe tätigte, »immer mal wieder ein langes blondes Haar auf deinem Jackett zu finden, dieses bescheuerte Schweigen am anderen Ende der Telefonleitung, wenn ich den Hörer abnehme ...«

»Wann?«, fragte Kay. »Sag mir, wann, und sei nicht so vage mit deinen Beschuldigungen, dagegen kann ich mich nicht wehren.«

»Du sollst dich auch nicht wehren, das ist kein Spielchen hier!«

»Ach, was soll ich denn dann machen, wenn du mich nach einem langen Arbeitstag statt mit einer Begrüßung mit Verdächtigungen überschüttest?«

Bettina fühlte ohnmächtige Wut. Sie wusste, sie war im Recht. Warum also bekam sie ihn nie zu fassen?

»Es hängt mir zum Hals heraus! Ich will nicht mehr! Hör endlich auf damit. Ich weiß sonst bald nicht mehr, was ich tue!«

»Ach? Du willst nicht mehr? Seit Monaten geht es hier immer nur um dich. Deine Gefühle, deine Trauer, deinen Verlust, deine Schuldgefühle. Meinst du, ich leide nicht auch unter dem Tod unserer Tochter? Glaubst du, ich hätte nicht auch etwas Trost und liebevolle Zuwendung verdient?«

»Dann gibst du es also zu. Du holst dir das, was du ›liebevolle Zuwendung‹ nennst, bei irgendeiner anderen!«

»Gar nichts gebe ich zu. In letzter Zeit war ich dir absolut treu. Du solltest dein Schneckenhaus langsam wieder verlassen, Bettina. Sieh der Realität ins Auge. Es bringt nichts, deine Wut und deinen Kummer an mir auszulassen.«

»Ich weiß, dass ich Recht habe. Du bist so mies. Verschwinde, ich will dich nie wieder sehen!«

»Du bist ja nicht mehr bei Verstand. Willst du, dass Elises Tod jetzt auch noch unsere Ehe zerstört? Hast du schon mal daran gedacht, dass wir noch zwei Kinder haben, die uns jetzt brauchen?«

»Das ist gemein. Du bist doch derjenige, der unsere Ehe kaputtmacht!«

»Nein. Ich versuche alles, um sie zu retten.«

Bettina sackte neben der geöffneten Kühlschranktür in sich zusammen. Ihre Knie gaben unter ihrem Gewicht einfach nach und sie kauerte auf dem Boden wie ein kleines Kind.

»Ich kann einfach nicht mehr. Ich brauche dich jetzt. Ich will dich nicht mit einer anderen Frau teilen ...«

Sie wusste, dass das eine Niederlage auf ganzer Linie war. Es hatte keinen Sinn, Kay anzuflehen und an sein Mitleid zu appellieren. Das hatte sie schon oft genug erfahren. Aber ihre Kraft reichte für diesen Streit noch nicht aus. Ihr Ehemann hockte sich vor sie hin und strich ihr über das Haar. Er sah sie unbehaglich an: »Komm schon, Bettina. Reiß dich zusammen, das bringt doch nichts ...«, sagte er.

Sein Blick war unergründlich, die braunen Augen dunkler als sonst. Bettina dachte daran, was er einmal über seine Augenfarbe gesagt hatte: »Hinter braunen Augen kann man sich gut verstecken.«

»Betrügst du mich?«, fragte sie trotzig.

Seine Augen wurden noch eine Spur dunkler. Bettina konnte seine Pupillen nicht mehr von der Iris unterscheiden. Seine Antwort war fast ein Flüstern:

»Und wie sieht es zur Zeit bei dir aus?«

»Warum sind Sie eigentlich bei der Polizei?«, fragte Katrin Bennecke die Kommissarin. »Woanders könnten Sie doch viel mehr Geld verdienen. Sie verkaufen sich unter Wert.«

Da sie beide den Abend in diesem öden Hotel verbringen mussten, hatten sich Pia und Katrin Bennecke fast zwangsläufig gemeinsam an der kleinen Bar des Hauses eingefunden. Es war halb zehn Uhr abends und der junge Mann hinter dem Tresen sah schon unauffällig auf seine Armbanduhr.

»Einen Beruf, der mich interessiert und der mich gleichzeitig schnell reich macht, habe ich leider bisher nicht gefunden«, antwortete sie.

Katrin schnaubte verächtlich durch die Nase. Sie drückte ihre Zigarette energisch im gläsernen Aschenbecher aus und blickte dann mit hochgezogenen Brauen zu Pia auf. Die Geste hatte etwas Einstudiertes. Pia vermutete, dass sie unwillige Geschäftspartner genauso ansah, wenn sie zur Sache kommen wollte.

»Erzählen Sie mir nichts über Geld. Ich arbeite bei einer großen Bank. Ich weiß fast alles darüber, wie Menschen auf Geld reagieren. Es kann ja sein, dass Sie sich bei Ihrer Berufswahl den finanziellen Aspekt nicht gut genug überlegt haben. Sie waren vielleicht noch zu jung und idealistisch, aber mittlerweile sollten Sie doch mitbekommen haben, wie der Hase läuft.«

»Wie Menschen auf Geld reagieren, vorhandenes und nicht vorhandenes, das erfährt man bei der Kripo leider auch. Vielleicht sind meine Erfahrungen drastischer als Ihre?«, bemerkte Pia. Sie wunderte sich, wieso sie sich überhaupt auf eine derartige Diskussion einließ.

»Wie werden Sie mit dem ganzen Mist überhaupt fertig, mit dem man Sie täglich konfrontiert?«, fragte Katrin Bennecke. »Zieht Sie das nicht unheimlich runter?«

»Immerhin habe ich manchmal das Gefühl, eine Kleinigkeit verändert zu haben. Ein Stück Gerechtigkeit im Chaos.«

»Ich kenne keine Gerechtigkeit«, sagte Katrin Bennecke daraufhin. Es klang plötzlich resigniert.

»Wenn ich Sie recht verstehe, messen Sie dem Geld eine enorm hohe Bedeutung bei. Sie verdienen bestimmt nicht schlecht, warum wirken Sie dann so unglücklich?« Im Geiste korrigierte Pia ihre Erwartung, der Abend würde öde werden. Katrin Bennecke schien in Abwesenheit von Männern wesentlich mitteilsamer zu sein.

»Es ist leider nie genug Geld«, sagte Katrin mit einem ironischen Lächeln. »Jede Gehaltserhöhung wird von neuen Erwartungen und Ansprüchen aufgefressen. Es macht mich aber weder glücklich noch unglücklich. Es gibt mir ein Gefühl von Sicherheit und Erfolg, wenn ich mir meine Wünsche erfüllen kann. Und wer hat die nicht? Eine schöne Wohnung, ein tolles Auto, Reisen ... Sie machen den Eindruck, als wären Sie ehrgeizig, Frau Korittki. Wenn Sie interessiert sind, kann ich Ihnen ein paar nützliche Adressen nennen. Es geht um eine Art Frauennetzwerk.«

»Wenn ich irgendwann von der Kriminalistik die Nase voll habe, werde ich auf Sie zurückkommen«, erwiderte Pia.

»Warten Sie nicht zu lange. Dort, wo Sie jetzt sind, sitzen Sie in einer Sackgasse fest. Sie wissen es nur noch nicht.«

»Wie wahr«, überlegte Pia und dachte an den Stand der Ermittlungen.

»Außerdem sollten Sie sich vor diesem Unruh in Acht nehmen. Wenn er das Gefühl hat, Sie könnten ihn überrunden, dann legt er Ihnen Steine in den Weg, größer als die Findlinge vor diesem Hotel.«

»Was haben Sie eigentlich gestern in Ihre Tasche gesteckt, als wir Sie im Büro Ihrer Mutter getroffen haben?«, fragte Pia unvermittelt.

Katrin Bennecke runzelte verärgert die Stirn: »Wie kommen Sie denn darauf?«

»Sie haben Ihre Tasche so verkrampft an sich gepresst«, antwortete Pia.

Nach einem Moment des Schweigens hob Katrin Bennecke die besagte Tasche vom Boden auf. Sie holte ein paar Briefumschläge heraus und warf sie Pia über den Tresen hinweg zu. Pia starrte erst die zerknitterten Umschläge, dann ihr Gegenüber ungläubig an.

»Sagen Sie mir, dass das ein Scherz ist. Sie haben nicht wirklich Beweismaterial unterschlagen und damit quasi unbrauchbar gemacht?«

»Sie hätten mich ja gestern schon filzen können. Ich dachte, es wäre rein privat.«

»Und nun haben Sie festgestellt, dass es doch wichtig ist und schmeißen es mir mal so kurz rüber?«

»Ist nun nicht mehr zu ändern ...«

Pias Neugier siegte über ihre Vorsicht. Sie streifte sich ein paar Plastikhandschuhe über, die sie bei sich trug, und holte ein paar handgeschriebene Briefe aus den Umschlägen. Hastig las sie einen nach dem anderen und versuchte, das aufgeregte Zittern ihrer Hände zu unterdrücken. Katrin Bennecke beobachtete sie angespannt. Pia nahm eine Klarsichthülle aus ihrer Mappe und steckte die Briefe hinein. Einen kurzen Augenblick genoss sie die Macht, Katrin Bennecke zappeln zu lassen. Dann sagte sie:

»Wenn die echt sind, dann herzlichen Glückwunsch. Bettina Rohwer hat sich ja sehr direkt ausgedrückt. Allerdings fehlt eine konkrete Drohung.«

»Na, ›Mörderpack‹ und ›gewissenlose Kindermörder‹ schreibt man doch nur, wenn man kurz vor dem Durchdrehen ist. Ich finde, diese Briefe zeigen zumindest an, in was für einem Geisteszustand sich Bettina Rohwer nach dem Tod ihres Kindes befunden haben muss.«

»Der Mord an Ihrer Familie war aber keine Affekthandlung. Das hatte jemand sorgfältig geplant.«

»Das herauszufinden ist Ihre Aufgabe, Frau Korittki.«

»Ich werde nachprüfen lassen, ob diese Briefe echt sind. Aber ich kann mir kaum vorstellen, dass sich jemand die Mühe einer Fälschung gemacht haben sollte. Schließlich beweisen diese Briefe gar nichts.«

»Solche harten Worte traut man der netten kleinen Frau gar nicht zu, nicht wahr?«, fragte Katrin Bennecke hämisch.

Pia schoss Unruhs Bemerkung durch den Kopf: »Unschuld vom Lande«. Was hatte Bettina Rohwer an sich, dass sie die Menschen aus ihrem Umfeld an ein Opferlamm erinnerte?

18. KAPITEL

Es war kurz vor zehn am Abend, als sich Agnes Kontos von ihrer Freundin Karla vor deren Haus verabschiedete. Agnes bestieg ihr Rennrad und machte sich auf den Heimweg. Die Luft war klar und frisch, der Schnee vom Morgen war im Laufe des Nachmittags weggetaut.

Agnes trat kräftig in die Pedale. Nach den Stunden in dem überheizten Zimmer genoss sie es, noch einmal richtig außer Atem zu kommen. In den Einfamilienhäusern am Rande der Hauptstraße hatten die Bewohner die Rollläden heruntergelassen oder die Vorhänge zugezogen. Hin und wieder konnte Agnes das flackernde, bläuliche Licht eines laufenden Fernsehers schimmern sehen.

Als sie in berauschender Schussfahrt einen Hügel hinunterfuhr, waren die einzigen Lichtquellen die weit auseinander stehenden Straßenlaternen. Wie schon häufiger zuvor erschreckte sich Agnes, als ihr eigener Schatten beim Durchqueren des Lichtkegels vor ihr auftauchte, immer größer wurde und dann in der Dunkelheit wieder verschwand. Es sah so aus, als stünde jemand hinter ihr auf dem Gepäckträger. Diese absonderliche Vorstellung brachte wie immer ihre Adrenalinproduktion in Schwung. Bergab hatte sie 40 Stundenkilometer auf dem Tacho.

Grevendorf, das schon tagsüber ziemlich verschlafen wirkte, war um diese Uhrzeit menschenleer. Sogar hinter den Fenstern des Dorfkruges war es bereits dunkel. Ein letzter Gast stand mit seinem Auto auf dem Parkplatz.

Als sich Agnes dem Ortsende näherte, fiel ihr ein Auto auf, das schon ein paar Minuten ohne zu überholen hinter ihr herfuhr. Sie vergewisserte sich mit einem kurzen Schulterblick. Der Wagen fuhr langsam, hielt einen Abstand von etwa 50 Metern zu ihr ein. Agnes wartete auf das erlösende Geräusch, wenn der Wagen am Ortsausgang beschleunigen und an ihr vorbeifahren würde.

Sie wartete eine Idee zu lange.

Ihr wurde klar, dass sie soeben am letzten bewohnten Haus an der Hauptstraße vorbeigefahren war.

»Mist, verdammter Mist ...«, murmelte sie und riskierte noch einen Blick nach hinten. Der Wagen war jetzt nur noch etwa 20 Meter hinter ihr.

Im letzten Moment, als sie schon fast in den Grevendorfer Redder eingebogen war, riss Agnes den Lenker herum, schlidderte auf dem matschigen Stück zwischen dem beginnenden Asphaltweg und fuhr weiter die Hauptstraße entlang. Sie wollte nicht den einsamen, dunklen Weg hinunterfahren, mit diesem merkwürdigen Verfolger hinter ihr.

Oh, Gott, was mach ich hier denn?, fragte sich Agnes. Sie musste jetzt richtig in die Pedale treten, denn es ging wieder recht steil bergan. Hinter dem Ortsausgangsschild von Grevendorf endete die Straßenbeleuchtung. Von hier aus führte die Landstraße mehrere Kilometer durch die Felder, hin und wieder ein einzelnes, zurückliegendes Gehöft am Rande. Agnes hatte gehofft, dass der Wagen in den Grevendorfer Redder abbiegen würde, aber als sie sich umsah, befand er sich immer noch hinter ihr. Sie fuhr direkt in die Dunkelheit, wo keiner sie hören, keiner ihr mehr helfen konnte.

Warum hatte sie nicht früher angehalten? War in die nächste Hauseinfahrt gefahren und hatte an der Tür Sturm geklingelt? Die Peinlichkeit und das Aufsehen, das so ein Verhalten hervorgerufen hätte, erschienen ihr lächerlich im Vergleich zu der Situation, in der sie sich jetzt befand.

Könnte sie ein entgegenkommendes Auto zum Anhalten veranlassen? Die Straße war sehr kurvig, die Landschaft hügelig. Ein entgegenkommender Fahrer würde sie erst im allerletzten Moment sehen, oder überhaupt nicht!

Sie hörte das Auto ihres Verfolgers etwas beschleunigen. Die Angst mobilisierte neue Kräfte. Sie trat in die Pedale wie eine Wahnsinnige. Als etwa 100 Meter vor ihr auf der anderen Straßenseite die Bushaltestelle mit dem kleinen Holzunterstand auftauchte, wusste sie, dass sie noch eine Chance hatte. Sie war hier aufgewachsen und kannte jeden Winkel ihres Dorfes.

Vor der Bushaltestelle führte ein schmaler Weg zwischen den Feldern zum örtlichen Kindergarten von Grevendorf. Dabei umrundete er den alten Sportplatz, der heute nur noch ein ungepflegter Bolzplatz für die Kinder war. Der Weg war so schmal, dass nur Fußgänger und Radfahrer ihn passieren konnten – ein Auto nicht.

Die Einmündung des Weges befand sich irgendwo in der undurchdringlich schwarzen Wand aus Büschen und Bäumen dort drüben. Sie hatte nur diesen einen Versuch. Agnes bremste ab.

Als sie die Landstraße überquerte, sah sie einen kurzen Augenblick das sie verfolgende Auto sehr deutlich. Im Lichtschein der hinter ihm liegenden Straßenbeleuchtung waren die Umrisse der Person am Steuer zu erkennen.

Beim Einfahren in den Weg streifte Agnes einen Pfosten und bekam einen schmerzhaften Schlag gegen das linke Knie. Der Schmerz zeigte ihr, dass sie es geschafft hatte. Selbst wenn ihr Verfolger sein Auto in der Haltebucht abstellte und ihr hinterherlief, war sie auf ihrem Rad schneller.

Der Weg befand sich in schlechtem Zustand. Sie fuhr über freiliegende Baumwurzeln und Steine. Wasser aus den Pfützen spritzte gegen ihre Knöchel. Sie konnte nur hoffen, dass ihr nicht eine Felge brach oder ihr Fahrrad sonst irgendwie fahruntauglich wurde.

Als sie ein paar hundert Meter zurückgelegt hatte, erlaubte sie sich, etwas langsamer zu fahren und zu horchen. Zwischen den Bäumen war es so dunkel, dass sie hinter sich nichts erkennen konnte. Agnes erwartete, Laufgeräusche zu hören oder keuchenden Atem, aber bis auf ihren eigenen Atem war es still. Sie beruhigte sich ein wenig.

Dann nahm sie ihr Rücklicht ab, um in der Dunkelheit über diesen roten, punktförmigen Lichtschein nicht als Zielscheibe herzuhalten.

»Zielscheibe«, ein beunruhigendes Wort.

Malte und seine Eltern waren erschossen worden, von einer Person, die mit einem Gewehr in der Dunkelheit gelauert hatte. Wer sagte ihr eigentlich, dass ihr Verfolger kein Gewehr bei sich hatte?

Ob sie auch ihr vorderes Licht ausschalten sollte? Diesen Lichtschein konnte man von hinten natürlich auch sehen. Andererseits brauchte sie wenigstens etwas Licht, um den Weg zwischen dem Sportplatz und den Feldern zu finden.

Der Weg war von rechts von einem kleinen, dicht bewachsenen Wall, einem Knick, gesäumt. Ohne Lichtquelle fuhr sie praktisch in ein schwarzes Loch. Sie schaltete dennoch ihr Vorderlicht aus und tastete sich, ihr Rad schiebend, vorwärts. Auf diese Weise konnte sie auch viel besser hören, ob noch jemand hinter ihr her war. Doch sie hörte nur ihre Tritte auf dem unwegsamen Untergrund. Noch etwa einen halben Kilometer, dann würde sie den Kindergarten erreichen. Das Gebäude war unbewohnt und bot ihr keine Hilfe, aber direkt nebenan, im alten Lehrerhaus, wohnte eine Familie Böttcher.

Agnes kannte die Leute nur vom Sehen, aber mittlerweile war es ihr egal, ob sie sich blamierte oder jemanden aus dem Bett klingelte. Sie würde klingeln, schreien und gegen die Tür schlagen, bis man sie hereinlassen würde.

Agnes versuchte sich zu erinnern, wie das Gelände hinter dem Kindergarten aussah. Es gab ihres Wissens nach keinen Weg, der hinter dem Kindergarten entlang zum alten Lehrerhaus führte. Sie musste die schmale Straße benutzen, die von Grevendorf nach Neukirchen führte.

Als sie nah genug an die Häuser herangekommen war, blieb sie einen Moment stehen und versuchte, die Lage zu erkunden.

Der Nachthimmel war verhangen, nur für kurze Augenblicke wurde der Mond zwischen den rasch dahineilenden Wolken sichtbar. Es war nur ein kurzer Augenblick der relativen Helligkeit, aber er reichte aus, um Agnes' Herzschlag einmal aussetzen zu lassen.

Unter der großen Eiche auf dem Parkplatz des Kindergartens stand ein Auto.

Sie verfluchte ihre Naivität. Ein paar Minuten lang hatte sie tatsächlich angenommen, ihr Verfolger wäre so einfach abzuschütteln. Bis zu diesem Zeitpunkt hatte sie unbewusst darauf spekuliert, dass sie sich die Verfolgung nur einbildete. Aber es hatte tatsächlich jemand auf sie abgesehen und er kannte diesen kleinen Weg und wusste, wohin er führte. Er hatte ihr den Weg abgeschnitten.

Ihr erster Impuls war, sich auf ihr Rad zu setzen und schnellstmöglich zurückzufahren. Aber es war wie in der Geschichte vom Hasen und vom Igel, ihr Verfolger konnte mit dem Auto immer vor ihr da sein.

Sie ging in die Hocke, weil ihre Beine erbärmlich zitterten, und legte dabei ihr Fahrrad so leise wie möglich zu Boden.

Als der Mond wieder für ein paar Sekunden die Szenerie erleuchtete, sah sie es: Das helle Oval eines Gesichtes, welches ihr zugewandt war. Dann konnte sie die dazugehörige Gestalt ausmachen, die sich im Schatten der Hauswand des Kindergartens befand und völlig ruhig wartete. Es war unmöglich, auf die Entfernung zu sagen, um wen es sich handelte. Aber dieses geduldige Verharren ließ Agnes den Atem stocken. Ein Beben durchlief ihren gesamten Körper und Tränen liefen ihr unkontrollierbar über das Gesicht.

Erst in diesem Moment begriff sie, was es heißt, Todesangst zu haben. Vorher war sie in panischem Schrecken geflohen, nun aber lähmte sie das Entsetzen. Wer war die Gestalt, die dort auf dem Parkplatz auf sie wartete? War es dieselbe Person, die auch Malte und seine Eltern umgebracht hatte? Waren ihre Beobachtungen, dieser peinliche Streit, den sie unfreiwillig mitbekommen hatte, wirklich für jemanden gefährlich? Er konnte sie doch nicht ebenfalls umbringen wollen?

Sicher war nur, dass sie unweigerlich verloren hatte, wenn sie versuchte, nach Hause zu gelangen. Der Grevendorfer Redder, in seiner einsamen Länge von einem halben Kilometer, war ein unüberwindbares Hindernis für sie.

Plötzlich setzte sich die Person auf dem Parkplatz langsam in Bewegung. Durch die dunkle Kleidung waren nur das Gesicht und ein undeutlicher Umriss zu sehen.

Agnes, die selbst ziemlich dunkel gekleidet war, erinnerte sich an eine Szene aus einem Vietnamfilm, den sie im Fernsehen gesehen hatte: Sie ertastete mit den Fingern eine Pfütze, bewegte sie sachte im eiskalten Schlamm hin und her und fuhr sich dann damit über das Gesicht. Es stank und sie hoffte, dass sie keinen Hundedreck erwischt hatte. Aber wenigstens leuchtete ihr Gesicht jetzt nicht mehr hell aus der Dunkelheit heraus. So getarnt kroch sie langsam rückwärts, dem schützenden Knick entgegen. Das ist alles nicht wahr, dachte sie dabei verzweifelt, so etwas passiert vielleicht anderen, aber doch nicht mir?

Die Gestalt ging aufreizend langsam auf ihr Auto zu und öffnete den Kofferraum. Anschließend erhellte ein Lichtkegel den Sandboden neben dem Auto. Eine Taschenlampe, noch dazu eine sehr starke, verschlechterte ihre Chance zu entkommen erheblich.

In Panik kroch sie weiter zurück und suchte eine Lücke im Geäst des Knicks. Währenddessen kam der Lichtfinger mit seiner enormen Reichweite ihr schon gefährlich nahe. Sie zwängte sich durch Zweige und über Baumwurzeln. Dornige Äste klatschten ihr ins Gesicht und verhedderten sich in Haaren und Kleidung. Scharfe Steine bohrten sich in ihre Knie und Handflächen. Doch von all dem nahm sie kaum etwas wahr.

Mit aller Kraft versuchte Agnes, die andere Seite des Knicks zu erreichen. Gerade, als sie bäuchlings auf der rückwärtigen Seite des Walls herabrutschte, sah sie durch die Zweige ihr Fahrrad silbern im Schein der Taschenlampe aufleuchten. Es sah so aus, als beschleunigte der Verfolger jetzt seine Schritte. Hinter Agnes befand sich ein mit Wintersaat bestelltes Feld. Es erstreckte sich über einen Hügel bis zum Horizont. Nur ein einziger Baum mitten auf dem Feld bot etwas Deckung. Wenn sie jetzt losrannte, war sie mit einer Taschenlampe leicht auszumachen.

Ihr blieb die Möglichkeit, nach rechts zu entkommen und zu versuchen, von hinten doch noch das bewohnte Lehrerhaus neben dem Kindergarten zu erreichen. Dabei würde sie allerdings ihrem Verfolger eher näher kommen, als sich von ihm zu entfernen. Er konnte ihr ohne weiteres den Weg abschneiden, wenn er erriet, was sie vorhatte.

Die andere Möglichkeit war, links hinter dem Wall entlangzulaufen, wo sie wieder an der Hauptstraße landen würde. Vielleicht gelang es ihr doch noch, ein vorbeifahrendes Auto zu stoppen.

Wenn ihr Verfolger aber auf die Idee kam, sich ihr Fahrrad zu nehmen, dann war Agnes niemals schneller. Die Zeit drängte.

Agnes spürte, wie sie die Kontrolle über ihre Blase verlor.

Ein warmer Strahl Urin ergoss sich durch ihre Jeans hindurch auf den Boden. Da schwenkte der Strahl der Taschenlampe plötzlich hoch und leuchtete ihr für einen Augenblick direkt in die Augen.

»Mama!«, flüsterte Agnes, vor Entsetzen wie gelähmt.

19. KAPITEL

Beruhigen Sie sich, Frau Kontos. Erzählen Sie mir alles der Reihe nach.«

Pia stand in der Küche der Kontos' und versuchte, eine Situation unter Kontrolle zu bekommen, die gerade zu eskalieren drohte.

Es war morgens um kurz nach sechs Uhr. Gerlinde Kontos saß im Morgenmantel und mit zerzaustem Haar vor ihr am Küchentresen und stammelte unzusammenhängende Sätze vor sich hin. Aus diesem Wust an Selbstvorwürfen und Vermutungen hatte Pia die erschreckende Tatsache sondiert, dass Agnes in der letzten Nacht nicht nach Hause gekommen war.

Frau Kontos war abends auf dem Sofa eingeschlafen. Später in der Nacht war sie, ohne noch mal nach ihrer Tochter zu sehen, ins Bett gewankt und hatte am Morgen Agnes' Bett unberührt vorgefunden.

Das Bild des Mädchens erschien vor Pias innerem Auge: jung und verletzlich hatte sie ausgesehen, misstrauisch und unkooperativ. Pia hoffte, dass sie auch unzuverlässig war und die Nacht einfach bei einem Freund verbracht hatte, ohne ihrer Mutter Bescheid zu sagen. Taten 16-jährige Mädchen das heutzutage nicht ständig? Schwer zu sagen, wenn man fast doppelt so alt war und sich im Augenblick noch älter fühlte.

Pia spürte die Angst der Mutter wie ein Gewicht auf ihrer Brust. Sie nahm ihren Notizblock und ihr Handy aus der Tasche.

»Sagen Sie mir bitte möglichst genau, wo Agnes gestern überall gewesen ist und wann«, versuchte Pia, zu Gerlinde Kontos durchzudringen. Sie hoffte, dass kühles und geschäftsmäßiges Auftreten die aufgebrachte Frau etwas beruhigen würde.

»Äh, ja, ich weiß es jetzt wieder. Sie wollte erst zum Pferd und dann zu ihrer Freundin Karla, Karla Petzold.«

»Haben Sie schon mit ihr gesprochen?«

»Mit wem? Karla? Ich habe mit ihrer Mutter gesprochen und sie sagte mir, Agnes sei gestern Abend so um zehn Uhr mit dem Rad nach Hause gefahren. Ihr Mann hätte ihr noch angeboten, sie mit dem Auto zu fahren, aber Agnes hätte das abgelehnt.«

»Sie hat nichts davon erwähnt, dass sie noch weitere Pläne hatte? Einen Freund zu besuchen, Kino, Kneipe oder Ähnliches?«

»Ich hab nicht weiter gefragt. Als sie sagte, Agnes habe nicht bei Karla übernachtet, habe ich die Nerven verloren. Frau Petzold sollte ja auch nicht gleich merken, was für Sorgen ich mir mache ...«

Stolz und falsche Scham hatten da wohl den notwendigsten Maßnahmen im Wege gestanden.

»Was haben Sie dann unternommen?«

»Ich habe Sie angerufen. Ich hatte von unserem Gespräch noch Ihre Karte mit der Handy-Nummer. Sonst hätte ich gleich 110 gewählt«.

»Haben Sie noch bei anderen Freunden Ihrer Tochter herumgefragt?«

»Nein, bisher nicht ...«, kam es kläglich zurück. »Ich war

144

einfach wie vor den Kopf geschlagen. Ich bin immer wieder durchs Haus gelaufen und habe sie gesucht.«

»Gut, dann fangen wir damit an. Ich werde Karla Petzold anrufen. Anschließend werde ich mich in dem Stall erkundigen, wo ihr Pferd steht. Sie können inzwischen alle Nummern von Agnes' Bekannten raussuchen. Vielleicht finden Sie ein Adressbuch von ihr, das wir abtelefonieren können ...«

»Müssen wir das tun? Glauben Sie, dass es ernst ist?«, fragte Gerlinde Kontos.

»Sie haben mich gerufen, weil Sie sich Sorgen um Agnes machen. Also sollten wir handeln. Ich telefoniere und Sie suchen das Adressbuch«, sagte sie resolut.

Gerlinde reagierte dankbar auf die konkrete Anweisung und stolperte los.

Im folgenden Telefongespräch mit Karla Petzold erfuhr Pia nichts Neues. Agnes hatte gesagt, sie wolle nach Hause fahren. Von weiteren Plänen für den Abend war nicht die Rede gewesen. Bevor sie zum Lernen kam, war Agnes bei ihrem Pferd gewesen. Ob Agnes einen heimlichen Freund hatte, wusste Karla nicht zu sagen. Es klang fast ein wenig enttäuscht, so als würde ihre Freundin ihr ein wichtiges Geheimnis vorenthalten. Pia beendete das Gespräch beunruhigter, als sie es begonnen hatte.

Gerlinde Kontos fand ein kleines, in giftgrünes Leder gebundenes Büchlein, mit Adressen und Telefonnummern von Agnes' Freunden und Bekannten. Pia führte eine Vielzahl von Gesprächen, bei denen sie lediglich eine Menge Leute aufschreckte, aber keine Hinweise auf Agnes' Verbleib bekam. Schließlich rief sie noch Marten Unruh, dann ihre Kollegen auf dem Revier in Eutin an.

Ersterer reagierte mürrisch und unkonzentriert, da sie ihn aus dem Schlaf geklingelt hatte. Er befand sich noch in Lübeck, versprach aber, am Vormittag wieder nach Grevendorf zu kommen. Letztere reagierten eher phlegmatisch, da sie den Ernst der Lage nicht erkannten und Agnes unter »ausgerissene Teenager« einordneten.

»Haben Sie jemanden, den Sie anrufen können, damit Sie nicht ganz alleine sind?«, fragte Pia, als sie im Begriff war, das Haus wieder zu verlassen.

»Ich werde Dimitri anrufen, Agnes' Vater«, antwortete Gerlinde Kontos düster, »obwohl ich bei ihm mit keinerlei Unterstützung rechnen kann. Der Mann wird mich in Stücke reißen.«

»Befindet er sich immer noch in Griechenland?«

»Ich glaube ja.«

»Fragen Sie ihn auch, ob er eine Ahnung hat, wo Agnes stecken könnte. Wir stehen ziemlich unter Zeitdruck.«

»Frau Korittki ...«

»Ja?«

»Bitte – finden Sie Agnes. Wenn ihr etwas zustößt, weiß ich nicht, was ich tue.«

Pia machte sich sogleich daran, Agnes' gestrigen Tagesablauf zu rekonstruieren. Sie suchte zunächst Rothenweide auf, denn dort stand Agnes' Pferd unter Verena Langes Obhut im Stall.

Leider war Verena nicht anwesend, sie hatte ihren freien Tag. Pia überraschte die Pferdewirtin jedoch vor ihrem Haus in Grevendorf. Verena Lange wollte gerade wegfahren. Sie lief geschäftig zwischen ihrem Haus und dem geöffneten Kofferraum ihres Wagens hin und her und lud ein paar Taschen und Kisten mit Pferdezubehör ein. Ihre Auskünfte über Agnes fielen dürftig aus.

Agnes war am gestrigen Tag im Stall gewesen, sie hatten auch kurz miteinander gesprochen, aber Agnes hatte keine besonderen Pläne erwähnt. Sie wollte noch zu einer Freundin zum Lernen fahren, das hatte sie wenigstens behauptet. Verena zeigte ihr Desinteresse daran, der Polizei zu helfen, ganz offen. Das war also die umschwärmte Verena Lange, Freundin aller »Pferdemädchen« in ihrem Stall. Und nun, wo es wirklich ernst wurde, war sie nicht einmal bereit, ein paar Minuten ihrer Zeit für eine von ihnen zu opfern. Wenn Pia etwas verabscheute, dann war es Verrat.

Als Verena Lange sich anschickte, in ihr Auto zu steigen, ohne auch nur den Versuch unternommen zu haben, sich an einen Hinweis über ihren Verbleib zu erinnern, packte Pia ihren Arm und drehte sie zu sich herum. Ihr Gesicht befand sich jetzt so dicht vor Verenas, dass ihre Augen nur 20 Zentimeter von denen der anderen Frau entfernt waren. Ihr Griff war kräftig.

Verena biss sich vor Schmerz auf die Lippe, aber sie hielt Pias Blick mit kühlen, leeren Augen stand. Pia zwang sich, ihrem Impuls, Verena Lange kräftig durchzuschütteln, nicht nachzugeben.

»Wenn Sie ein wenig Herz haben und einen Funken Anstand, dann bleiben Sie mal ein paar Sekunden stehen und forschen in Ihrem Gehirn nach etwas, das uns helfen kann, Agnes zu finden. Die Mädchen im Stall himmeln Sie scheinbar an, sie vertrauen Ihnen. Also lassen Sie Agnes jetzt nicht hängen!«, sagte sie leise.

»Lassen Sie los, das tut weh«, zischte Verena böse.

Pia lockerte den Griff und atmete tief durch. Agnes hatte von dieser Frau mehr verdient als ein paar flüchtige Bemerkungen im Vorbeigehen.

»Agnes hatte einen Freund, aber sie wollte nicht, dass jemand von ihm erfährt. Ich habe ihr mein Wort gegeben. Darüber haben wir gestern gesprochen.«

»Warum ›hatte‹ ...?«, fragte Pia. Redete Verena schon in der Vergangenheitsform von Agnes Kontos?

»Die Beziehung war schon lange vorbei, es hat Agnes halt nur noch beschäftigt ...«

»Der Freund hieß nicht zufällig Malte Bennecke?«

»Verschwinden Sie, ich kann Ihnen nicht helfen«, war die Antwort. Verena riss sich los und sprang in ihr Auto. Als sie wegfuhr, quietschten die Reifen ihres kleinen Peugeots auf.

Pia sah ihr nachdenklich nach: Eigentlich benahmen sich nur Unschuldige so auffällig unkooperativ. Trotzdem forderte sie eine Zivilstreife an, die Verenas Aktivitäten im Auge behalten sollte. Dann klingelte sie an der Haustür, um auch Verenas Verlobten kennen zu lernen.

Klaus Biel öffnete die Tür, kaum dass sie ihren Finger vom Klingelknopf genommen hatte. Er war ein mittelgroßer Mann, dessen Schultern im Verhältnis zu dem Speck an Bauch und Hüften relativ schmal wirkten. Sein Haar und der korrekt gestutzte Vollbart waren aschblond. Er trug den Bart vielleicht, um seine vollen roten Lippen in dem sonst eher blassen Gesicht zu kaschieren.

Klaus Biel schien gerade zur Arbeit aufbrechen zu wollen, denn er trug eine korrekte braune Anzughose und ein hellblaues Hemd, jedoch ohne Krawatte oder Jackett.

Pia versuchte ihn einzuschätzen, um zu entscheiden, wie sie vorgehen sollte. Sie zog ihren Dienstausweis hervor, den er sofort interessiert und ausgiebig betrachtete. Daraufhin bat er Pia ins Haus und geleitete sie in die Küche, wo er gerade frühstückte. Es roch nach frisch gebrühtem Kaffee, verbranntem Toast und weich gekochtem Ei.

Er bot ihr an, Platz zu nehmen, und Pia bemühte sich, ihre Beine auf dem ihr zugewiesenen Platz auf der Eckbank unterzubringen. Klaus Biel setzte sich auf einen Stuhl ihr gegenüber.

»Ich ermittle im Mordfall Bennecke und muss Ihnen dazu ein paar Fragen stellen«, erklärte sie ohne Umschweife.

»Ich kannte die Benneckes nicht. Und alles, was Verena weiß, kann sie Ihnen vermutlich viel besser selbst erzählen«, sagte er. Wie zur Bekräftigung seiner Worte biss er in seinen Marmeladentoast.

»Sie hat uns schon geholfen. Nur über einen Punkt bin ich mir nicht ganz im Klaren: Sie war doch vor einiger Zeit mit Malte Bennecke befreundet. Was war der Grund dafür, dass das Verhältnis aufgelöst wurde? Waren Sie das?«

Pia hatte es bewusst schmeichelhaft formuliert, in der Hoffnung, Klaus Biel dadurch zu einer ausführlichen Auskunft zu bewegen. Er kaute behaglich und musterte sie unverhohlen.

»Die beiden haben doch nie zueinander gepasst. Die ganze Sache war ein Witz: Schließlich ist Verena eine gestandene Frau, Malte Bennecke war ein grüner Junge. Für kurze Zeit haben die beiden Gefallen aneinander gefunden und vor allem an dem Skandal, den sie verursachten. Aber früher oder später musste die Sache doch zu Ende gehen.« Das war keine direkte Antwort auf ihre Frage.

»Also waren Sie nicht der Grund. Haben die beiden sich in gegenseitigem Einvernehmen getrennt oder hat einer von ihnen Schluss gemacht?«

»Ich weiß wirklich nicht, was das mit dem Mord zu tun hat. Glauben Sie vielleicht, ich hätte Malte Bennecke erschossen, ein paar Monate, nachdem Verena mit ihm Schluss gemacht hat? Ach ja, und weil's so schön war, hab ich seine Eltern gleich mit umgelegt?« Er grinste über seinen vermeintlichen Witz und löffelte dann die Reste vom Ei aus dem Eierbecher.

»Nein, keine Sorge, Ihr Motiv ist eher drittklassig zu nennen. Hätten Sie denn die Mittel zu der Tat? Können Sie mit einem Gewehr umgehen?«

Klaus Biel schenkte sich den Rest Kaffee aus einer geblümten Thermoskanne in seinen Becher und bedachte Pia mit einem Lächeln, während seine Augen sie taxierten: »Von Beruf bin ich Statiker und arbeite in einem großen Büro in Kiel. Da habe ich wenig Gelegenheit zum Schießen. Und aus der Jagd mache ich mir nichts, barbarische Sitten ... Haben Sie sonst noch Fragen?«

»Ja. Waren Sie bei der Bundeswehr?«

»Natürlich. Ich bin Reserveoffizier. Zufrieden?«

Nun war es Pia doch gelungen, seine Selbstzufriedenheit ein wenig zu stören. Klaus Biel wischte sich flüchtig mit seiner Serviette den Mund ab und legte sie zusammengeknüllt in die Krümel auf seinem Teller. Dann erhob er sich.

»Kennen Sie Agnes Kontos?«

»Nein, sollte ich das?«

»Sie hat ihr Pferd bei Ihrer Freundin im Stall stehen. Heute Nacht ist sie verschwunden«.

Klaus Biel wirkte einen Moment nachdenklich, dann hatte er die Fassade jovialer Hilfsbereitschaft wieder hochgezogen und antwortete:

»Soll vorkommen bei jungen Mädchen. Vielleicht hat sie einen Freund, von dem die Eltern nichts wissen sollen. Sie glauben doch nicht etwa, dass ihr Verschwinden etwas mit den Morden zu tun hat?«

»Ich glaube nicht an Zufälle. Grevendorf ist eine 1000-Seelen-Gemeinde. Zwei Vorfälle in einer Woche finde ich schon bemerkenswert. Ich hatte eigentlich gedacht, Verena würde Agnes ganz gut kennen und könnte mir weiterhelfen.«

»Tut mir Leid. Aber ich glaube, dass Verena Sie nicht sonderlich mag, deshalb ihr unfreundliches Benehmen. Ich würde Ihnen ja helfen, aber leider weiß ich nicht einmal, wer Agnes Kontos ist«, sagte ihr Gesprächspartner, während er sich in der Küchenspüle mit dem Spülmittel die Hände wusch.

»Es geht hier doch nicht um Sympathie und Antipathie. Ein 16-jähriges Mädchen ist verschwunden, sie ist vielleicht in großer Gefahr. Richten Sie Verena aus, dass sie mich anrufen soll, wenn ihr noch etwas zu Agnes einfällt.«

Pia legte ihre Karte auf den Küchentresen. Gleichzeitig stellte sie sich vor, wie diese bei nächster Gelegenheit direkt im Mülleimer landete.

Klaus Biel geleitete sie in den schmalen Flur, wo er sich an der Garderobe sein Jackett und einen Mantel überzog.

»Verena hat übrigens mit dem jungen Bennecke Schluss gemacht«, sagte er beiläufig, »und zwar direkt nachdem ich ihr einen Heiratsantrag gemacht habe. Ich wollte wirklich nicht, dass sie weiter einen Narren aus sich macht, und ich wusste ja, wie versessen sie aufs Heiraten ist.«

Ein spöttisches »Na dann viel Spaß ...« lag Pia auf der Zunge. Sie verließen das Haus, gingen nacheinander den schmalen Plattenweg hinunter. An der niedrigen Gartenpforte angekommen, drehte sich Pia in Colombo-Manier noch einmal um:

»Übrigens, Herr Biel, wo waren Sie eigentlich am Montagabend zwischen acht Uhr und Mitternacht?«

Im ersten Moment sah es so aus, als ob Klaus Biel einfach in seinen Wagen steigen und davonfahren würde. Dann überlegte er es sich anders und kam zu ihr hinüber. Er blieb so dicht vor ihr stehen, dass sie die Mitesser auf seiner Nase sehen und das verspeiste Ei riechen konnte.

»Ich hatte ja jede Menge Geduld mit Ihnen und Ihren Fragen. Aber nun reicht es mir. Alles Weitere nur noch über meinen Anwalt!«, fauchte er.

»Vielen Dank. Drohungen mit Anwälten ziehen automatisch weitere Erkundigungen nach sich. Ich wünsche noch einen schönen Tag!«

Sie stieg mit einem lässigen Schritt über die hölzerne Pforte hinweg. Aus dem Augenwinkel sah sie, wie Klaus Biel ihr nachstarrte. Er machte sich keine Mühe, seine feindseligen Gedanken vor ihr zu verbergen.

20. KAPITEL

Auf dem Weg zum Wagen bemerkte Pia, dass es jetzt richtig schneite. Außerdem war es stürmisch, der Wind wehte die pulvrigen Flöckchen auf dem Asphalt zu weißen Rändern zusammen. Das Mistzeug blieb liegen. Pia seufzte verhalten und stieg in ihren Wagen.

Als sie nach zwei Stunden vergeblicher Arbeit aus Eutin zurückkehrte, hatte bereits eine feine Schneedecke das Land überzogen. Es wurde gar nicht richtig hell und die Straßen waren menschenleer.

Pia hatte mit ein paar Mitschülern von Agnes Kontos gesprochen, außerdem mit Agnes' Klassenlehrer, der sich zwar sehr besorgt zeigte, aber nichts Hilfreicheres beisteuern konnte, als dass Agnes von Zeit zu Zeit ziemlich abwesend gewirkt hätte. Die Mitschüler zeigten sich verunsichert, zum Teil auch neugierig, aber niemand konnte Pia sagen, wo sich Agnes befinden könnte. Wenig ermutigend war die Einschätzung ihrer Freunde, dass Agnes nicht der Typ war, der einfach abhaute, wenn es Probleme gab. Pia hoffte, dass sie sich irrten.

Auf dem Rückweg schreckte ihr Telefon sie aus ihren bedrückenden Gedanken. Es war ein Kollege aus Eutin, der einen Hinweis zu Agnes Kontos' Verbleib erhalten hatte. Pia wurde zu einem Ort hinter Grevendorf beordert, der laut Beschreibung zwischen Kindergarten und altem Sportplatz liegen sollte.

Die Entdeckung war ein recht wertvolles Fahrrad, das an einer kleinen Böschung neben dem Fußweg lag. Das Rad befand sich in einem Blätterhaufen aus schwarzem, verrottetem Laub, das mit einer Schneeschicht überdeckt war. Noch war das silbrige Gestell mit der Aufschrift »Scott« gut zu erkennen, aber wenn es weiter so schneite, wäre es in ein paar Stunden unsichtbar. Dass es Agnes gehörte, daran bestanden kaum Zweifel, denn ihre Mutter hatte ihr Fahrrad genau beschrieben. Es war unwahrscheinlich, dass sich viele Jugendliche ein so teures Rennrad leisten konnten.

»Wer hat das Fahrrad gefunden?«, fragte Pia den sie begleitenden Beamten.

»Wir sind von einem Spaziergänger informiert worden«, gab dieser an. »Er steht dort drüben bei meinem Kollegen. Der Herr mit dem Boxer an der Leine.«

Ein paar Meter entfernt stand ein etwa 70-jähriger, großer Mann in hellem Trenchcoat und mit einem karierten Hut auf dem Kopf.

»Haben Sie sonst noch etwas Auffälliges entdeckt? Hier um das Fahrrad herum ist ja leider alles zertrampelt.«

»Als wir hier ankamen, standen schon drei Leute um das Rad herum: Der Herr mit dem Hund und ein Paar mit Fahrrad, da war nicht mehr viel zu retten. Ich habe mal hinter den Knick geschaut, aber dort ist nichts zu sehen. Nur netter, unberührter Schnee ...«

»Wir werden trotzdem die Spurensicherung herschicken. Vielleicht finden die ja noch was«, sagte Pia mutlos. Sie versuchte sich die Szene vorzustellen, die dem Verlassen des Fahrrades vorausgegangen war. Wie kam das Rad hierher? Die Strecke lag nicht auf Agnes' Weg. Zumindest dann nicht, wenn sie von Karla aus hatte nach Hause fahren wollen. Aber auch sonst war schwer vorstellbar, warum ein junges Mädchen im Dunkeln hier entlangfahren sollte. Die Häuser in der Nähe waren alle viel besser von der Straße aus zu erreichen. Hatte sie sich hier mit jemandem treffen wollen, der sie dann freiwillig oder gegen ihren Willen von hier weggebracht hatte? Oder war Agnes niemals hier gewesen und nur ihr Rad war von wem auch immer abgeladen worden? Aber auch das war nicht logisch, denn um ein Fahrrad verschwinden zu lassen, gab es in der Nähe bestimmt sicherere Orte. Hier hatte es ziemlich schnell von Spaziergängern oder Fahrradfahrern entdeckt werden müssen. Nein, es sah nicht so aus, als hätte es jemand verbergen wollen, höchstens schnell loswerden.

Pia seufzte und wandte sich dem Herrn zu, der das Rad gefunden hatte.

»Meine Saskia hier«, der Mann deutet kurz auf seinen Hund, »hat das Fahrrad entdeckt. Wir gehen jeden Tag zwei Mal hier entlang und hinter dem Kindergarten lasse ich sie immer frei laufen. Sie hat ziemlich laut gekläfft, als sie das Ding entdeckte. Ich dachte zuerst, es wäre ein totes Karnickel oder so etwas, also bin ich sofort zu ihr gegangen. Ich wollte nicht, dass sie sich in dem Aas wälzt. Da sah ich das Rad. Ich wusste, dass es dort gestern Abend um neun Uhr noch nicht gelegen hat, deshalb habe ich die Polizei verständigt.«

»Woher wissen Sie, dass es gestern Abend noch nicht hier lag? Es muss doch stockdunkel gewesen sein«, fragte Pia.

»Zum einen wegen des Hundes. Saskia ist sehr aufmerksam. Zum anderen, weil ich abends immer eine große Taschenlampe mitnehme«, lautete die bereitwillige Auskunft. Leider hatte das abendliche Gassi-Gehen stattgefunden, als Agnes noch bei ihrer Freundin Karla gewesen war. Trotzdem wollte Pia wissen, ob dem Mann oder seinem Hund noch etwas aufgefallen war. Er schüttelte bedauernd den Kopf.

»Ich habe auch schon darüber nachgedacht, aber es war nichts anders als sonst auch«, antwortete er. Dabei sah er die ganze Zeit so aus, als ob er darüber nachdachte, warum eine Kommissarin von der Mordkommission Lübeck sofort zu einem herrenlosen Fahrrad gerufen wurde.

»Wissen Sie schon, wem das Fahrrad gehörte, äh ... gehört?«, fragte er leise.

»Darüber kann ich leider keine Auskunft geben.«

»Verstehe, verstehe.« Er machte sofort einen Rückzieher und tätschelte verlegen seinen Hund.

Pia gab telefonisch die nötigen Anweisungen, wie weiter zu verfahren sei, dann machte sie sich auf den Rückweg ins Hotel. Es war inzwischen halb zwölf und ihr Magen verlangte protestierend nach einer ersten Mahlzeit. Sie nahm sich vor, bei Ankunft im Hotel so schnell wie möglich im Besprechungsraum zu verschwinden und im Vorbeigehen in der Küche ein Frühstück, oder was immer verfügbar war, zu ordern.

Das Vorhaben ließ sich jedoch nicht in die Tat umsetzen.

Schon im Foyer wurde sie von der Rezeptionistin abgefangen. Sie teilte ihr mit, dass sie seit längerem erwartet wurde: Von einer Dame, die eine Zeugenaussage zu machen wünsche. Sie deutete verstohlen mit dem Kopf in Richtung der Frau, die mit missmutiger Miene ein paar vertrocknete Blättchen aus den Grünpflanzen des Hotelfoyers zupfte. Pia unterdrückte ihren Hunger und versuchte, mit professioneller Offenheit auf die wartende Frau zuzugehen.

Diese stellte sich als Irmtraut Krüger vor. Sie war eine imponierende Gestalt in einem perlmuttfarbenen Lackregenmantel. Ihr Haar war blauschwarz und zu einer Hochfrisur auftoupiert, unter der sie locker ein altes Brötchen verstecken konnte. Pia bat Irmtraut Krüger in den Besprechungsraum.

Nachdem sie sich beide ihrer Jacken und Mäntel entledigt hatten und sich am großen Tisch gegenübersaßen, produzierte

Pia einen aufmunternden Laut, der Frau Krüger zum Reden veranlasste.

»Ich musste einfach zu Ihnen kommen. Ich habe die ganze letzte Nacht kein Auge zugemacht, weil ich nicht wusste, ob ich mit der Polizei reden muss oder nicht. Dann habe ich mir gesagt: Es gibt nichts Gutes, außer man tut es! Und mit diesem Entschluss habe ich dann endlich etwas Schlaf gefunden. Da war es aber auch schon halb vier und um fünf musste ich aufstehen, wissen Sie.«

Pia schlug ergeben ihr Notizbuch auf.

»Ich putze bei verschiedenen Leuten hier in Grevendorf. Dadurch höre ich viel und bekomme viel mit bei den Leuten, für die ich arbeite. Dienstags bin ich zum Beispiel immer bei den Kontos', seit ein paar Jahren schon. Ich habe noch miterlebt, wie Agnes' Vater dort gewohnt hat. Ein chaotischer Haushalt, sage ich Ihnen, aber wenn alle Leute sauber und ordentlich wären, dann gäbe es bald keine Arbeit mehr für mich.«

»Und weshalb genau kommen Sie zu mir? Haben Sie etwas gehört oder gesehen, das mit dem Mordfall Bennecke in Zusammenhang stehen könnte?«

»Nicht direkt, ich habe mir nur so meine Gedanken gemacht über Agnes, das arme Ding. Es stimmt doch, dass sie entführt wurde?«

»Bisher wissen wir nur, dass sie verschwunden ist«, bemerkte Pia zurückhaltend. Der Dorfklatsch schien ja erstaunlich schnell die Runde zu machen.

»Jedenfalls war die Agnes eine Zeit lang mit dem Bennecke-Sohn befreundet. Ihre Mutter wusste ja angeblich nichts davon, aber ich habe immer das Zimmer der Kleinen sauber gemacht und dabei sind mir ein paar Dinge aufgefallen. Unter anderem die Fotos von ihr und Malte Bennecke, die sie an ihrem Bett unter ein paar Büchern versteckt hatte. Außerdem gab es noch ein paar kleine Briefchen: Frau Kontos muss blind gewesen sein, wenn sie nichts davon bemerkt hat.«

»Sie haben also im Rahmen ihrer Tätigkeit bei den Kontos' Hinweise dafür entdeckt, dass Agnes mit Malte Bennecke befreundet war ...«

»Genau. Der Knackpunkt ist jedoch, dass Agnes' Vater getobt hätte, wenn er davon gewusst hätte. Er war zu diesem Zeitpunkt zwar schon im Ausland, aber seine Tochter ist sein Ein und Alles. Solche Geschichten hätte er nicht geduldet.«

»Woher wissen Sie das?«

Es folgte eine längerer, etwas atemloser Vortrag über die Moralvorstellungen einiger Ausländer im Allgemeinen und Dimitri Kontos' im Besonderen. Gewisse Dinge, die sie bei den Kontos' aufgeschnappt haben musste, hatten sich scheinbar zusammen mit ihrer Fantasie zu einer regelrechten Bedrohung für Agnes Kontos' Liebesleben vermischt.

»Dimitri Kontos wäre Ihrer Meinung nach gegen die Freundschaft vorgegangen, wenn er davon gewusst hätte?«, fasste Pia zusammen.

»Na, und ob! Hausarrest hätte Agnes bekommen, oder Schlimmeres. Und dem Malte hätte er ...« Sie stockte plötzlich und biss unbehaglich auf ihrer Unterlippe herum.

»Sie meinen, es wäre vorstellbar, dass er ihn erschossen hätte, und seine Eltern gleich mit?«

»Ich meine gar nichts«, sagte Frau Krüger beleidigt. »Ich will nur sagen, dass dem Vater das Techtelmechtel nicht gefallen hätte ...«

»Hätte er davon gewusst ... Besteht denn die Chance, dass er es wusste? Wie lange war er schon weg, bevor die Beziehung zwischen Malte und Agnes begann?«

»Oh, vielleicht ein halbes Jahr. Aber er hatte regelmäßig Kontakt zu seiner Tochter. Vielleicht hat sie ...?«

»Unwahrscheinlich, dass sie es verraten hat, wenn sie die Einstellung ihres Vaters dazu kannte«, sagte Pia ganz in Gedanken.

»Aber irgendjemand könnte sie verraten haben ...«, insistierte Irmtraut Krüger. Kam da jetzt durch die Hintertür wieder Verena Lange ins Spiel?

»Sie sind also zu mir gekommen, um uns auf Dimitri Kontos hinzuweisen. Auch wenn er sich allen Angaben zufolge in Griechenland aufhält?«

»Genau! Hanno Suhr sagt auch, dass Dimitri Kontos ein seltsamer Zeitgenosse ist. Er machte jedenfalls so eine Bemerkung ...«

»Moment«, Pia wurde hellhörig, »bei den Suhrs arbeiten Sie auch?«

»Nein, wo denken Sie hin. Die würden sich nie jemanden zum Putzen kommen lassen. Dafür ist die Frau des Hauses zuständig, in diesem Fall Petra Suhr. Sie ist eine geborene Merschmann. Ich kenne mich hier gut aus, ich weiß, wo das Mädchen herstammt. Sollte mich nicht wundern, wenn das noch mal Ärger gibt zwischen ihr und dem Hanno. Das ist nämlich ein guter Junge, viel zu gut für eine wie die ...«

Pia ertappte sich dabei, wie ihre Gedanken in Richtung Küche abschweiften. Der Hunger machte sie ungeduldig. Sie wollte das Gespräch jetzt langsam beenden, aber ihr Pflichtgefühl zwang sie dazu, erneut nachzufragen:

»Sie haben sich also bei anderer Gelegenheit mit Hanno Suhr über Agnes Kontos und ihre Familie unterhalten?«

Auf Irmtraut Krügers Hals erschienen rote Flecken und ihre Augen funkelten böse: »So, wie Sie es sagen, klingt es so ... verwerflich. Man redet halt miteinander, das ist doch nur natürlich. Ich war gestern bei den Suhrs, um den Schlüssel zu holen für das Ferienhaus, in dem ich regelmäßig putze. Ich hatte meinen leider vergessen. Zum Glück ist mir eingefallen, dass die Gädekes einen Ersatzschlüssel bei den Suhrs nebenan hinterlegt haben. Ich war ziemlich erleichtert, als mir dieser Schlüssel eingefallen ist, wo ich doch so in Zeitdruck war. Allerdings ...«

»Allerdings was?«, versuchte Pia Irmtraut Krüger zu beschleunigen.

»Es hat mir doch nichts genützt. Der Schlüssel passte nicht, obwohl es der mit dem rotbraunen Lederanhänger mit dem komischen A darauf war.«

Widerwillig war Pia nun doch interessiert: »Der Schlüssel, den die Besitzer des Ferienhauses bei Suhrs hinterlegt hatten, passte nicht?«

»Sag ich ja!«, trumpfte Frau Krüger auf, nun da sie Pias Interesse wieder gewonnen hatte. »Ich musste trotzdem noch mal ganz den Kamp herauffahren und meinen eigenen Schlüssel von zu Hause holen. Der passte dann auch wie geschmiert. Ich habe es Hanno Suhr später erzählt, als ich den Schlüssel zurückbrachte, und er konnte es sich auch nicht erklären. Er meinte, dass Petra vielleicht aus Versehen die Schlüsselanhänger vertauscht hatte. Aber warum sollte sie das tun? Selbst wenn sie eine Merschmann ist, tut sie ja nichts völlig Unsinniges«.

»Haben Sie schon mit den Eigentümern über den Vorfall gesprochen?«, fragte Pia und machte sich eine Notiz.

»Mit den Gädekes? Nein. Die erreicht man ja so gut wie nie. Sie müssten morgen wieder kommen. Die Gädekes sind fast jedes Wochenende in ihrem Ferienhaus. Deshalb wollte ich ja am Donnerstag auch noch schnell alles putzen.«

»Ist Ihnen sonst noch etwas Ungewöhnliches aufgefallen, im Haus oder auch draußen?«

Irmtraut Krüger beugte sich etwas in ihrem Sitz vor und flüsterte: »Wenn Sie mich so fragen: Das Waschbecken in der Garage war nass. Der Wasserhahn muss immer sehr fest zugedreht werden, sonst tropft er. Aber das war nicht der Fall. Das ganze Becken war voll getropft«.

»Und das war auffällig?«

»Aber hören Sie mal, die Gädekes sind anständige Leute. Die würden doch nicht ihr Haus für eine knappe Woche verlassen, und die ganze Zeit tropft der Wasserhahn.«

»Ich hätte gern die Anschrift und Telefonnummer der Gädekes, sowohl von hier als auch von ihrem Hauptwohnsitz«, sagte Pia abschließend.

Irmtraut Krügers Augen fielen vor Erstaunen fast aus den Höhlen: »Oh, Gott, das wollte ich nicht. Sind die Gädekes nun verdächtig? Ich kann Ihnen das Haus gleich zeigen, wenn Sie es möchten.«

Sie war sichtlich hin- und hergerissen zwischen ihrer Neugier und dem Verlangen, sich aus sämtlichen drohenden Schwierigkeiten herauszuhalten.

»Danke, aber ich werde es schon finden. Vielleicht kommen wir noch mal auf Sie zurück«, sagte Pia und schüttelte Frau Krüger zum Abschied die Hand. Nachdenklich sah sie ihr hinterher, als sie den Raum verließ. Dann veranlasste sie bei ihren Eutiner Kollegen, sowohl Agnes' Vaters als auch die Gädekes ausfindig zu machen. Es standen noch ein paar klärende Gespräche an.

Zuvor musste sie jedoch noch etwas erledigen, was sie sogar die Essensdüfte in der Eingangshalle ignorieren ließ. Pia stieg in ihren Wagen, um sich das Gädeksche Ferienhaus anzuschauen.

21. KAPITEL

Was zum Teufel hast du dir dabei gedacht, Korittki?«
Marten Unruh starrte sie über den Konferenztisch hinweg
ungehalten an.

»Ich habe mit dem Staatsanwalt telefoniert, damit wir einen
richterlichen Durchsuchungsbeschluss für das Ferienhaus der
Gädekes bekommen. Und ich versuche, die Besitzer dieses
Ferienhauses ausfindig zu machen«, wiederholte Pia. Sie bemühte sich, Martens Blick ungerührt standzuhalten. Er war
völlig entnervt aus Lübeck zurückgekommen, hatte nur
schnell seine Sachen in sein Hotelzimmer gebracht und war
dann wieder zu ihr in den Besprechungsraum gekommen. Seiner Miene nach zu urteilen war sein Tag nicht gerade erfolgreich verlaufen.

Pia fragte sich, ob er Ärger mit Kriminalrat Gabler hatte. Sie
hatten bisher nichts Konkretes vorzuweisen, keine heiße Spur.
Andererseits standen sie auch auf ziemlich verlorenem Posten,
was die Anzahl der involvierten Kollegen betraf.

»Du hättest das mit mir absprechen müssen. Das war völlig
voreilig und unüberlegt! Alles, was du hast, ist die Aussage der
Putzfrau, dass – korrigiere mich, wenn ich falsch liege – der
Schlüssel zu irgendeinem Ferienhaus, in dem sie arbeitet, nicht
passte?«

»Genau.«

»Was hat das mit dem Fall Bennecke zu tun? Wir haben weiß
Gott genug am Hals: ein dreifacher Mord und nun auch noch
das verschwundene Mädchen, von dem ich persönlich immer
noch glaube, dass es zu seinem Freund abgehauen ist. Da hat
Kollegin Korittki nichts Besseres zu tun, als sämtliche Hühner
aufzuscheuchen. Ist dir schon mal der Gedanke gekommen,

dass du mit deiner Aktion Leuten auf die Zehen trittst, die ziemlich gute Kontakte haben?«

»Das ist doch irrelevant. Marten – ich habe mir dieses Haus angesehen, jedenfalls durch die Fenster. Wir müssen da einfach rein, denn es könnte sein, dass der Mörder sich dort die Tatwaffe besorgt hat. Alle unsere Nachprüfungen waren bisher erfolglos. Kein einziges der Jagdgewehre bei unseren Verdächtigen passte auf die Waffe, mit der die Benneckes erschossen wurden. Irgendwo muss dieser Jagdkarabiner doch herkommen und irgendwo muss er auch geblieben sein. Das Gewehr hat sich doch nicht in Luft aufgelöst. In diesem Ferienhaus, nur zehn Minuten vom Hof der Benneckes entfernt, hängen haufenweise Jagdtrophäen an den Wänden. Es gibt bestimmt auch eine Sammlung von Jagdgewehren«, erklärte Pia beschwörend.

Marten schien jedoch entschlossen, einen Teil seiner schlechten Laune bei ihr loszuwerden. Er ging zum Fenster und starrte einen Augenblick hinaus. Dann kam er wieder zurück und blieb direkt vor ihr stehen, die Hände auf die Tischplatte gestützt.

»Das hast du also alles durch die Fenster gesehen? Die Geweihe an den Wänden, die Gewehre im Schrank? Vielleicht noch etwas? Hast du vielleicht noch etwas vergessen?«, fragte er drohend.

Pia beschlich das unbestimmte Gefühl, dass hier etwas gewaltig schief gelaufen war. Sie fühlte sich jedoch unschuldig. Sie hatte gewissenhaft der Versuchung widerstanden, die Türrahmen abzutasten oder unter Steinen und Blumenkübeln nach einem Haustürschlüssel zu suchen, um vielleicht doch schon hineinzukommen. Die Durchsuchung würde nicht vor dem nächsten Morgen ausgeführt werden können, obwohl die Zeit drängte.

»Das war alles. Ich bin zu dem Haus hingefahren und habe von außen hineingesehen. Auf Grund der Tatsache, dass im

Haus wahrscheinlich Jagdgewehre aufbewahrt werden und jemand in Abwesenheit der Besitzer in das Haus eingedrungen zu sein scheint, habe ich den Durchsuchungsbeschluss angefordert. Außerdem müssen wir mit den Besitzern reden – und mit Agnes' Vater. Jetzt kommst du hier an, nach 24-stündiger Abwesenheit, und machst einen Aufstand wegen nichts.«

»Ist eine Beschwerde gegen unser Vorgehen beim Chef vielleicht nichts?« Unruh schien sich den Trumpf für diesen Moment aufgespart zu haben. Kalte Wut modellierte die Worte, die er Pia entgegensetzte.

Pia fühlte einen dumpfen Druck in ihrem ansonsten fast leeren Magen. Konnte sich hier denn nichts, aber auch gar nichts einmal zu ihren Gunsten entwickeln?

Marten Unruh setzte sofort zum zweiten Schlag an:

»Diese Gädekes haben sich schneller eingefunden, als dir lieb sein kann. Sie sind schnurstracks zu ihrem Haus gefahren und nun behaupten Sie, dass es jemand unbefugt betreten hat. Du hast jetzt den schwarzen Peter, denn du warst da und hast das alles in Gang gesetzt.«

»Ich habe aber keinen Fuß in dieses Haus gesetzt. Wenn dieser Gädeke so überreagiert, dann stimmt da doch auch etwas nicht«, behauptete Pia selbstsicherer, als sie sich fühlte.

»Der gute Gädeke scheint mit einem hohen Tier im Polizeiapparat befreundet zu sein. Weißt du eigentlich, wie sehr unser Kriminalrat Horst-Egon Gabler es liebt, wenn er von oben eins auf den Deckel bekommt?«

Pia stöhnte leise und verdrehte die Augen: »Aber es nützt doch nichts! Entweder erzählen die Gädekes Quatsch, oder es war tatsächlich jemand unbefugt in ihrem Ferienhaus; und zwar der, den wir suchen ...«

Marten erwog einen Moment diese Möglichkeit.

»Das solltest du den Gädekes persönlich mitteilen. Vielleicht lässt sich Gabler dann besänftigen. Ich weiß übrigens, wo sie heute Nacht absteigen werden: in diesem Hotel. Glücklicherweise waren sie so geistesgegenwärtig, nicht noch mehr Spuren zu zerstören. Sie sind rückwärts wieder raus aus dem Haus und warten jetzt die morgige Untersuchung ab.«

»Weißt du übrigens, was für ein Auto in der Garage des Ferienhauses steht?«, setzte Pia noch hinzu.

»Was denn?«

»Ein Kleinwagen, der zu unseren Reifenabdrücken passen könnte ...«

»Wahrscheinlich hast du mehr Glück, als dir von Rechts wegen zusteht. Wenn deine Theorie stimmt, dann bleibt dein Kopf vielleicht noch eine Weile dort, wo er hingehört.«

Marten und Pia trafen sich abends gegen neun Uhr mit dem Ehepaar Gädeke in der kleinen Bar des Hotels. Die Gädekes waren beide Anfang bis Mitte sechzig, wobei er etwas jünger wirkte. Er war klein und von eher schmächtiger Gestalt. Sein schmales Gesicht mit dem jungenhaften Haarschnitt und der runden Brille ließen ihn jugendlich wirken, wenn man seine steifen Bewegungen und die knittrigen Falten rund um die Augenpartie außer Acht ließ. Frau Gädeke war üppig, aber wohl proportioniert, sodass ihr Mann neben ihr wie eine Sparversion aussah.

Die Begrüßung mit den Kommissaren fiel freundlich distanziert aus, wobei sich Frau Gädeke die Freiheit herausnahm, Pia eingehend von Kopf bis Fuß zu mustern, ehe sie ihre Hand ergriff. Ihr Mann gab sich offener. Er bestellte sogleich eine Runde Getränke beim Barkeeper und kam dann zur Sache:

»Sie haben uns ja einen richtigen Schrecken eingejagt mit Ihrer Suchaktion und dem Durchsuchungsbefehl. Wir waren gerade erst aus dem Urlaub zurückgekommen, als wir eine

164

Nachricht von meiner Angestellten erhielten, dass die Kriminalpolizei uns sucht.«

»Das war für die Mädchen in der Praxis natürlich wie Weihnachten und Ostern zusammen«, ergänzte Frau Gädeke säuerlich, »die werden jetzt die unmöglichsten Dinge über uns erzählen. Ich höre sie direkt ...«

»Tut mir Leid, dass die Suche Ihnen Unannehmlichkeiten bereitet hat. Wir mussten so schnell wie möglich Kontakt mit Ihnen aufnehmen«, erwiderte Pia nüchtern.

»Ich glaube nicht, dass wir hier irgendwie von Nutzen sein können.«

»Wir haben von Ihrer Putzfrau, Irmtraut Krüger, erfahren, dass Sie einen Schlüssel zu Ihrem Ferienhaus für Notfälle bei Ihren Nachbarn, den Suhrs, deponiert haben. Frau Krüger wollte diesen Schlüssel am Donnerstag benutzen, aber er passte nicht. Können Sie sich das erklären?«

Beide Gädekes schüttelten stumm den Kopf. Dadurch ermutigt, fuhr Pia fort: »Ich bin daraufhin zu Ihrem Haus gefahren und habe durch die Fenster gesehen. So wie es aussah, könnten sie dort Jagdgewehre aufbewahren. Wir suchen nach einem Jagdgewehr im Zusammenhang mit den Bennecke-Morden. Das Haus stand zum Zeitpunkt der Tat leer. Jemand scheint eingedrungen zu sein. Frau Krüger erwähnte noch ein nasses Waschbecken. Ich musste diesen Hinweisen nachgehen.«

»Sie glauben, dass jemand mit Ernsts Jagdgewehren diese Benneckes erschossen hat?«, fragte Ilse Gädeke erstaunt.

»Leider besteht diese Möglichkeit. Die Leute hier im Umkreis wussten ja sicherlich, dass Sie Gewehre in Ihrem Ferienhaus haben und dass Ihr Haus in der Woche meistens leer steht. Der zweite Punkt ist, dass wir noch ein Auto suchen, das der Täter wahrscheinlich benutzt hat, um zum Tatort zu kommen. Wir haben ein paar Reifenabdrücke, aber bisher kein

Fahrzeug, zu dem sie passen. Es ist auch kein passender Wagen gestohlen gemeldet oder angemietet worden. Es soll aber ein Auto des gesuchten Typs in der Garage dort stehen.«

»Unser Polo?«, empörte sich Ilse Gädeke.

»Haben Sie den Durchsuchungsbefehl angefordert?« Ernst Gädekes Stimme klang schneidend.

»Ja.«

Ernst Gädeke musterte Pia gedankenvoll. Ilse Gädeke räusperte sich: »Aber wie kommen Sie auf uns? Diese ganze Schlüsselgeschichte ist mir ein Rätsel. Wieso hat Frau Krüger nicht ihren eigenen Schlüssel benutzt? Und weshalb passte der, den wir bei Suhrs deponiert hatten, plötzlich nicht mehr? Hast du mal das Schloss ausgetauscht, Ernst?«

»Nein, habe ich nicht. Wir haben den Schlüssel, den wir August Suhr gaben, aber auch nie ausprobiert. Vielleicht passte er von Anfang an nicht, weil es gar nicht der richtige war«, mutmaßte er.

»Frau Krüger hat jedenfalls diesen Schlüssel zu den Suhrs zurückgebracht, nachdem sie festgestellt hatte, dass er nicht passt. Dann holte sie doch noch ihren eigenen Schlüssel. Ihrer passte wie immer. Sie hat damit das Haus betreten und sauber gemacht, wie wohl mit Ihnen vereinbart. Dadurch können natürlich wertvolle Spuren verschwunden sein.«

»Wenn je welche vorhanden waren ...«, meinte Ernst Gädeke warnend.

»Sie sollten auf jeden Fall morgen ebenfalls anwesend sein, um uns zu sagen, ob Sie ein Gewehr aus Ihrer Sammlung vermissen, oder ob Ihnen sonst etwas verändert vorkommt«, sagte Pia nachdrücklich.

»Ich glaube ja immer noch, dass hier viel Wind um nichts gemacht wird. Nur weil wir zufällig den Suhrs einen falschen Schlüssel als Ersatzschlüssel gegeben haben, sind wir schon verdächtig. Ich bin ja nur froh, dass wir, als es passiert ist, auf Gran Canaria waren. Sonst würden Sie uns am Ende noch wegen Mordes verhaften.«

»Wo auf Gran Canaria waren Sie denn? Kann jemand Ihren Aufenthalt dort bestätigen?«, schaltete sich Marten Unruh in das Gespräch ein.

»Ich denke, dass wir mit so etwas wie einem Alibi aufwarten können. Wir haben Freunde in Santa Brigida auf Gran Canaria besucht, mit denen wir sehr viel zusammen waren. Ich müsste nur den relevanten Zeitraum wissen. Allerdings würde mich schon interessieren, welches Motiv Sie uns eigentlich unterstellen. Wir kannten die Benneckes schließlich kaum.«

»Wir unterstellen Ihnen gar nichts. Bis vor wenigen Stunden wussten wir nicht einmal, dass Ihr Haus überhaupt existiert. Wir sammeln lediglich die Fakten. Zum Beispiel, ob Sie den Benneckes mal begegnet sind und was Sie von ihnen wussten.«

»Diese Leute waren uns völlig fremd! Überhaupt nicht unsere Wellenlänge, nicht wahr, Ernst? Wir kommen hier nach Grevendorf, um unsere Ruhe zu haben. Nicht um Kontakte zu pflegen. Kontakte haben wir zu Hause mehr als genug. Die Leute hier haben uns nie interessiert. Zu den Suhrs sagen wir natürlich ›Guten Tag‹ und ›Schönes Wetter heute‹, weil sie die nächsten Nachbarn sind, aber sonst ...« Sie machte eine wegwerfende Handbewegung, der beinahe ihr Rotweinglas auf dem Tresen zum Opfer gefallen wäre.

»Das stimmt nicht ganz, Ilse«, berichtigte sie ihr Mann, »wir hatten gelegentlich Kontakt mit den Försters. Bernhard Förster und ich kennen uns von früher. Wir sind mal alle zusammen auf die Jagd gegangen. Bei der Gelegenheit habe ich natürlich auch ein paar von den Leuten auf seinem Gut kennen gelernt. Jens Petersen, Försters Verwalter, ist ein verdammt guter

Schütze. Und die Pferdewirtin, Verena Lange, ist eine sehr sympathische Frau ...«

»Ernst!«, empörte sich Ilse Gädeke. »Davon weiß ich ja gar nichts.«

»Hatten Sie mal Nachbarn aus Grevendorf zu Besuch, als Sie hier waren?«

Ernst Gädeke stutzte einen Moment und sah zu seiner Frau hinüber.

»Wir haben Ilses 60. Geburtstag hier gefeiert. Ein kleiner Sektumtrunk am Vormittag. Da waren die Försters bei uns, Jens Petersen und Verena Lange, die Rohwers mit Kindern«, er zögerte einen Moment, »Gerlinde Kontos mit ihrer Tochter, die Suhrs und auch Irmtraut Krüger, die nun schon seit etlichen Jahren bei uns putzt.«

»Niemand von den Benneckes? Sie waren doch auch Nachbarn.«

Ilse Gädeke beugte sich nach vorn, ihr Gesicht war vom Wein gerötet.

»Mit den Benneckes hat man einfach nicht verkehrt, verstehen Sie? Ein Alkoholiker und eine bösartige Frau, dazu noch ein krimineller Sohn. Wer wollte mit denen schon zu tun haben?«

Pia runzelte nachdenklich die Stirn. So präzise hatte bisher noch niemand seine Abneigung auf den Punkt gebracht. Lag es am Alkohol oder daran, dass die Gädekes hier nicht auf gute nachbarschaftliche Kontakte angewiesen waren?

Marten sah gespannt von einem zum anderen: »Es waren also doch eine ganze Menge Leute von hier schon mal in Ihrem Haus. Jeder, der auf der Geburtstagsfeier war, war auch im Bilde über Ihre Gewehre, Ihren Zweitwagen in der Garage, vielleicht sogar darüber, dass die Suhrs einen Ersatzschlüssel hatten«, resümierte er. Er schien endlich ebenfalls von der Tragweite ihrer Entdeckung überzeugt zu sein. Dabei hatte er ihr vorhin noch schwere Vorwürfe wegen ihres eigenmächtigen Handelns gemacht. Am Ende würde er das Ganze noch als seine Arbeit ausgeben.

Pia lauschte seinem weiteren Wortgeplänkel mit den Gädekes und bemerkte plötzlich, dass sie müde war. Ilse Gädeke ließ sich gerade über die Gefahr aus, die das Spurensicherungsteam für ihre kostbare Einrichtung bedeuten würde. Ernst Gädeke beteuerte, dass alle seine Jagdgewehre selbstverständlich registriert waren und eingeschlossen in einem speziellen Gewehrschrank verwahrt wurden. Bei dem Auto in der Garage handelte es sich um einen kleinen »Drittwagen«, der hier genutzt wurde, wenn die Gädekes mit einem Auto gekommen waren, jeder aber einer anderen Tätigkeit nachgehen wollte. Pia dachte an die laufenden Kosten für ihren kleinen Citroën. Ernst Gädeke schien als niedergelassener Gynäkologe nicht schlecht zu verdienen.

Pia sah, dass auch Ernst Gädeke ein Gähnen unterdrückte. Er erklärte, dass er eine arbeitsreiche Woche hinter sich habe. Das Gespräch wurde auf den nächsten Tag verschoben, wenn sie ohnehin schlauer wären, was die Spurensicherungsarbeit betraf.

Die Gädekes gingen gemeinsam nach oben auf ihr Zimmer. Er führte sie am Arm, als ob er Angst hätte, die vier Gläser Rotwein, die sie im Laufe des Abends getrunken hatte, könnten sich unangenehm bemerkbar machen. Pia und Marten sahen ihnen nach.

»Was hältst du von ihnen?«, fragte Marten. »Scheinen mir unverdächtig zu sein. Wenn das mit dem Alibi stimmt, sind sie sowieso aus dem Schneider. Außerdem sehe ich die Verbindung zu den Benneckes nicht: kein Motiv weit und breit.«

»Es passt fast ein bisschen zu hübsch zusammen, ihr Gran-Canaria-Urlaub bei Freunden, als hier drei Menschen erschossen wurden. Die treue Putzfrau, die noch einmal alles sauber wischt, bevor unsere Leute kommen. Außerdem hat mir Herr

Gädeke uns gegenüber zu glatt reagiert nach dem Ärger, den er Hotte Gabler angeblich bereitet hat.« Pia erhob sich von ihrem Barkocker. »Ich hoffe nur, dass unsere Leute morgen etwas finden im Haus. Wenn alle Spuren Irmtraut Krügers Arbeitseifer zum Opfer gefallen sind, dann ›Gute Nacht‹.«

Marten stand ebenfalls auf: »Dann aktiviere mal alle deine Schutzengel, dass du Recht hast und wir die Gädekes nicht umsonst behelligt haben. Wenn du dich irrst, könnte das recht unangenehme Folgen haben.«

»Spar dir deinen Pessimismus für die nächsten Feiertage«, entgegnete Pia entnervt. Mit den Problemen des morgigen Tages wollte sie sich dann auseinander setzen, wenn es so weit war.

Marten strich sein Haar zurück und musterte sie kühl. »Du bist noch nicht lange genug dabei, Korittki, um dir solche Dinger erlauben zu können. Wenn du richtig liegst, hast du verdammtes Glück gehabt. Aber mein Instinkt sagt mir, dass meine spezielle Freundin Frau Bennecke«, er machte eine angedeutete Kopfbewegung nach oben, »ihre Finger im Spiel hat. Ich habe ihre finanzielle Situation überprüfen lassen. Sie hat sich an der Börse verspekuliert. Frau Bennecke ist bei ihrer eigenen Bank hoch verschuldet. Diese Frau hat einen kleinen warmen Geldregen mehr als nötig. Und dann habe ich mit der Frau gesprochen, mit der Frau Bennecke am Montagabend essen war. Sie gab an, total überrascht über Katrin Benneckes Einladung gewesen zu sein. Für gewöhnlich scheint Frau Bennecke die Abende lieber allein in ihrer Wohnung oder in ihrem Büro zu verbringen. Es riecht förmlich nach einem geplanten Alibi. Und das weist darauf hin, dass Katrin Bennecke jemanden angeheuert haben könnte, der die Morde für sie erledigt. Und so jemand hält sich nicht in irgendwelchen Ferienhäusern auf: Der kommt, schlägt zu und verschwindet schnellstens wieder.«

»Ach ja, und wie bringst du das verschwundene Mädchen da

mit hinein? Schon vergessen? Agnes Kontos ist seit gestern Abend verschwunden. Ich habe heute ihr herrenloses Fahrrad im Schnee besichtigen dürfen«, entgegnete Pia. Der Gedanke an Agnes regte sie erneut auf.

»Die Kleine ist bestimmt nur abgehauen, weil sie irgendwo einen Typen hat, mit dem sie in Ruhe bumsen will.«

»Marten – halt einfach die Klappe ...«, sagte Pia, bevor sie sich auf dem Absatz umdrehte und den Raum verließ. Sie schwankte zwischen Entrüstung und dem Gefühl, einen Schritt zu weit gegangen zu sein. Auf der Treppe fiel ihr dann ein, dass sie ihrem Kollegen noch nichts von den Drohbriefen erzählt hatte, die Ruth Bennecke bekommen hatte. Zu spät! Für heute hatte sie genug von all dem. Dem Mord, den Leuten hier, dem mittelmäßigen Hotel und dem einsamen Kaff ... sie wollte nur noch schlafen.

22. KAPITEL

Petra Suhr saß reglos am verlassenen Abendbrottisch. Sie starrte aus dem Fenster in den kleinen Gemüsegarten hinter ihrem Haus. Ein ödes Stück Erde. Eingezäunt, umgegraben, in ein Ordnungsschema gepresst und – nutzlos. Fast ein Symbol für ihr eigenes Leben.

Sie konnte sich nicht dazu aufraffen, mit den immer gleichen Handgriffen den Tisch abzuräumen. Sie musste nur Teller, Tassen und Besteck in den Geschirrspüler stellen, Aufschnitt, Butter und Käse in die dafür vorgesehenen Behältnisse und dann in den Kühlschrank. Ein letztes Mal mit dem feuchten Lappen über den Resopaltisch gewischt und die Küchenarbeit wäre für heute erledigt.

Petra schob die Brotkrümel auf ihrem Brett mit dem Messer zu einer schmalen Linie zusammen und dann wieder auseinander. Sie lauschte auf die Geräusche im Haus: Hanno duschte gerade und neben dem Rauschen des Wassers war auch das Brummen der Pumpe zu hören, die das Wasser aus dem eigenen Brunnen aus etwa 40 Metern Tiefe nach oben beförderte. So tief mussten sie jetzt schon bohren, um noch sauberes Trinkwasser zu bekommen. Ihre Eltern hatten noch einen Brunnen mit Oberflächenwasser gehabt.

Alles ging bergab. Nach nunmehr drei Jahren Ehe mit Hanno, unter den Augen ihres unversöhnlichen Schwiegervaters, fühlte Petra sich einsam und wertlos. Ihr Leben kam ihr vor wie eine einzige Plackerei ohne Sinn. Der Hof war hoch verschuldet, die Ferkelpreise im Keller. Trotz all ihrer Mühen und dem Idealismus, alles anders und besser zu machen, war kein rettendes Land in Sicht. Jetzt konnte sie eigentlich nur noch ein Lottogewinn vor dem Ruin retten.

»Wir hätten dieses Haus noch nicht bauen sollen«, lautete jeder zweite Satz bei Hanno, wenn das Thema Geld zur Sprache kam. Ein angedeuteter Vorwurf, weil sie auf ein separates Haus bestanden hatte, um nicht bei ihrem Schwiegervater mit am Tisch sitzen zu müssen. Das Beste war, wenn dann noch kam: »Wir brauchen es ja auch noch nicht. Wer weiß, ob wir es je brauchen werden ...« Gemeint war damit das unausgebaute Dachgeschoss, Platzreserve für zwei bis vier Kinderzimmer. Es musste wohl eine Zeit gegeben haben, als sie noch optimistisch gewesen waren, sowohl was ihre wirtschaftliche als auch was ihre biologische Zukunft anbetraf.

Petra hatte im ersten Ehejahr weiter die Pille genommen, damit in der Bauphase ihres Hauses »nichts dazwischenkam«. Leider kam auch später »nichts dazwischen«. Petra wurde und wurde nicht schwanger. Ihr Schwiegervater hatte Monat um

Monat ihren Zustand belauert, dann unpassende Bemerkungen gemacht über Frauen, die lieber »Karriere« im Schweinestall machen, anstatt Kinder in die Welt zu setzen.

Petra, die sich bisher immer für robust und gesund gehalten hatte, bekam Zweifel, ob bei ihr alles in Ordnung wäre. Sie hatte ihren Hausarzt um Hilfe gebeten. Noch heute trieb ihr die Erinnerung an das Gespräch die Schamröte ins Gesicht. Dr. Keller hatte mit routiniertem, jovialem Verständnis reagiert, sie darauf aufmerksam gemacht, dass sie die fruchtbarste Dekade ihres Lebens bereits hinter sich gelassen hatte, und zu Geduld und Ablenkung geraten. Dass Hanno drei Jahre jünger war als sie, war bei dieser Feststellung auch keine Hilfe gewesen. Sie begann, in ihren Körper hineinzuhorchen, jedes Ziehen im Unterleib zu registrieren und ihre Regelblutung zu hassen. Ihr Körper reagierte auf diese lieblose Behandlung mit bisher unbekannten Schmerzen. Zu hoffen, dass das Anzeichen einer frühen Schwangerschaft sein könnten, hatte Petra längst aufgegeben. Sex war zur Pflichtübung geworden. Durch jede schwangere Frau im Bekanntenkreis fühlte sie sich gedemütigt. Sie hatte sich schon ausgerechnet, wie viele Eisprünge sie bis zu ihrem 40. Geburtstag noch zu erwarten hatte. Dieses Alter hatte sie sich selbst als Limit für die Erfüllung ihres Kinderwunsches gesetzt. Aber bis dahin hatte einer von ihnen, sie oder Hanno, eh längst das Handtuch geworfen.

Ihre Gedanken wanderten noch einmal zu dem Gespräch zwischen ihnen am Abendbrottisch zurück. Es war wie immer um die Schweine gegangen. Eine Sau mit Fieber hatte drei tote Ferkel geboren, im Abferkelstall war der Strom ausgefallen. War es notwendig, die Bestände zu erhöhen, um wirtschaftlicher zu arbeiten? Petra sträubte sich gegen den Gedanken, noch einmal zu investieren und die Schulden weiter in die Höhe zu treiben. Andererseits hieß es, entweder vorwärts zu gehen oder den Betrieb aufzugeben. Es war zum Verzweifeln. Petra fragte sich, ob ein Kind an dieser Misere psychologisch etwas ändern würde. Ob sie mehr riskieren würde, wenn da einer nachkäme, der den Hof vielleicht übernehmen könnte?

Diesen Gedanken hatte Petra ihrem Mann gegenüber nicht ausgesprochen. Dieses Thema war zurzeit tabu, weil es nur mit Streit oder Kummer verbunden war. Wenn sie allerdings weiterhin alles ausklammerten, was sie emotional bewegte, so blieb am Ende nichts, worüber es sich zu reden lohnte. Kaum dass sie über die Ereignisse im Ort miteinander sprachen: den Streit im Ortsrat über die neuen Laternen für Grevendorf, das neue Pferd im Stall von Rothenweide oder den Mord an ihren Nachbarn.

Es ist verdammt still geworden bei uns im Haus, dachte Petra. Sie stützte den Kopf in die Hände, die brennenden Augen in den Handtellern geborgen, um sich am Weinen zu hindern. Fast so still, wie es jetzt drüben im ›Grund‹ sein muss ...

Sie schauderte, dachte an die ehemals bewohnten und nun leeren, kalten Räume. Ob es den Benneckes nun besser ging als zu Lebzeiten? All ihrer Probleme enthoben, sorgenfrei? Sie sah Malte Bennecke vor sich, wie sie ihn unzählige Male gesehen hatte, wenn er mit seinem Motorrad auf den Hof gebraust kam. Der Kies flog unter seinen Rädern auf, wenn er bremste. Er hatte seinen Helm abgenommen und sich das verschwitzte dunkle Haar zurückgestrichen. Am Anfang ihrer Ehe und auch davor, waren sie ab und zu zusammen Motorrad gefahren. Einfach ins Blaue, um ein Eis zu essen oder etwas zu trinken. Malte war stets gut drauf gewesen, hatte irgendein Mädchen im Schlepptau gehabt und genug Geld in der Tasche. Selbst als sie in Hanno frisch verliebt gewesen war, hatte sie Maltes Anziehungskraft gespürt. Er hatte sie einfach in alle Richtungen verstrahlt wie knisterndes Lagerfeuer seine Wärme. Er wollte bestimmt nicht tot sein, in einer Holzkiste auf dem Grevendorfer Friedhof vor sich hin modern.

Wann wohl die Beerdigung stattfinden würde?

Sie hätte gern gewusst, ob Hanno die gleichen Gedanken hatte wie sie, ob er sich ähnlich fühlte, wenn er an Maltes Tod dachte. Einige von ihren Bekannten waren jung gestorben, weil sie mit dem Motorrad verunglückt waren, aber ein Mord war etwas anderes. Doch Hanno hatte sich in sich zurückgezogen, besonders in den letzten Tagen.

Hannos Ruf nach einem Handtuch riss sie aus ihren Gedanken. Er hatte wohl mal wieder sein Duschhandtuch am anderen Ende des Badezimmers vergessen und keine Lust, nackt und nass die Wärme der Duschkabine zu verlassen. Petra erhob sich, um ihm diesen kleinen Liebesdienst zu erweisen. Wer weiß, vielleicht ergab sich ja doch mehr daraus ...

Der Weg zum Ferienhaus der Gädekes war morastig und unwegsam. Von beiden Seiten bedrängten Büsche und Bäume das bloßliegende Stück Erde, als forderte die Natur es von den Menschen zurück. Herabhängende Zweige, die Pia in der Dunkelheit nicht sehen konnte, streiften ihr Gesicht. Sie stolperte über Baumwurzeln und Steine. Hinter jeder Biegung erwartete sie, die Lichtung zu sehen und das Haus, in dessen Fensterscheiben sich das Mondlicht spiegeln würde. Durch die unmittelbare Nähe des Sees war die Luft feucht und noch kühler als an der Straße, wo sie ihr Auto hatte stehen lassen. Als Pia etwas Kleines, Leichtes über den Fuß huschte, machte ihr Herz vor Schreck einen kleinen Aussetzer.

Sie hatte schon Zweifel, ob sie überhaupt auf dem richtigen Weg war, da tauchte es hinter einer scharfen Biegung endlich auf: ein kleines Holzhaus, dessen Giebelfront ihr zugewandt lag. Der Architekt hatte scheinbar versucht, das Haus harmonisch in die Landschaft einzufügen und altmodisch wirken zu lassen. Es sah ein bisschen nach »Hänsel und Gretel« aus. Neben der Haustür sprang eine am Vordach befestigte Laterne an, wahrscheinlich über einen Bewegungsmelder gesteuert. Die Fenster waren alle dunkel, kein Rauch stieg aus dem Schornstein auf, kein Geräusch drang nach draußen.

Pia wusste nicht genau, was sie hier wollte. Sie wurde von diesem Ort angezogen wie durch ein unsichtbares Band. Sie durfte es auf gar keinen Fall betreten. Aber es barg ein Geheimnis, dem sie so schnell wie möglich auf die Spur kommen musste. Pia merkte, dass sie ging und ging, aber dem Haus nicht näher kam. Hinter ihr, im Dickicht, knackte und raschelte es. Sie wollte vorwärts laufen, aber es gelang ihr nicht. Ihre Beine fühlten sich an, als versuchte sie, in einem Sumpf vorwärts zu kommen.

Pia wurde klar, dass sie einen furchtbaren Fehler gemacht hatte, nachts allein hierher zu kommen. Sie zwang sich, normal zu gehen, und näherte sich dem Haus schließlich doch.

Die Geräusche hinter ihr waren verstummt. Pia musste sich auf Zehenspitzen stellen, um durch die Fenster in das Innere des Hauses zu sehen. Das Erdgeschoss lag etwas erhöht, wahrscheinlich wegen der morastigen Lage des Hauses am Ufer des Sees. Sie schirmte ihr Gesichtsfeld mit den Händen ab und starrte angestrengt hinein. Es war der Raum, der ihrer Erinnerung nach der Wohnraum war.

Das Mondlicht war so hell, dass die altmodischen Sprossenfenster gestochen scharfe Schatten auf die blanken Holzdielen warfen. Pia konnte die geschwungenen Linien einer Biedermeier-Sitzgruppe erkennen, die Trophäen an der Wand über dem Kamin, einen Sekretär vor dem Fenster. Was hatte sie denn erwartet? Den Mörder mit dem Gewehr?

Wie schon am Nachmittag zuvor, überfiel sie auf einmal das deutliche Gefühl, beobachtet zu werden. Sie wagte es nicht, sich schnell herumzudrehen, sondern versuchte, aus den Augenwinkeln heraus zu sehen, ob sich jemand dem Haus näherte. War der hechelnde Atem, den sie hörte, ihr eigener? Ein paar glühende rote Augen näherten sich ihr aus der Dunkelheit.

Plötzlich wurde ihr klar: Das ist ein Albtraum! Ich muss sofort aufwachen, ich muss jetzt nur die Augen öffnen, und alles ist vorbei. Sie hatte das schon einmal getan, in ihrer Kindheit, als ein regelmäßig wiederkehrender Albtraum sie quälte. In dem Moment, bevor es unerträglich wurde, konnte sie erkennen, dass sie nur träumte, und sich den Befehl zum Aufwachen geben. Es war ein Gefühl, als würde sie in ein tiefes Loch fallen, und kostete sie all ihre Willenskraft.

Letztlich riss sie die Augen auf und lag mit rasendem Puls und durchgeschwitztem T-Shirt im Bett. Es dauerte eine Weile, bis sie vollständig von Traum auf Wachzustand umgeschaltet hatte. Noch länger dauerte es, bis sie wusste, wo sie war.

Sie lag in Grevendorf in einem Hotelzimmer, der Traum hatte sich mit ihrer Arbeit beschäftigt. »Verdammter Mist! So weit ist es also schon gekommen«, flüsterte sie mehr resigniert als wütend.

Morgen Früh würde die Spurensicherung das Ferienhaus der Gädekes auseinander nehmen. Vorher konnte sie sowieso nichts tun. Wieder einzuschlafen schien ihr aber auch unmöglich zu sein. Sie sah auf das Display ihres Mobiltelefons, um die Uhrzeit festzustellen: Es war kurz nach eins. Sie hatte gerade mal zwei Stunden geschlafen. Pia lauschte in die Dunkelheit. Es war nichts weiter zu hören als das Heulen des Windes, der um das Hotelgebäude strich.

Pias Adrenalinspiegel war durch den nervenaufreibenden Traum so hoch, dass sie meinte, für Stunden nicht wieder einschlafen zu können. Außerdem hatte sie die Befürchtung, weiterzuträumen. Ihr Unterbewusstsein schien sich ohne Unterlass mit diesem Fall zu beschäftigen.

Robert hatte ihr einmal erzählt, dass er die Lösung eines Falles geträumt hatte, bevor er sie im wachen Zustand erfassen konnte. Er hatte den Mörder einer alten Frau im Traum gesehen, angeblich jemanden, der nicht einmal zu den Hauptverdächtigen gehörte. Es war ein Nachbar, der die Tote angeblich gefunden hatte. Seine Intuition hatte sich später als richtig herausgestellt. Ein Hinweis dafür, dass unser Unterbewusstsein mehr Details registriert, als wir in wachem Zustand wahrnehmen können. Damals, als Robert ihr das erzählt hatte, hatte es für Pia fantastisch und wunderbar geklungen: die Lösung eines Problems einfach zu träumen. Nun, da sie selbst mit Mordfällen zu tun hatte, fand sie es grauenhaft. Sie wollte nicht, dass Mörder sie im Traum besuchten.

Sie knipste die Nachttischlampe an. Der Gedanke an Robert erfüllte sie plötzlich mit Sehnsucht und Unruhe. Es schien ihr nicht möglich, auch nur noch eine halbe Stunde länger in diesem Hotel zu bleiben. Sie redete sich ein, dass sie Klarheit haben wollte, wie es um sie und Robert stand. Früher war Robert oft noch spät abends in ihre Wohnung gekommen. Wenn sie schon schlief, hatte er sich zu ihr ins Bett gelegt, sich an sie gepresst und sie hatten sich geliebt. Früh am Morgen war er oft schon wieder verschwunden.

Pia schwang die Beine unter der warmen Bettdecke hervor. Dieses Mal würde sie zu ihm fahren. Für einen kurzen Augenblick wurde sie in ihrem Vorhaben schwankend, denn es war deutlich abgekühlt im Zimmer. Sie kontrollierte, ob die beiden Fenster geschlossen waren, aber nur um festzustellen, dass es so durch die Rahmen zog, dass sich die Vorhänge blähten.

Sie zog sich eine schwarze Jeans und einen dunkelgrauen

Rollkragenpullover über, band ihr Haar zu einem Zopf zusammen, griff im Vorbeigehen nach ihrer Jacke und ihrem Telefon und verließ das Hotelzimmer. Sie war froh, den Dienstwagen am Nachmittag noch voll getankt zu haben, denn hier draußen waren Tankstellen, die nachts geöffnet hatten, bestimmt eine Seltenheit. Nach Hamburg standen ihr knapp 100 Kilometer Fahrt bevor. Pia hoffte, dass ihr innerer Aufruhr sie am Einschlafen während der monotonen Fahrt hindern würde.

Verstohlen und leise verließ sie das Hotel. Ihr Gewissen sagte ihr, dass sie am nächsten Morgen fit sein sollte. Ihr Verstand, dass das, was sie tat, sinnlos und ihrer nicht würdig war. Aber ihr Gefühl diktierte den Weg: Sie wollte wissen, woran sie war.

Liebte Robert sie noch, oder war alles aus?

Sein Verhalten in den letzten Tagen sprach eigentlich eine deutliche Sprache. Andererseits hielt Pia ihn für ehrlich genug, ihr zu sagen, wenn er Schluss machen wollte. Möglicherweise gab es eine einleuchtende Erklärung für sein Schweigen, etwas, das mit seiner Arbeit zu tun hatte ...

Pia stieg in das Auto, dessen eiskalte Sitzpolster ihre Rückenmuskeln in Sekunden verspannen ließen. Sie schaltete die Heizung auf Maximum. Dann drehte sie so lange am Radioknopf herum, bis sie mit Knacken und Rauschen einen lokalen Hamburger Radiosender zu fassen bekam, der die Fahrt mit melancholisch-sehnsüchtigen Klängen untermalte.

Auf der Autobahn gab sie Vollgas. Es waren nicht mehr viele Verrückte wie sie unterwegs, die rastlos ihren Weg durch die Nacht suchten. Irgendwann erschien vor ihr ein orangefarbener Schein am Himmel, die Reflektion der Großstadtlichter.

Der Verkehr auf der Straße nahm zu, je näher sie dem Zentrum der Metropole kam. Der Takt der Reize wurde schneller, die Lichter heller. Sie suchte ihren Weg nach Westen, denn Robert hatte eine Wohnung in Eimsbüttel, hoch im fünften Stock gelegen, direkt an einer der Hauptverkehrsadern der Stadt.

Vor seinem Haus stehend versuchte Pia noch einmal, ihn telefonisch zu erreichen. Erst in seiner Wohnung, wo sich der Anrufbeantworter einschaltete, dann auf dem Handy, das auf die Mobilbox schaltete. Pia unterließ es, irgendwelche Nachrichten zu hinterlassen: Was hätte sie auch sagen sollen?

Sie stieg aus und ging zur Haustür. Dabei starrte sie immer wieder nach oben, um zu erkennen, ob Licht in den richtigen Fenstern brannte. Es sah alles dunkel aus: Kein Wunder, nachts um halb drei Uhr. Pia fischte Roberts Schlüssel aus ihrer Jackentasche und schloss auf.

Als sie oben im fünften. Stock vor seiner Wohnungstür stand, schlug ihr Herz wie nach einem 1000-Meter-Lauf. Sie klopfte an und wartete, lauschte, ob sich drinnen etwas regte.

Als sie nichts hörte, schloss sie auf und trat ein. Die Tatsache, dass zweimal abgeschlossen war, deutete darauf hin, dass wirklich niemand zu Hause war. Bei der Anzahl der vorhandenen Zimmer und der Schlichtheit der Einrichtung dauerte es nur wenige Sekunden, um sicherzugehen.

Das Bett war ordentlich gemacht, die Küche sauber und aufgeräumt. In der Spüle standen noch eine abgespülte Milchkaffeeschale und ein Aschenbecher. Die Staubschicht auf dem gläsernen Couchtisch im Wohnzimmer und dem schwarzen Fernseher deutete bei Roberts Sauberkeitswahn auf eine längere Abwesenheit hin.

Pia gefiel ganz und gar nicht, was sie sah. Vielleicht war Robert etwas passiert. Sein Job war nicht ungefährlich. Außerdem fuhr er gern schnell und rasant Auto. Andererseits hätte sie es gehört, wenn einem Kollegen in Hamburg etwas Gravierendes zugestoßen wäre, dafür wurde zu viel geredet.

Vollends zerstört wurde der Gedanke an einen Unfall, als Pia auf seinen Schreibtisch blickte.

Dort hatte er seit einiger Zeit ein Foto von ihr am Fuß der Halogenleuchte befestigt gehabt. Pia stand einen Augenblick vor dem Schreibtisch und nahm das Bild in sich auf. Alles war an seinem Platz: die Lederauflage, der chromfarbene Stifthalter, der metallene Korb für die Post, die Lampe ... nur das Foto fehlte. Wäre Robert nicht so ein zwanghaft ordentlicher Mensch, man hätte das für ein Versehen halten können. Pia gab sich jedoch keiner Illusion hin: Wenn er ihr Foto entfernt hatte, dann um es vor jemandem zu verbergen, und dieser jemand war eine andere Frau. Das Foto war ein Schnappschuss gewesen, aufgenommen bei einem Segeltörn mit Freunden. Robert hatte das Foto an die Leuchte geklipst, weil es eines der wenigen Bilder von Pia war, auf denen sie lächelte.

Plötzlich fühlte sie sich sehr müde. Sie war umsonst gefahren. Während der Autofahrt hatte die Unsicherheit, ob sie Robert antreffen würde, sie wach gehalten. Nun fühlten sich ihre Knochen bleischwer an und die Augenlider fielen gegen ihren Willen zu. Sie schleppte sich noch bis zu dem schwarzen Ledersofa, streifte ihre Stiefel ab und rollte sich auf der Sitzfläche zusammen. Sie wollte nur einen Augenblick die Augen schließen. Bevor sie richtig lag, war sie fest eingeschlafen.

Sie wurde erst wieder wach, als ihr eiskalt war. Ihre Versuche, sich im Halbschlaf mit einer herumliegenden Tageszeitung zuzudecken, waren erfolglos geblieben. Sie warf einen Blick auf die Uhr im Videorekorder und fuhr erschreckt hoch. Die rote Digitalanzeige stand auf 4.31 Uhr. Ihr wurde klar, dass sie richtig tief eingeschlafen war. Zusammengerollt wie ein Embryo hatte sie gelegen, in einem Raum, der höchstens 15 Grad warm war.

Beim Aufstehen protestierte ihr Rücken und sie konnte den

Kopf kaum drehen. Außerdem hätte sie längst wieder in Grevendorf sein sollen. Sie musste schnellstens zurückkehren, möglichst bevor ihr Kollege von ihrer blödsinnigen Fahrt erfuhr.

Also vergewisserte sie sich noch kurz, dass in der Wohnung alles beim Alten war, zog die Wohnungstür hinter sich zu und drehte den Schlüssel zweimal um. Dann machte sie sich auf den Rückweg, von dem sie jetzt schon wusste, dass er schauderhaft werden würde.

23. KAPITEL

Als sie um sechs Uhr morgens auf den angrenzenden Parkplatz fuhr, lag das Hotel noch dunkel und unbelebt da. Pia schleppte sich mit schweren Schritten ihrem Bett entgegen, in dem sie sich noch eine Stunde ausruhen wollte, bevor sie sich wieder mit ihrer Arbeit befasste.

In der Hotelhalle am Fuße der Treppe wäre sie beinahe mit Marten Unruh zusammengestoßen. Er hatte es vorgezogen, im Dunkeln seinen Weg nach unten zu suchen. Pia kam vor Müdigkeit und Schreck ein kleiner Aufschrei über die Lippen, dann fluchten sie beide und musterten sich gegenseitig. Martens Gesicht sah so aus, als wäre er unsanft geweckt worden.

»Gut, dass du da bist«, sagte er, ohne weiter auf die Richtung einzugehen, aus der sie unerwartet kam, »wir müssen sofort los, die Dinge spitzen sich zu …«

»Was ist los, warum bist du so früh schon auf? Ich wollte gerade noch einmal für eine Stunde ins Bett«, meinte Pia, die nicht gerade auf der Höhe ihrer Aufnahmefähigkeit war.

»Das musst du dir für später aufsparen, es hat wieder einen Mord gegeben«, entgegnete er knapp.

»Oh, Gott, habt ihr Agnes gefunden? Ist sie tot?«

»Nein, wir fahren zu den Suhrs, komm schon ...«

»Moment mal«, sie musste hinter ihm hertraben, um ihn ein-zuholen, »was ist passiert? Wenn es nicht Agnes ist, wer dann?«

»Es ist Hanno Suhr. Sein Vater hat ihn eben gefunden und die örtliche Polizei verständigt. Weber hat mich sofort angeru-fen. Nun kommen die Kollegen von der Spurensicherung erst mal dort zum Einsatz, bevor sie zu deinen Gädekes fahren.«

Pia musste die Nachricht, dass Hanno Suhr tot war, erst ein-mal verarbeiten. Sie registrierte die Provokation im zweiten Satzteil nur am Rande. Was war nur los in diesem verschlafe-nen Nest? Wer von den Bewohnern hatte das Morden zu sei-ner Gewohnheit gemacht?

Sie stiegen in den Wagen, der noch von der Fahrt aus Ham-burg warm war, und schossen die schmale Straße hinunter, die Grevendorf mit dem Hof der Suhrs verband. Die örtliche Poli-zei war schon da.

Das Bild, das sich ihnen dort bot, ähnelte der Szenerie neu-lich auf dem ›Grund‹. Ein ihnen unbekannter, uniformierter Beamter führte sie in den Schweinestall. Hier hatte Pia vor ein paar Tagen Petra angetroffen. Es kam ihr so vor, als wäre dieses Gespräch eine Ewigkeit her.

Drinnen herrschte wieder dieses ohrenbetäubende Quie-ken. Die großen Wärmelampen tauchten den Raum in unwirk-liches rotes Licht. Es wirkte fast ein wenig frivol. Hanno Suhr lag reglos in der Stallgasse, Arme und Beine weit von sich ge-streckt. Er trug Arbeitskleidung: einen grünen Overall und olivfarbene Gummistiefel. Eine Taschenlampe lag neben seiner rechten Hand auf dem Betonboden, das Glas war gesplittert. Er lag auf dem Bauch. Wo sein Hinterkopf hätte sein sollen, klaffte eine offene Wunde, die aus blutiger Gehirnmasse, Haut, Haar und Knochensplittern bestand.

Dass Hanno Suhr tot war, daran gab es keinen Zweifel. Er musste schon ein paar Stunden dort liegen, Schwärme von Fliegen surrten um ihn herum. Sein Kopf war halb zur Seite gedreht, sein Gesicht zeigte den Ausdruck totaler Überraschung.

Pia konnte den Blick nicht abwenden. Die brutal zugerichtete Leiche auf dem feuchten Betonboden, die ekelhaften Fliegen und der Lärm der Ferkel, der sich fast wie Kindergeschrei anhörte ... Dazu kam der Geruch von Schweinekot und Blut – und das alles um kurz nach sechs Uhr am Morgen, nach einer Nacht fast ohne Schlaf.

Pia merkte, wie ihr schwindelig wurde und sich große Mengen Speichel in ihrem Mund sammelten. Als sich dann eine Fliege auf ihrer Wange niederließ und kaum wieder wegzuscheuchen war, krampfte sich ihr Magen zusammen und sie musste schlucken ... Sie schaffte es gerade noch bis vor die Stalltür, wo sie sich in hohem Bogen in die Brennnesseln übergab.

Danach fühlte sie sich besser. Sie wischte sich den Mund mit einem Papiertaschentuch ab und atmete tief die kalte, klare Morgenluft ein. Am Horizont war tatsächlich schon ein heller Streifen zu sehen. Die Müdigkeit war verschwunden. Sie fühlte sich bereit, alles zu tun, was nötig sein würde, um den Menschen zu fassen, der dieses hier zu verantworten hatte.

Als Pia wieder in den Stall kam, sah sie Petra Suhr auf einer großen Holzkiste am Ende des Ganges sitzen. Sie hatte die Beine angezogen, mit den Armen umschlungen, und ihr Kopf lag seitlich auf ihren Knien. Da sie nichts als eine Jogginghose und ein T-Shirt trug, ging Pia zu ihr und legte ihr ihre Jacke über die Schultern. Petras Blick ging in Richtung der Stallgasse, in der sich die Leiche ihres Mannes befand. Ihre Augen waren rot und verquollen, ihr Blick leer.

»Es tut mir sehr Leid, was hier passiert ist«, murmelte Pia und legte ihre Hand auf Petras Schulter, um irgendwie zu ihr durchzudringen. Petra schloss für einen Moment die Augen. Als sie sie wieder öffnete, war ihr Blick gequält und völlig hoffnungslos. Pia zwang sich dazu, die Situation durchzustehen, obwohl sie am liebsten davongelaufen wäre. Die anwesenden Männer retteten sich in sturen Aktionismus und vermieden es, auch nur zu Petra Suhr hinüberzusehen.

»Das kann nicht sein«, flüsterte Petra, »es kann nicht Hanno sein. Wer tut so etwas? Welche Bestie von Mensch tut einem anderen so etwas an?«

»Das wissen wir noch nicht. Aber wir werden es herausfinden.«

»Aber Hanno? Er ist tot! Er wird durch nichts auf der Welt wieder lebendig werden.«

»Ja, das ist wahr.«

Petra brach in Tränen aus und verbarg ihr Gesicht auf ihren Knien. Pia winkte eine junge Polizeibeamtin in Uniform herbei, die unsicher zu ihnen schaute.

»Wir müssen Frau Suhr ins Haus bringen. Ich möchte nicht, dass sie noch hier ist, wenn die Kriminaltechnik hier anrückt. Können Sie das erledigen? Und organisieren Sie ihr auch gleich etwas Heißes zu trinken und eine Decke. Sie steht unter Schock.« Die junge Frau sah kräftig genug aus, um Petra Suhr im Zweifelsfall auch halb tragend ins Haus zu befördern.

Als Petra Suhr mit der Beamtin den Stall verlassen hatte, nahm Pia sich die Zeit, sich den Tatort genau anzusehen. Die Spurensicherung würde zwar später alles auseinander nehmen und viele Fotos schießen, aber der Gesamteindruck war wichtig.

In der Stallgasse, wo die Leiche lag, fachsimpelten Marten Unruh, Thomas Roggenau und der Arzt über die Todesursache und die Mordwaffe. Der Arzt gab nach einer kurzen

Untersuchung des Toten an, dass Hanno Suhr seit mindestens vier Stunden tot war, höchstens jedoch seit sieben bis acht Stunden. In der Zwischenzeit waren schon viele Menschen durch den Stall gelaufen, hatten mögliche Spuren zerstört.

Trotzdem hoffte Pia, vielleicht doch noch ein interessantes Detail zu entdecken. Als sie schon fast aufgeben wollte, wurde sie am Rande einer Ferkelbox unweit der Leiche doch noch fündig: Da lag ein leuchtend blauer Kugelschreiber im Stroh. Pia pfiff leise durch die Zähne und hob ihn mithilfe einer durchsichtigen Plastiktüte auf. Es war ein schlichtes Exemplar, wie es millionenfach zu Werbezwecken hergestellt wird. Bemerkenswert war nur der schwarze Aufdruck »benson marketing« in kleinen Buchstaben. Pia freute sich einen kurzen Augenblick wie ein Kind, das das größte Schokoladenosterei gefunden hat.

Allerdings nur, bis ihr Blick wieder auf Hannos Stiefel vor ihr am Boden fiel. Die Tragik der Situation hatte sie wieder eingeholt. Vielleicht war der Kugelschreiber ein Hinweis auf irgendwen oder irgendwas, vielleicht aber auch nur ein dummer Zufall? Petra, Hanno oder August Suhr konnte der Stift bei der Arbeit ganz einfach aus der Tasche gerutscht sein.

Petra saß im Haus am Küchentisch. Sie war in eine karierte Wolldecke eingewickelt und hatte eine heiße Tasse Tee vor sich stehen. Ihr Blick war auf einen Punkt weit außerhalb des Raumes gerichtet.

Als Pia sich zu ihr setzte, umfasste Petra den Becher mit beiden Händen und schob ihn auf der Tischplatte hin und her, was ein nervenaufreibendes Schleifgeräusch verursachte. Pia hielt ihre Hände fest. Der Blick, den ihr Petra Suhr daraufhin zuwarf, war voller Hass und Verzweiflung. Für einen Moment war Pia aus dem Konzept gebracht. Wenn sie jetzt die richtigen

Fragen stellte, dann könnte Petra Suhr ihr vielleicht den entscheidenden Hinweis geben. »Die Waffe des Kriminalbeamten ist das Wort«, hatte es in ihrer Ausbildung immer wieder geheißen. Gab es Worte, die zu dieser verstörten Frau durchdringen konnten?

»Von Ihrer Aussage hängt jetzt viel ab«, begann Pia das Gespräch, »je schneller wir sind, desto größer ist die Chance, den Mörder Ihres Mannes wirklich zu fassen.«

»Ersparen Sie mir das! Reden macht Hanno auch nicht wieder lebendig. Reden hat doch noch nie etwas gebracht ... Das war kein normaler Mensch, der das getan hat. Das war ein perverses Monstrum. Außerdem weiß ich nichts und will alleine sein ...«

»Sie werden später noch lange genug allein sein. Aber wollen Sie sich dann den Vorwurf machen, nicht alles getan zu haben, um Hannos Mörder zu finden?«

»Sie haben nicht verstanden! Lassen Sie mich in Ruhe. Ihr Bullen habt keine Ahnung!«

Pia unterdrückte den starken Impuls, jetzt tatsächlich zu gehen, sondern versuchte es auf andere Weise noch einmal.

»Ich habe Sie für einen vernünftigen Menschen gehalten. Ich habe Sie fast ein wenig bewundert für Ihren Mut. Spielen Sie hier jetzt nicht die Mimose, sondern tun Sie etwas! Reden Sie mit mir. Ich will dieses Schwein drankriegen, und Sie wollen das auch.«

Petra begann, mit geschlossenen Augen ihren Kopf über die Schulter nach hinten zu rollen und wieder zurück. Es sah so aus, als wolle sie ihre verspannten Nackenmuskeln lockern.

Die Haltung der Polizeibeamtin im Hintergrund wurde wachsam. Sie machte sich scheinbar darauf gefasst, zuzupacken, wenn es nötig werden würde.

Pia wartete ab.

Nach einer Weile öffnete Petra die Augen. Ihr Kopf lag im Nacken, ihr Blick war an die Zimmerdecke gerichtet:

»Na gut. Fragen Sie, aber schnell, bevor ich es mir anders überlege.«

Pia bemerkte, dass sie vor Anspannung die Luft angehalten hatte. Langsam atmete sie wieder aus.

»Wann haben Sie Ihren Mann zum letzten Mal lebend gesehen? Beschreiben Sie, wie der gestrige Abend verlaufen ist.«

»Es war alles wie immer. Wir haben gegen halb acht zusammen Abendbrot gegessen und danach Fernsehen geguckt. Es gab ... ich weiß nicht mehr, was es gab, irgendetwas. Um zehn war ich hundemüde und bin ins Bett gegangen. Da war Hanno noch im Wohnzimmer. Danach ...«, sie schluchzte auf, »danach habe ich erst wieder etwas von ihm gehört, als August mich aufweckte und sagte, es sei etwas Furchtbares passiert. Ich dachte erst, es brennt oder alle Schweine wären tot umgefallen. Außerdem merkte ich, dass Hanno noch gar nicht im Bett gewesen war. Ich zog mir schnell was über und rannte in den Stall hinüber. Da sah ich ihn dann auf dem Boden liegen und mit dieser furchtbaren Wunde am Kopf ...«

Sie stützte den Kopf in die Hände und brauchte einen Moment, um sich wieder zu fassen.

»Ist irgendetwas Besonderes vorgefallen, gestern oder in den Tagen davor? Anrufe, Briefe, Besuche? Etwas, das ungewöhnlich war?«

Petra nahm sich ein paar Minuten Zeit, um zu überlegen. Pia und die Polizeibeamtin im Hintergrund warteten gespannt. In der Stille hörte Pia das Ticken der Küchenuhr unnatürlich laut.

»Nein, ich kann mich an nichts erinnern, jedenfalls nicht spontan. In der Post war das Übliche: Rechnungen, Werbung, eine Ansichtskarte aus Florida, die Zeitung. Unser Anteil liegt zum Teil noch ungeöffnet im Büro, sie können gerne nachsehen. Es war auch niemand hier, der nicht öfter hereinschaut, außer Ihnen und Ihrem Kollegen natürlich. August hat sich ziemlich darüber aufgeregt.«

»Wer schaut denn öfter herein und war auch in den letzten vier Tagen hier?«

»Sie meinen, seit den Morden an den Benneckes? Der Tierarzt war da, eine reine Routineangelegenheit. Dann kam Verena am Dienstag auf einen Kaffee herein, wohl um mit mir den neuesten Klatsch zu besprechen«, sagte sie und errötete etwas. Mit Klatsch waren wohl die Morde im ›Grund‹ gemeint.

»Kommt Verena öfter mal vorbei?«, hakte Pia nach.

»Na, sonst hätte ich sie ja als besonderes Vorkommnis erwähnt«, bemerkte Petra scharf.

»Und weiter …«, fragte Pia nur.

»Am Mittwoch waren Sie und Ihr Kollege hier und sonst keiner. Außer dem Bäckerwagen, der jeden Mittwoch kommt. Donnerstag war ich beim Zahnarzt. Als ich wiederkam, erzählte Hanno mir, dass Frau Krüger kurz hier war, um sich den Schlüssel für Gädekes Ferienhaus auszuleihen, da sie ihren vergessen hatte. Sie beschwerte sich später, dass unser Schlüssel gar nicht passen würde, und brachte ihn zurück. Hanno hat ein ziemliches Theater darum gemacht.«

»War sonst noch etwas?«

»Am Donnerstag nicht. Gestern haben wir natürlich gehört, dass Agnes Kontos verschwunden ist und uns Sorgen gemacht.«

»Von wem haben Sie über das Verschwinden von Agnes gehört?«

Petra sah sie einen Augenblick irritiert an: »Von ihrer Mutter, soweit ich weiß. Hanno nahm das Gespräch entgegen. Gerlinde rief an und fragte, ob einer von uns Agnes gesehen hätte. Haben Sie schon eine Spur von ihr?«

»Nein.«

»Na klasse!«

Pia konnte an ihrem Gesichtsausdruck sehen, was in ihr vorging. Ihr selbst erging es nicht viel anders, wenn sie an Agnes dachte.

»Was geschah noch am Freitag, also gestern?«

»Nichts, es war alles wie immer. Hanno war sauer auf mich, glaube ich. Er hat jedenfalls kaum mit mir gesprochen.«

»Hatten Sie Streit?«

»Wir haben uns gestritten über die Art und Weise, wie wir den Hof weiterführen werden und über Geld ganz allgemein. Hanno schnappte dann immer ziemlich schnell ein, man kann – äh ... konnte – mit ihm nicht diskutieren. Wenn ihm nicht passte, was ich gesagt habe, dann hat er sich eben in Schweigen gehüllt. So einen Tag hatten wir gestern. Ich war, glaube ich, auch nicht sehr entgegenkommend. Ich war verletzt, weil er so oft auf der Seite seines Vaters stand, nicht auf meiner. Als ich um zehn Uhr ins Bett ging, hoffte ich, er käme hinterher und wir würden uns wieder versöhnen. Wenn es nur so gewesen wäre, vielleicht wäre er dann nicht zu der Zeit im Stall gewesen als ... als es passiert ist.«

»Was hat er um die späte Uhrzeit im Stall gemacht?«

»Ich nehme an, er hat bis elf, halb zwölf Uhr vor dem Fernseher gesessen und ist dann wie gewohnt ›Ableuchten‹ gegangen.«

»Was ist das?«

»So nennen wir den letzten Kontrollgang durch die Ställe, um zu sehen, ob bei den Sauen alles in Ordnung ist. Manchmal hat eine Probleme beim Ferkeln und man muss helfen, oder eine ist krank, irgendetwas. Hanno war da sehr gewissenhaft.«

»Sie meinen, er ging jeden Abend etwa um die gleiche Uhrzeit durch die Ställe?«, fragte Pia.

»Ja, eigentlich fast immer. Meinen Sie, der Mörder hat das gewusst und auf Hanno ... gewartet?«

»Möglich wäre es ...«, sagte Pia ausweichend.

Was war einfacher, als im Stall auf Hanno Suhr zu lauern, wenn man die Gewohnheit des »Ableuchtens« kannte. Jemand, der sie nicht kannte, konnte natürlich auch das Licht im Stall gesehen haben und die Gelegenheit genutzt haben, um den Mord zu begehen. Pia war sich ziemlich sicher, dass die Tatwaffe ein Gegenstand aus dem Stall oder vom Hof war. Nichts, was der Täter mitgebracht hatte. Das deutete auf ein ziemlich spontanes Verbrechen hin, denn gewöhnlich bedient sich ein Mensch einer erfolgreich angewandten Methode gern wieder, besonders, wenn es um etwas so Gewagtes wie einen Mord geht. Wenn es sich um den gleichen Täter handelte, hätte er ja auch wieder ein Gewehr nehmen können. Dass das diesmal nicht geschehen war, konnte bedeuten, dass die zweite Tat nicht geplant war, nicht nach Plan verlief oder ein Gewehr aus bestimmten Gründen nicht zugänglich war. Außerdem natürlich auch noch die unwahrscheinliche Möglichkeit, dass die Morde nichts miteinander zu tun hatten. Ein »Trittbrettfahrer«, der den Wirbel der ersten Morde für seine Zwecke ausnutzte. Aber so viel kriminelle Energie in so einem kleinen Dorf war schwer vorstellbar.

»Ich glaube, das Wichtigste haben wir nun besprochen«, sagte Pia und bemerkte, wie auch die Polizeibeamtin hinter ihr aufatmete.

»Ich melde mich, sobald mir noch was einfällt«, beteuerte Petra. Ihre anfängliche Wut war etwas anderem gewichen: Resignation oder Leere ...

Pia verließ den Raum mit dem Gefühl, die Frau mit einer ungeheuren Last zurückzulassen.

24. KAPITEL

Der Gestank trieb Marten Unruh und seinen Kollegen von der Kriminaltechnik die Tränen in die Augen. Trotzdem starrten sie alle gebannt hinunter in den »Mistgang«. Ein Kollege von ihnen, der eine Anglerhose trug, durchwühlte mit einem Rechen die Schweinegülle. Die Leiche von Hanno Suhr war inzwischen auf dem Weg ins Rechtsmedizinische Institut in Lübeck, wo sie bereits von Frau Dr. Mösing erwartet wurde.

»Ich hab was gefunden, Unruh!«, rief der Mann von unten herauf und vier Köpfe beugten sich über die Luke in die dunklen Gefilde des Stalles. Es war ein Spaten, der ganz und gar mit Gülle verunreinigt war. Er konnte noch nicht allzu lange dort unten im Nassen liegen, der Holzstiel war noch hell und neu, das Metall nicht verrostet. Vorsichtig zogen die Männer ihn nach oben und legten ihn auf eine bereitgelegte Plane.

»Es könnte unsere Mordwaffe sein«, mutmaßte einer der Männer, »seht mal hier am Rand ...«

»Sieht aus wie Blut und Haare ...«, bestätigte ein anderer nüchtern. Der Täter hatte sich offensichtlich nicht die Mühe gemacht, seine Waffe abzuwischen, sondern sie nach vollbrachter Tat einfach in den Mistgang geworfen und den Deckel wieder geschlossen.

»Der Kerl hatte es natürlich eilig, von hier wegzukommen. Er hoffte wohl, mit dem Verstecken der Tatwaffe etwas Zeit zu gewinnen«, vermutete Ersterer.

»Er oder sie«, bemerkte Marten in Gedanken versunken. Er versuchte gerade, das Bild einer Frau, noch dazu einer gut gekleideten, mit dem Tatverlauf in Einklang zu bringen. Die Bilder in seinem Kopf drifteten immer wieder auseinander, wie bei einem Betrunkenen, der doppelt sieht. Es gehörten eine

Menge Nerven dazu, hier im Stall jemandem aufzulauern und von hinten mit dem Spaten zu erschlagen. Außerdem musste man sich schon ein wenig in so einem Stall auskennen, um auf das Versteck mit dem Mistgang zu kommen. Dieser Akt der Gewalt und der Konfrontation mit dem Opfer aus direkter Nähe sprachen nicht unbedingt für eine Täterin. Oder aber genau das war die Absicht: Hanno Suhr zum Schweigen zu bringen und dabei so brutal vorzugehen, dass der Verdacht auf einen Mann fallen würde.

Marten war so vertieft in seine Überlegungen, dass er gar nicht bemerkte, wie seine Kollegen untereinander Blicke wechselten. Da sie oft zusammenarbeiteten, genügten oft Mimik oder Gestik, um sich einander verständlich zu machen.

»Hey, Hauptkommissar! Sag nicht, dein heißestes Eisen im Feuer ist eine Frau?«, bemerkte der in der Anglerhose. Er war inzwischen wieder hochgeklettert.

»Vielleicht hat ihm seine schöne Kollegin die Augen geöffnet für die Emanzipation der Frau?«, witzelte der Wortführer unter ihnen. Alle, bis auf Marten Unruh, brachen in verhaltenes, aber dennoch befreiendes Gelächter aus.

»Ich möchte so schnell wie möglich alles über das Ding hier wissen«, sagte dieser mit einer Kopfbewegung in Richtung des Spatens auf dem Fußboden, »Fingerabdrücke, Blutanalyse ... und vergesst nicht, euch vor der Abfahrt noch die Fingerabdrücke der Bewohner hier geben zu lassen ... Nicht, dass ich da wieder hinterherlaufen muss, wie damals in Bad Schwartau.«

Das Gelächter erstarb so plötzlich, wie es ausgebrochen war. Stumm wurde der schwere Spaten in die Plane gewickelt und beschriftet.

»Gute Qualität«, murmelte einer, »ganz schön schwer und scharfkantig.«

Der Dreck auf der Stallgasse wurde eingesammelt zur weiteren Untersuchung. Von allen denkbaren Gegenständen wurden Fingerabdrücke genommen. Marten verließ das Gebäude, wohl wissend, dass die Männer ihre Arbeit sorgfältig machen würden.

Sein Schritt war jedoch langsam und sein Blick nach innen gerichtet. Es stand ihm noch bevor, mit dem Vater des Opfers, August Suhr, zu sprechen. Das war der Teil seiner Arbeit, den er am wenigsten mochte. Er konnte weder Trost spenden noch Rache versprechen, er musste die Gefühle der Angehörigen einfach aushalten. Marten hätte die Unterstützung eines Polizeipsychologen vorgezogen, oder auch nur Pias Anwesenheit. Aber das gestand er sich nicht einmal selbst wirklich ein.

Er klopfte an die Haustür und trat nach kaum merklicher Verzögerung ein. Es war bezeichnend für das Verhältnis von Vater und Schwiegertochter, dass sie sich jeder in ihr eigenes Haus zurückgezogen hatten. Er hörte ein Klappern in der Küche und folgte dem Geräusch, bis er August Suhr gegenüberstand. Dieser stand an der Spüle und wusch Geschirr ab. Als er Marten Unruh erblickte, erstarrte er und wirkte ein wenig schuldbewusst. Die Reaktion, sich nach einem solchen Schock in irgendeine monotone Tätigkeit zu stürzen, war Marten bekannt. August schien jedoch den Eindruck zu haben, er sei bei einer Gefühllosigkeit ertappt worden.

»Ich muss Sie ein paar Dinge fragen«, sagte Marten ohne weitere Einleitung, »machen Sie ruhig weiter, ich stelle mich hier zu Ihnen.«

August Suhr sah überrascht aus, fuhr aber im Zeitlupentempo fort, die Tassen zu spülen.

»Wie haben Sie Ihren Sohn heute Morgen gefunden?«

»Ich habe Schlafstörungen. Ich werde oft so gegen drei Uhr nachts wach und kann nicht wieder einschlafen. Meistens stehe ich dann auf und hole mir ein Glas Wasser nebenan aus dem Badezimmer. Ich sehe dann automatisch aus dem Fenster, und gestern Nacht habe ich bemerkt, dass im Abferkelstall Licht brannte. Nicht nur das rötliche Leuchten der Wärmelampen, sondern Neonlicht. Ich dachte, dass Hanno vielleicht bei einer Sau wäre, die Schwierigkeiten hat, und überlegte noch, ob ich runtergehen soll, um ihm zu helfen ...« Er brach ab und wischte sich mit dem Handrücken über die Nase. »Aber ich bin dann doch zurück ins Bett gegangen, weil ich nicht wusste, wie mein Sohn reagieren würde. Er war manchmal etwas komisch, was meine Mithilfe im Stall betraf. Er betrachtete das wohl als Einmischung. Jedenfalls ging ich wieder ins Bett und muss wohl auch noch mal eingenickt sein. Mein Wecker klingelte um halb sechs. Ich zog mich an und ging hinunter. Ich wollte nachsehen, ob Hanno immer noch im Stall ist oder ob er nur vergessen hat, das Licht auszumachen.

Ich betrat den Stall, rief meinen Sohn und fand ihn dann am Boden liegend vor. Ich sah sofort, dass er tot ist, auch wenn es länger dauerte, bis ich es richtig begriff. Ich rührte nichts an, sondern rannte hinaus und rief bei mir im Haus die Polizei an. Erst dann ging ich hinüber zu Petra. Ich wusste gar nicht, wie ich es ihr sagen sollte. Sie hat mich auch erst gar nicht verstanden ...«

August Suhr brach seinen Bericht ab und starrte in das schaumige Spülwasser. Eine Träne tropfte ins Becken.

»Was geschah dann? Ich meine, bevor die Polizei eintraf?«

»Ich versuchte, Petra davon abzuhalten, aber sie ist trotzdem in Jogginghose und T-Shirt in den Stall hinübergerannt. Das arme Mädchen ... Als sie Hanno fand, brach sie zusammen. Ich hab nicht mehr so viel Kraft, es hat mich einige Mühe gekostet, sie schließlich von ihm wegzubekommen. Als Ihre Leute endlich eintrafen, saß sie, glaube ich, immer noch auf der Futterkiste, wo ich sie hingebracht hatte. Ich wollte ja auch nicht, dass zu viele Spuren verloren gehen. Das sieht man im Fernsehen ja immer, dass nichts angerührt werden darf. Ich hab dann noch etwa zehn Minuten bei Hanno gestanden. Ich wollte so gern irgendetwas für ihn tun, verstehen Sie? Ich hörte meine Schwiegertochter natürlich im Hintergrund heulen, aber ich wusste nicht, wie ich sie trösten soll. Tot ist tot, und unser Verhältnis war nie das Beste ...«

Er stockte in seinem Bericht und versuchte, angebrannte Essensreste aus einer Pfanne zu kratzen. Marten konnte sehen, dass er während seiner heftigen Bemühungen um das verkrustete Teil mit den Tränen kämpfte. Es musste die Hölle sein, als Elternteil sein Kind zu überleben. Es war sinnlos und grausam. Marten wartete ab und tat so, als betrachte er den Fotokalender an der Küchenwand, der eine verschneite Seenlandschaft zeigte. Er kannte das Bild schon von seinem letzten Besuch.

Als August Suhr wieder zu sprechen begann, war seine Stimme heiser:

»Hanno war mein einziger Sohn. Meine Frau ist davongelaufen, als Hanno gerade zwei Jahre alt war. Ich habe ihn quasi allein großgezogen. Für das Haus hatte ich zeitweise eine Wirtschafterin, aber um meinen Sohn hab ich mich immer selbst gekümmert. Das war nicht einfach bei der ganzen sonstigen Arbeit, die ich zu tun hatte. Aber dadurch war unser Verhältnis sehr vertraut. Als er Petra kennen lernte, begannen die Schwierigkeiten zwischen uns. Er hatte vor ihr auch schon Freundinnen, aber bei der hab ich gleich gemerkt, dass es ernst ist. Wissen Sie, mit den Erfahrungen, die ich mit Frauen gemacht habe, ist man natürlich auf der Hut als Vater. Aber Hanno interessierte es nicht, dass ich Petra nicht für die Richtige hielt. Sie war mir zu selbstbewusst und zu unweiblich für ihn. Hanno war sehr kinderlieb und hat sich Kinder gewünscht, aber es hat nicht geklappt bei den beiden ... Darum bleibt jetzt auch nichts mehr ...«

Er brach wieder ab, riss den Stöpsel aus dem trüben Wasser und wandte Marten den Rücken zu. Eine Weile starrte er aus dem Fenster, seine Haltung war verkrampft.

»Wenn Sie einen Verdacht haben, irgendeine Idee, wer Ihrem Sohn das angetan hat, dann sollten Sie es mir jetzt sagen.«

Stumm schüttelte August Suhr den Kopf.

»Es ist wahrscheinlich, dass Hannos Tod in Zusammenhang mit den Bennecke-Morden steht. Hat Hanno mit Ihnen darüber gesprochen? Wusste er etwas, was dem Mörder hätte gefährlich werden können?«

»Sie fragen mich zu viel. Hanno war nicht der Typ Mensch, der einem seine Gedanken mitteilte. Vielleicht hat er seiner Frau mehr erzählt, obwohl sie sich auch immer darüber beklagte, dass man ihm die Würmer einzeln aus der Nase ziehen musste.«

»War er in den letzten Tagen, speziell nach den Morden im ›Grund‹, verändert? Hat er mit Leuten gesprochen oder telefoniert, mit denen er sonst nichts zu tun hatte? War irgendetwas ungewöhnlich?«

August Suhr starrte immer noch aus dem Fenster in den trüben Tag hinaus. Marten wurde es allmählich leid, mit seinem Rücken zu kommunizieren, und so sagte er ungeduldig: »Ich frage das alles nicht, um Ihnen damit auf die Nerven zu gehen oder weil es mir perverse Freude bereitet. Ich will, dass Sie sich erinnern, und zwar an jede einzelne Minute seit Dienstagmorgen. Irgendetwas muss passiert sein.«

Das endlich schien zu dem verbitterten Mann durchzudringen. Er drehte sich um, legte den Kopf schief und dachte nach.

»Hanno war aufgeregt, wie wir alle, als er von dem Mord an den Benneckes erfuhr. Der ›Grund‹ ist so nah, und die Benneckes waren doch Leute wie wir. Außerdem waren Hanno und ich beunruhigt wegen dieser Grundstücksgeschichte, von der Sie ja inzwischen erfahren haben, wie ich hörte. Er war der Meinung, wir sollten gleich mit offenen Karten spielen und Ihnen sagen, dass es mit den Benneckes zu einem Rechtsstreit gekommen wäre. Ich habe ihn davon abgehalten, denn ich war der Meinung, dass die Polizei diese Dinge nichts angehen, solange sie nichts mit dem Mord zu tun haben. Nun denn, er hat sich gefügt und wir machten irgendwie weiter, als wäre nichts geschehen. Aber gestern kam mir Hanno doch anders vor als sonst. Beim Mittagessen sah er die Post durch und hielt eine Geburtsanzeige von Freunden in den Händen, die eine Tochter bekommen hatten. Er schleuderte das Ding zur Seite, als wolle er davon nichts wissen. Petra hob sie auf und verschwand daraufhin wortlos aus der Küche. Das war halt ein wunder Punkt zwischen den beiden, dass kein Baby kam.«

»Glauben Sie, dass das der Grund für Hannos Schweigen am Freitag war? Gab es noch einen anderen Vorfall?«

»Hanno schien sich Gedanken um Irmtraut Krügers Geschichte zu machen. Das ist die Putzfrau in dem Ferienhaus nebenan. Wir haben einen Ersatzschlüssel von den Besitzern zur Aufbewahrung bekommen. Frau Krüger lieh ihn sich aus, aber sie beschwerte sich später, dass der Schlüssel gar nicht passte … Deren Problem, dachte ich, denn von uns hat den Schlüssel nie jemand angefasst, wozu auch? Er hing die ganze Zeit über in dem Kasten auf der Diele.«

»Wusste Ihr Sohn, dass wir eine Durchsuchung des Ferienhauses planen?«

»Frau Krüger kam noch mal vorbei. Dabei erwähnte sie, dass sich die junge Kommissarin sehr für die Schlüsselgeschichte interessiert hat.«

»Eine Frage noch: War der Schlüssel für das Ferienhaus gekennzeichnet? Stand ein Name auf dem Anhänger?«

»Er hatte einen Anhänger mit einem Namensschild daran.«

»Ich muss den Schlüssel mitnehmen, er könnte ein Beweisstück sein«.

August wurde eine Spur blasser im Gesicht.

»Sie meinen, dieser Schlüssel hat etwas mit dem Mord an meinem Sohn zu tun?«

»Es ist nur eine Vermutung, Herr Suhr. Kann wirklich alle Welt hier hereinspazieren und einen der Schlüssel an sich nehmen?«

»Nun, die meisten würden kurz Bescheid sagen, wie es auch Frau Krüger getan hat. Aber wenn ich hier auf der Diele jemanden antreffe, den ich kenne, habe ich kein Problem damit. Man kommt halt, um ›Hallo‹ zu sagen, ein entliehenes Werkzeug zurückzugeben oder was auch immer. Das war schon bei meinen Eltern so. Deshalb haben die Gädekes den Schlüssel auch hier deponiert. Es ist halt immer jemand da und im Zweifelsfall kommt man auch einfach so an den Schlüssel heran.«

Marten atmete tief durch: »Es wäre also rein theoretisch denkbar, dass ein Bekannter aus dem Dorf sich vor ein oder zwei Wochen den Schlüssel geholt und ihr Sohn ihn dabei zufällig gesehen hat. Er hat sich nichts dabei gedacht. Aber später, als er hörte, dass wir uns für dieses Ferienhaus interessieren, ist er stutzig geworden?«

August nickte langsam: »Ja, so könnte es gewesen sein. Nur – wer wusste denn schon, dass der Schlüssel der Gädekes sich hier befand?«

»Das genau werden wir herausfinden müssen.«

Nur widerwillig gewöhnte sich Marten Unruh an den Gedanken, dass dieses Ferienhaus doch wichtiger war, als er bisher angenommen hatte. Pia war natürlich aus dem Schneider, wenn sie Recht behielt und die Spurensicherung nicht umsonst bestellt hatte. Aber wer hatte sich im Gädekschen Ferienhaus ein Jagdgewehr und ein Fahrzeug besorgt und dann die Benneckes erschossen? Und warum? Und wo steckte dieses verschwundene Mädchen, um das Pia seiner Meinung nach viel zu viel Aufhebens machte?

Marten Unruh hatte am Nachmittag noch einen Termin bei seinem Chef in Lübeck, und er entschied sich dafür, Pia dieses Mal mitzunehmen. Es wurde Zeit, dass sie erlebte, unter was für einem Druck Ermittlungen dieser Art standen. Sollte sie doch Gabler erklären, weshalb sie einen ganzen Tag Agnes Kontos' Spur verfolgt hatte, während der Mörder Zeit und Muße hatte, sein nächstes Opfer ins Visier zu nehmen. Erst nach dem Treffen mit Gabler machte es Sinn, eine erneute Einsatzbesprechung mit den Eutiner Kollegen zu organisieren.

Marten beschloss, erst einmal ins Hotel zurückzufahren, um zu frühstücken. Dann würde er sich den Anforderungen dieses Tages auch wieder gewachsen fühlen.

25. KAPITEL

Ich rufe Sie später noch mal an!«, blaffte Horst-Egon Gabler in den Hörer und schmiss ihn dann auf die Gabel seiner etwas betagten Telefonanlage. Marten Unruh lehnte lässig am Besprechungstisch, seinem Stammplatz in Gablers Büro. Pia stand in der Nähe des Fensters und sah über die verstaubten Topfpflanzen hinaus in den Nieselregen. Sie wartete auf die Vorwürfe, die da über sie hereinbrechen sollten.

Gabler forderte seine Mitarbeiter nicht dazu auf, Platz zu nehmen. Er fuhr stattdessen so schwungvoll hoch, dass sein

Bürostuhl zurückschoss und gegen einen Aktenschrank knallte, der an dieser Stelle schon einige Macken aufwies.

»Ach ja, der Fall Bennecke, eine ganz harte Nuss!«, sagte er sarkastisch und blickte herausfordernd von einem zum anderen. Als keiner ihm daraufhin den Gefallen tat, zu antworten, beschloss er, sich auch ohne Widerworte in Rage zu reden.

»Dann geben Sie mir doch mal einen Zwischenbericht! Aber ich weiß ja schon, dass Sie so gut wie nichts zu berichten haben. Keinen konkreten Verdächtigen, kein Motiv, nicht einmal eine konkrete Spur. Sie sind seit fast einer Woche da draußen und haben nichts als ein paar unhaltbare Theorien. Wenn der Staatsanwalt das in die Finger bekommt, zerreißt er mich in Stücke! Ach was, der dreht uns mitsamt unseren Mutmaßungen gleich durch den Wolf. Die Presse geifert seit Tagen diesem ungelösten Fall hinterher: ›Die Bluttat von Grevendorf ... Der Mörder schlägt ein zweites Mal zu ... Die Polizei tappt im Dunkeln ...‹ Wir haben hier einen Ruf zu verlieren. Ganz besonders Sie, Marten Unruh, und Sie, Frau Korittki, sollten langsam beginnen, mich von Ihren Qualitäten zu überzeugen. Bisher war das alles jedenfalls nichts ...«

Er wischte ihre Ergebnisse, deren schriftliche Form vor ihm auf dem Schreibtisch lag, mit einer symbolischen Geste vom Tisch.

Es war klar, dass in diesem Fall sachliche Argumentation fehl am Platze war. Kriminalrat Gabler hatte sein Urteil bereits gefällt und wahrscheinlich konnte ihn nur eine schnelle Festnahme des Täters noch vom Gegenteil überzeugen.

Marten räusperte sich, ehe er kurz und präzise die bisherigen Ergebnisse zusammenfasste. Er endete mit der glaubhaften Versicherung, dass sie der Lösung nahe seien und bald zu einem Endergebnis kämen. Pia hoffte, dass er selbst so überzeugt war, wie er klang. Es schien Horst-Egon aber fürs Erste zufrieden zu stellen, denn er lockerte seine Haltung ein wenig. Er nahm die Hände von der Schreibtischplatte, auf die er sich bisher gestützt hatte, und ließ knackend die Handgelenke kreisen.

»Also gut, ich gebe Ihnen noch ein paar Tage Zeit. Wie läuft es denn so mit den Eutiner Kollegen? Die bringen doch hoffentlich etwas Schwung in die Ermittlungen ...«, sagte er mit hämischem Unterton. »Aber nun zu Ihnen speziell, Frau Korittki ... Sie haben sich für meinen Geschmack etwas zu viel herausgenommen bei Ihren ersten Ermittlungen in meinem Team.«

»Inwiefern?«, fragte sie, denn sie fühlte sich tatsächlich unschuldig. In ihrer letzten Stellung hatte sie weitestgehend selbstständig gearbeitet, und das war honoriert und nicht moniert worden. Allerdings war ihre Vorgesetzte dort auch nicht mit Kriminalrat Gabler zu vergleichen gewesen.

»Diese Suchaktion nach einem halbwüchsigen Mädchen, das vermutlich nur von zu Hause ausgerissen ist, um seine Mutter zu ärgern. Wie konnten Sie das mit unserem Fall in Verbindung bringen und eine offizielle Aktion starten?«

»Es ist mehr als wahrscheinlich, dass das Verschwinden von Agnes Kontos mit den Morden in Zusammenhang steht«, antwortete Pia so sachlich wie möglich. Sie fühlte direkt, wie Marten Unruh im Hintergrund eine möglichst unbeteiligte Miene aufsetzte.

»Stimmt das, Unruh?«

»Frau Korittki hat mit der Zeugin gesprochen. Ihre Einschätzung zählt.«

»Davon steht hier aber nichts«, sagte Gabler und klatschte mit der flachen Hand auf den Ordner. »Ich finde keinen konkreten Hinweis darauf, dass diese Agnes Kontos etwas mit dem Bennecke-Mord zu schaffen hat. Ist sie etwa verdächtig?«

»Sie hatte ein Verhältnis mit Malte Bennecke. Das war aber geheim, ihre Eltern durften scheinbar nichts davon wissen.«

»Woher wissen Sie das?«

Pia berichtete kurz über ihre Gespräche mit Agnes und Verena.

»Das soll alles sein?«.

»Nein. Agnes' Verschwinden, drei Tage nach dem Mord an den Benneckes, kann kaum ein Zufall sein. Deshalb hielt ich es für notwendig, sie schon vor Verstreichen der 48-Stunden-Frist zu suchen. Leider ohne Erfolg bisher.«

»Na schön. Suchen Sie dieses Mädchen weiter. Und finden Sie es, aber lebend, wenn möglich. Außerdem brauche ich Beweise für die Geschichte mit dem Bennecke-Sohn, verstanden?«

Pia nickte. Sie ahnte, dass das nicht alles gewesen sein konnte.

»Nun zum zweiten Punkt«, fuhr er gnadenlos fort. »Sie haben eine offizielle Suche nach Dimitri Kontos starten lassen. Was sollte das denn nun wieder? Der Mann ist Ausländer, lebt in Griechenland. Was glauben Sie, was das für einen Aufruhr verursacht hat, ihn zu suchen!«

»Sie haben ihn also gefunden?«, fragte Pia hoffnungsvoll. In ihrem Hinterkopf war da immer der Gedanke gewesen, Agnes könne sich inzwischen vielleicht bei ihrem Vater befinden, anstatt irgendwo tot in einem Wald zu liegen.

Kriminalrat Gabler nickte: »Damit das klar ist: Ich erwarte, dass Sie aus Dimitri Kontos irgendetwas herausholen, je relevanter, desto besser. Mir sehen hier inzwischen eine Menge Leute auf die Finger und es wäre für Sie beide …«, er sah von Marten zu Pia und wieder zurück, »gar nicht gut, wenn wir hier keinen Erfolg vorweisen können. Habe ich mich klar genug ausgedrückt? Herr Kontos befindet sich übrigens hier im Gebäude, er war sowieso in Deutschland, nett, nicht wahr?«

Ohne ein sichtbares Zeichen von Zustimmung verließ Marten Unruh den Raum, wobei er Pia quasi vor sich herschob, die gern noch etwas entgegnet hätte.

»Und behalten Sie Ihr junges Pferd etwas mehr an der Leine, Unruh«, bemerkte Kriminalrat Gabler, bevor sich seine Bürotür vollends schloss.

»Na, das war ja nur ein ganz kleines Gewitterwölkchen«, sagte Marten, als sie draußen waren. Er klopfte sich die Ärmel seiner Jeansjacke ab, als wäre sie in Gablers Büro schmutzig geworden.

»Wie ist dieser Mann zu seinem Job gekommen?«, fragte Pia ungehalten.

»Du meinst, du hasst ihn so wie wir alle? Willkommen im Club. Man muss hier allerdings mit ihm leben. Er ist wie ein lästiger Schnupfen, taucht immer mal wieder zu unpassender Gelegenheit auf.«

»Wie kann er sich auf seinem Posten halten? Hat er jemals jemanden motiviert?«

Marten zuckte die Achseln. »Er war wohl mal ein richtig scharfer Hund, sagt man. Nun läuft es über Beziehungen, würde ich schätzen.«

»Wo finden wir Agnes' Vater?«

»Ich frag mal meine kleine Freundin unten ...« Marten begab sich auf den Weg zum Fahrstuhl. Pia tippte darauf, dass er die auffallende Rothaarige in der Telefonzentrale aufsuchte, die über alle Vorgänge im Haus stets gut informiert zu sein schien.

Sie selbst ging zunächst in die Teeküche, um den Stand der Kaffeemaschine zu überprüfen. Ein angetrockneter Bodensatz auf dem Grunde der Glaskanne war alles, was die Teeküche an einem Samstag um diese Uhrzeit noch zu bieten hatte. Pia spürte direkt, wie sie schlechte Laune bekam. Wenn Marten dort unten baggerte, konnte es noch eine Weile dauern, bis sie fortfahren konnten. Er flirtete ganz offensichtlich mit jeder seinen Weg kreuzenden Frau, nur sie selber behandelte er wie Inventar des Polizeihochhauses. Eigentlich war sie froh darüber, aber ein winziger Stich verletzter Eitelkeit blieb dennoch ... Pia beschloss, die Zeit von Unruhs Abwesenheit zu nutzen, um sich allein auf die Suche nach Agnes Kontos' Vater zu machen.

Dimitri Kontos befand sich in einem Besprechungsraum im gleichen Stockwerk. Er sah auf, als Pia den Raum betrat, hielt dann aber wohl jede weitere Regung für überflüssig. Er war ein mittelgroßer, schlanker Mann in einem korrekt sitzenden dunklen Anzug mit hellblauem Hemd. Er strahlte distinguierte Eleganz aus, seine Mimik verriet seine Anspannung und seinen Unmut.

Um Missverständnissen vorzubeugen, ging Pia auf ihn zu, begrüßte ihn und stellte sich vor. Die Begrüßung wurde höflich, jedoch sehr zurückhaltend erwidert.

»Haben Sie Neuigkeiten über den Verbleib meiner Tochter?«, fragte er nach einer kleinen Pause. Er sprach leise und ohne wahrnehmbaren Akzent.

»Nein, leider nicht. Ihre Tochter wurde am Donnerstagabend zuletzt gesehen, als sie das Haus ihrer Freundin verließ. Wir fanden ihr Fahrrad in Grevendorf am Rande eines Fußweges. Das ist bisher alles.«

»Gerlinde, meine Ex-Frau, spricht nicht mit mir. Ich habe mit ihr telefoniert, aber sie steht völlig neben sich. Sie beschuldigt mich sogar, Agnes entführt zu haben. Das ist alles völlig lächerlich!«

»Wir ermitteln zurzeit in einem Mordfall, in den Agnes, wenn auch am Rande, irgendwie verwickelt sein könnte. Hat sie mit Ihnen mal über die Benneckes gesprochen? Ist der Name Malte Bennecke gefallen oder hat sie von irgendwelchen Schwierigkeiten berichtet?«

Dimitri Kontos sah sie irritiert an, dann verzog sich sein Gesicht ärgerlich.

»Braucht meine Tochter einen Anwalt, steht sie unter Verdacht? Ich dachte, ich sei hier, weil Sie mich über den Stand der Dinge, meine Tochter betreffend, informieren wollen.«

»So einfach ist das leider nicht. Es besteht der Verdacht, dass Agnes' Verschwinden mit einem anderen Verbrechen in Zusammenhang steht. Beantworten Sie also bitte meine Frage.«

Dimitri Kontos trat noch einen Schritt auf sie zu. Sie roch sein Rasierwasser und einen Anflug von Schweißgeruch. Er sagte drohend: »Ich bin nicht nach Lübeck gekommen, um meine Tochter von Ihnen schlecht machen zu lassen. Ich will wissen, wo mein Kind ist. Wir können also das Geplauder sein lassen und Sie schicken mir jetzt einen kompetenten Mann, mit dem ich reden kann!«

Pia gestand ihm aus Sorge um sein Kind ein paar Bonuspunkte zu, fand sein Benehmen aber trotzdem unverschämt. Sie richtete sich zu ihrer vollen Größe von 180 cm auf und sah Dimitri Kontos direkt in die Augen: »Wenn hier jemand Ihre Tochter finden kann, von Zufallstreffern einmal abgesehen, dann bin ich das. Sie müssen also zur Abwechslung einmal mit einer kompetenten Frau reden. Denken Sie in Ruhe darüber nach, ob Sie zu ein paar notwendigen Auskünften bereit sind. Bis dahin dürfen Sie noch ein wenig die Aussicht von hier oben bewundern.«

Damit drehte sie sich um und verließ den Raum. Wie viele Leute wollten ihr denn heute noch dumm kommen? Aber vielleicht fehlten ihr auch nur ein paar Stunden Schlaf und der Tag käme ihr nicht nur wie ein Aufenthalt hinter feindlichen Linien vor. Am Ende des Flures begegnete ihr Marten Unruh, der nun ebenfalls herausgefunden hatte, wo sich Dimitri Kontos befand.

»Na, du hast dir Gablers Attacke ja zu Herzen genommen. Hat Herr Kontos schon ein Geständnis unterzeichnet?«, fragte er spöttisch.

»Und du siehst so aus, als wärst du recht nett aufgenommen worden in der Telefonzentrale«, erwiderte Pia, »aber bevor du zu Herrn Kontos gehst, solltest du dir die Zuckerkrümel vom Mund wischen ...«

Marten wischte sich mit dem Handrücken über den Mund, um die Reste des Berliners zu entfernen, den er auf die Schnelle gegessen hatte.

»Und was ist nun, lässt du ihn schmoren?«

»Erraten. Der hat mir heute gerade noch gefehlt. Aber wir stehen auch ziemlich blöd da. Seine Tochter hat sich in Luft aufgelöst und wir müssen ihn über das Verhältnis seiner Tochter zu drei Ermordeten befragen.«

»Da muss er durch, wenn wir ihm helfen sollen. Hältst du ihn für verdächtig?«

»Eigentlich nicht. Aber wenn er davon erfahren hätte, dass Malte Bennecke seine geliebte kleine Tochter verführt hat ... Ich weiß nicht, wie er dann reagiert hätte.«

»Aber wir wissen nicht, ob er es wusste ...«

»Stimmt. Also müssen wir ihn überprüfen. Wo er war, was er getan hat, ob er eventuell über die Abenteuer seiner Tochter Bescheid wusste oder nicht.«

»Ich werde gleich mein Glück noch mal bei ihm versuchen.«

»Auf meine Gegenwart wirst du dabei verzichten müssen. Ich bin in meinem Büro, wenn du mich suchen solltest.« Pia wandte sich zum Gehen. Kurz darauf drehte sie sich noch einmal zu Marten um: »Viel Spaß mit ihm. Eigentlich müsstet ihr euch auf Anhieb verstehen.«

»Also, wo stehen wir jetzt?«, fragte Marten, als sie sich am späten Nachmittag in seinem Büro niederließen, um die Ergebnisse des Tages abzugleichen. Sie waren inzwischen fast die Einzigen in dem riesigen Gebäude, vom Wachpersonal und den Leuten, die Dauerdienst hatten, einmal abgesehen.

»Die Kriminaltechnik hat ein paar interessante Details herausgefunden«, antwortete Pia und schlug die Seite mit ihren Notizen auf. Sie las die Ergebnisse vor, die im Wesentlichen aussagten, dass es sich bei dem gefundenen Spaten tatsächlich um die Tatwaffe handelte. Die sichergestellten Fingerabdrücke stammten jedoch von Hanno, August und Petra Suhr. Es waren keine Haare oder Fasern gefunden worden, die einen Hinweis auf den Täter geben konnten. Der Mörder hatte auf dem harten Stallboden und dem Plattenweg draußen keine Fußspuren hinterlassen. Die Ergebnisse der Sektion lagen noch nicht vor, doch der Rechtsmediziner schätzte den Todeszeitpunkt etwa auf Mitternacht. Das erhärtete Petras Aussage, dass sich Hanno beim »Ableuchten« befunden hatte, als er ermordet wurde.

Die Resultate, die die Durchsuchung des Ferienhauses ergeben hatte, waren aufschlussreicher. Das Türschloss war noch nie ausgetauscht worden. Gädekes Schlüssel und der von Irmtraut Krüger passten, der im Schlüsselkasten bei den Suhrs war ein völlig anderer, unbekannter Schlüssel. Der Anhänger daran gehörte jedoch den Gädekes. Durch das Saubermachen am Donnerstag war einiges an möglichen Spuren beseitigt worden. Der Gewehrschrank hatte sich aber als Volltreffer erwiesen. Es befand sich ein Gewehr darin, das mit hoher Wahrscheinlichkeit die Tatwaffe war. Ein Jagdkarabiner mit Zielfernrohr, zu dem die sichergestellte Munition Kaliber 300 Win-Magnum passte. Alles Weitere würde im Dezernat für Schusswaffenerkennung geklärt werden müssen.

Der zweite Treffer war der Wagen der Gädekes in der Garage, ein dunkelblauer Polo älterer Jahrgangs. Der Wagen war auf Ilse Gädeke zugelassen und der Schlüssel dazu befand sich am Schlüsselbrett im Flur. Laut Spurensicherung hatte jemand das Innere des Autos sehr gründlich ausgesaugt und abgewischt. Das Reifenprofil stimmte mit den Reifenspuren, die man im weichen Waldboden beim Hof der Benneckes gefunden hatte, überein.

Marten pfiff leise durch die Zähne, als er das hörte.

»Du hattest also Recht mit diesem Ferienhaus«, sagte er. »Der Mörder hat sich das Gewehr von dort genommen und den Wagen ausgeliehen, um keine Spuren zu hinterlassen, die direkt auf ihn deuten würden. Wenn die Putzfrau nicht ihren eigenen Schlüssel vergessen hätte und auf die Idee gekommen wäre, sich den Ersatzschlüssel von den Suhrs zu holen, dann hätte das wahrscheinlich nie jemand herausgefunden.«

»Und Hanno Suhr könnte noch am Leben sein«, ergänzte Pia düster.

»Verdammt, ja. So passt es mit dieser Schlüsselgeschichte zusammen. Vielleicht wusste Hanno Suhr, wer am Schlüsselkasten gewesen war. Aber erst, als wir uns für das Ferienhaus zu interessieren begannen, wurde er mit diesem Wissen für den Mörder gefährlich.«

»Meinst du, die Gädekes haben jemandem von unseren Absichten erzählt?«

»Irmtraut Krüger hat am Freitag herumerzählt, dass du dich sehr für ihre Ferienhaus-Geschichte interessiert hast.«

»Also waren unsere Ermittlungen der Auslöser für den Mord. Der Täter fühlte sich in Sicherheit, solange wir keine Spur von der Tatwaffe und dem benutzten Fahrzeug hatten. Als er erfuhr, dass wir das Ferienhaus durchsuchen lassen wollten, wurde er unruhig. Denn es gab jemanden, der gesehen hatte, wie er den Schlüssel zum Ferienhaus an sich nahm: Hanno Suhr!«

»Warum hat Hanno Suhr sich mit seinem Wissen nicht direkt an uns gewendet?«

»Ich glaube nicht, dass Hanno den Täter am Schlüsselkasten gesehen hat. Der Mörder konnte nicht riskieren, bei der Aktion entdeckt zu werden. Hanno hat wahrscheinlich kurz vor den Morden an den Benneckes jemanden auf dem Hofplatz oder in der Diele angetroffen, der nur eine sehr dürftige Begründung für seinen Besuch hatte. Er war sich einfach nicht sicher, ob der nette Bekannte oder die freundliche Nachbarin wirklich ein Mörder ist. Und dieses Zögern hat dem Täter geholfen. Wenn er die Gewohnheiten auf dem Hof kannte, brauchte er praktisch nur im Stall abzuwarten und zuzuschlagen.«

Marten rieb sich nachdenklich das Kinn. Pia pulte an ihren Fingernägeln herum. Hanno Suhr hatte gewusst, wer die Benneckes erschossen hatte. Aber das konnte er ihnen nun nicht mehr mitteilen.

»Meinst du, er hat seiner Frau oder seinem Vater von dem Verdacht erzählt?«, fragte Marten.

»Hauptsache, der Mörder denkt das nicht.« Pia sah durch die Fensterscheiben hinaus in den grauen, schon fast dunklen Himmel. Mit einem Mal war ihr kalt.

»Er ist immer noch da draußen, er oder sie. Wir müssen heute Abend noch zurück nach Grevendorf. Ich möchte vor Ort sein, nur für den Fall, dass wieder etwas passiert«, sagte Unruh düster. »Außerdem habe ich für morgen Früh eine Einsatzbesprechung eingeplant.«

»Dann lass uns jetzt gleich losfahren«, meinte Pia, ihren inneren Widerstand gegen die Rückkehr nach Grevendorf unterdrückend. »Du kannst mir auf der Fahrt erzählen, was du mit Dimitri Kontos angestellt hast. Als er aus dem Besprechungs-

raum kam und mir im Flur begegnete, war er die Freundlichkeit in Person.«

»Gehirnwäsche«, sagte Marten nur.

Als sie Lübeck hinter sich ließen, war es bereits stockdunkel.
»Er ist immer noch da draußen«, hallte es in Pias Kopf wider,
»immer noch da draußen ...«

26. KAPITEL

Pia und Marten orderten gleich bei ihrer Ankunft im
Hotel ihr Abendessen an der Rezeption. Sie ließen sich zwei
Grevendorfer Fischplatten nebst Salat und Weißwein in ihrem
Besprechungsraum servieren, um während des Essens unge-
stört über die Arbeit reden zu können. Im Restaurant gab es zu
viele Zuhörer.

Pia nutzte die verbleibende Zeit bis zum Essen, um nach oben
zu gehen und zu duschen. In den Kleidungsstücken, die sie auf
dem Fußboden vor der Badezimmertür zurückließ, hing noch
schwach der Geruch nach Tod und Erbrochenem. Der Mord an
Hanno Suhr war noch keine 24 Stunden her, aber es gelang ihr,
die Erinnerung daran in den Hintergrund zu schieben.

Als sie kurze Zeit später in Erwartung eines warmen Abend-
essens den Besprechungsraum betrat, fühlte Pia sich optimisti-
scher als noch ein paar Stunden zuvor.

Marten Unruh betrat ein paar Minuten nach ihr den Raum.
Er ließ sich in einen der Stühle fallen, kippte ihn zurück und
verschränkte die Arme hinter dem Kopf.

»Was für ein mieser Tag heute. Ich hasse nichts mehr, als
morgens gleich mit einer neuen Leiche aus dem Bett geklingelt
zu werden.«

»Wenigstens warst du vorher im Bett ...«, bemerkte Pia. Sie hätte die Worte am liebsten sofort zurückgenommen, aber das Stichwort war nun gegeben.

»Apropos, wo hast du dich eigentlich herumgetrieben? Der Wagen war ja noch warm, als wir heute Morgen eingestiegen sind.«

»Vielleicht hatte ich Heimweh nach meinem eigenen Bett ...«, wich Pia aus.

»Oh, nein, du sahst nicht so aus, als hättest du überhaupt geschlafen. Lass mich raten ...«

»Nein!«

»Du warst bei deinem Freund ...«, fuhr Marten gnadenlos fort, »aber ... es kann keine sehr nette Begegnung gewesen sein. Dann hättest du nämlich anders ausgesehen.«

»Ich glaube kaum, dass du das beurteilen kannst.«

»Du hast eher wie eine Katze ausgesehen, der die Maus gerade entwischt ist.«

»Der Vergleich hinkt.«

»Stimmt, Rob der Kojote hat keine Ähnlichkeit mit einer Maus!«

»Da kommt unser Essen«, bemerkte Pia, als sich die Tür öffnete und ein Servierwagen mit ihrem kompletten Abendessen hereingeschoben wurde. Martens letzter Bemerkung entnahm sie, dass er Robert von irgendwoher kannte. Die Erkenntnis war ihr unangenehm, obwohl sie nicht genau sagen konnte, weshalb.

»Also gut, wenden wir uns wichtigeren Dingen zu als der Liebe. Möchtest du Wein zum Essen trinken, oder lieber erst ein Glas Wasser?«

Im Nachhinein wusste Pia, dass sie Wasser getrunken hätte, wäre sie vorher nicht so provoziert worden. Marten schenkte ihnen großzügig ein. Nachdem der letzte Rest Fisch und Salat vertilgt waren, schob Pia ihren Teller zur Seite und nahm sich mit viel Überwindung wieder ihre Arbeitsunterlagen vor.

»Keinen Kaffee mehr, Espresso, Cappuccino?«, fragte Marten.

»Kein Koffein, danke. Ich werde heute Nacht zur Abwechslung mal wieder schlafen.«

»Aber die andere Droge, die, die müde macht?«

»Ja, schenk noch etwas ein. Du sollst ja nicht alles allein trinken müssen.«

Marten stapelte die Teller und räumte alles zurück auf den Servierwagen. Dann fegte er noch ein paar Krümel vom Tisch und stellte die Getränke in Reichweite. Pia beobachtete ihn amüsiert.

»Wir sollten jetzt alles, was wir haben, noch einmal durchgehen. Irgendetwas müssen wir bisher übersehen haben. Ich habe das Gefühl, dass wir schon viele Fakten kennen, aber sie noch nicht richtig gedeutet haben ...«, sagte sie.

»Von mir aus. Ich streite mit Frauen prinzipiell nicht über Gefühle. Fang an ...«

Entgegen seinen gleichgültigen Worten nahm er eine konzentrierte Haltung ein.

Pia fasste den bisherigen Ermittlungsstand zusammen. Sie begann mit der Begehung des Tatortes und den Erkenntnissen, die sie selbst und die Leute vom K6 dort gesammelt hatten. Anschließend versuchte sie eine Charakterisierung der drei Opfer und stellte sie in Beziehung zu ihren Nachbarn und Bekannten. Bei Gerlinde und Dimitri Kontos herrschte noch relative Einigkeit zwischen Pia und Marten.

Dann kamen sie zu Agnes Kontos.

Marten beharrte weiterhin auf dem Standpunkt, dass Agnes nur ausgerissen sei und von allein wieder auftauchen würde. Pia hielt dem das gefundene Fahrrad entgegen und die vermutete Beziehung zu Malte Bennecke. Marten forderte stur und unnachgiebig Beweise für das Verhältnis zwischen Agnes Kontos und Malte Bennecke. Sie knabberten beide eine Weile an den Fakten herum, einigten sich aber dann darauf, die Suche nach Agnes zu verschärfen, um Klarheit zu bekommen.

Außerdem musste Dimitri Kontos' Alibi überprüft werden. Es hatte sich herausgestellt, dass er sich zum Zeitpunkt der Morde in Deutschland aufgehalten hatte.

Als sie auf das Ehepaar Rohwer zu sprechen kamen, musste Pia ihr Versäumnis eingestehen und endlich von den Drohbriefen berichten, die Katrin angeblich im Schreibtisch ihrer Mutter gefunden hatte. Sie holte die Tüte mit den Briefen hervor, und Marten las sie aufmerksam.

»Das hättest du mir gleich zeigen müssen.«

»Hältst du die für relevant?«

»Wenn du wissen willst, ob ich die Rohwers nun für die Täter halte: nein. Aber interessant sind diese Beschuldigungen trotzdem.«

»Sie haben ein sehr starkes Motiv.«

»Ich glaube, du lässt diese Geschichte mit dem verunglückten Kind viel zu nah an dich ran, um noch objektiv zu bleiben.«

»Ich bin nur realistisch. Bettina Rohwer macht den Eindruck, als stehe sie kurz vor einem Nervenzusammenbruch. Sie ist zu allem fähig«, antwortete Pia gereizt.

»Im Affekt vielleicht. Wir suchen aber einen kaltblütigen Mörder. Jemanden wie Katrin Bennecke.«

»Katrin Bennecke passt hier überhaupt nicht ins Bild«, entgegnete Pia, »die Wahl des Tatortes, der Waffe, die ganze Vorgehensweise passen nicht zu einer Frau, die mitten in Frankfurt lebt.«

»Letzten Endes geht es doch immer um die Frage: Wer bekommt die Kohle? Ich habe mich über die testamentarischen Verfügungen der Benneckes informiert. Hier geht es um Grundbesitz in nicht zu knappem Umfang und einen gut gehenden Betrieb. Katrin Bennecke ist die Alleinerbin. Sie kassiert ab, wenn der ganze Zauber hier vorbei ist.«

»Deshalb ist sie noch nicht zwingend unsere Täterin.«

»Nein, aber wir dürfen sie auch nicht unterschätzen. Sie hat ihre Familie gehasst. Stell dir vor, Katrin Bennecke hat finanzielle Probleme, richtige Probleme. Und angenommen, sie kennt ein paar Leute, die welche kennen, die für Geld so einen Job übernehmen. Nach Grevendorf fahren, drei Menschen mit einem Jagdgewehr erschießen und wieder abhauen. Es sollte so aussehen, als ob es einer von hier gewesen wäre.«

»Vor ein paar Stunden hätte ich dir vielleicht noch zugestimmt. Aber nun, wo wir davon ausgehen, dass die Tatwaffe den Gädekes gehört, hat sich das wohl erledigt.«

»Das sind doch bisher alles nur Vermutungen.«

Pia ärgerte sich. Gleichzeitig musste sie sich eingestehen, dass in diesem Fall bisher nichts wirklich sicher war.

Marten fuhr fort: »Ich gebe zu, dass mich der Mord an Hanno Suhr erst aus dem Konzept gebracht hat. Aber wenn sie sich in die Enge getrieben fühlte, dadurch, dass ihr Hanno Suhr während des Schlüsseltausches über den Weg lief ...«

Pia schüttelte den Kopf. »Es passt nicht. Wenn Katrin Bennecke die Morde in Auftrag gegeben hat, ist die Geschichte mit dem Schlüssel und dem Ferienhaus irrelevant.«

»Mist! Aber auch ein Auftragsmörder könnte sich die Waffe bei den Gädekes besorgt haben ...«

Pia schwieg. Marten legte sich die Fakten so zurecht, wie es ihm in den Kram passte. Sie jedoch sperrte sich dagegen, in Katrin Bennecke die Mörderin zu sehen.

Schließlich einigten sie sich darauf, nochmals Katrin Benneckes Kontakte in Frankfurt und auch in Grevendorf und Umgebung zu überprüfen.

Dann fuhren sie mit den Suhrs fort, bei denen sie sich diesmal einig waren. Ihr Motiv hatte sich mit Hanno Suhrs Tod zerschlagen, denn er wäre ja der eigentliche Nutznießer gewesen.

Als sie sich mit Rothenweide als nächstem Nachbarn beschäftigten, mussten sie leider feststellen, dass sie noch nicht so weit waren, wie es nötig gewesen wäre. Marten hatte sich in die Försters verbissen und in Hamburg diverse Nachforschungen in Gang gesetzt, die sich mit Försters Geschäftspartnern, Freunden und sonstigen Beziehungen beschäftigten. Pia beharrte darauf, auch Verena Lange, Jens Petersen und Verenas Freund Klaus Biel in die engere Wahl einzubeziehen. Bei allen kamen Motive wie Eifersucht und Betrug in Betracht, bei allem wäre Malte Bennecke der Auslöser gewesen. Ob nun Jens Petersen, heimlich verliebt in Verena, seinen Nebenbuhler aus dem Weg geräumt hatte, Klaus Biel von einer Affäre seiner Freundin Wind bekommen hatte oder Verena selbst die Kontrolle über die Beziehung zu ihrem jugendlichen Lover verloren hatte. Die drei hatten in enger, persönlicher Beziehung zu einem der Opfer gestanden.

Marten weigerte sich jedoch, Pias Gedankengang auch nur nachzuvollziehen. Für ihn war der ermordete Malte Bennecke nicht mehr als ein 22-jähriger Junge, von dem keine großen Gefahren und Leidenschaften ausgehen konnten. Die Gefühle, die er in gewissen Frauen, allen voran Verena und Agnes, ausgelöst hatte, nahm Marten mit einer gewissen Arroganz einfach nicht zur Kenntnis.

Die letzte Möglichkeit, auf die Marten abschließend hinwies, war die des »großen Unbekannten«. Einer Person, die bisher noch gar nicht in Erscheinung getreten war. Es konnte noch Verbindungen und Kontakte im Leben der Opfer gegeben haben, von denen sie bisher nicht einmal wussten. Letzten Endes ließ sich auch die unheimliche Vorstellung eines Wahnsinnigen, der ohne nachvollziehbares Motiv mordete, nicht ganz ausschließen. Sollte das der Fall sein, hätten sie quasi die ganzen bisherigen Ermittlungen in den Sand gesetzt und konnten von vorn beginnen.

Das Gespräch verstummte. Sie hatten gemeinsam zwei Flaschen Weißwein geleert. Die Luft im Konferenzraum war jetzt so sauerstoffarm und stickig wie in einem Wohnwagen, nachdem eine Großfamilie darin übernachtet hat. Marten rieb sich die Stirn, als hätte er Kopfschmerzen.

»Lass uns Schluss machen. Heute Abend können wir sowieso nicht mehr denken«, meinte er abschließend. Er verstaute seine Unterlagen in einem Aktenkoffer, den er sorgfältig verschloss. Pia sah auf ihre Uhr. Es war halb zwölf Uhr.

27. KAPITEL

Als Pia den Konferenzraum verließ, hatte sie das Gefühl, dass der Fußboden unter ihr schwankte. Die Hauptbeleuchtung in den Gängen war ausgeschaltet. Die kleinen Orientierungslichter, die in Höhe der Fußgelenke installiert waren, ließen den Fußboden wellenartig aussehen. Eine fast perfekte Illusion von Bewegung auf dem graublauen Veloursteppich.

Während sie den langen Flur hinunterging, ließ Pia die Fingerkuppen ihrer rechten Hand über die Strukturtapete der Wand streichen. Das gab ihr ein Gefühl von Halt.

Sie zählte nach, wie viel Wein sie getrunken hatte, aber es waren nur drei oder vier Gläser gewesen. Der Schlafmangel und die Anspannung des Tages spielten ihrer Wahrnehmungsfähigkeit jetzt Streiche. Sie versuchte, sich möglichst geradlinig in Richtung Treppe zu bewegen, denn Marten hatte hinter ihr die Tür zum Konferenzraum verschlossen und folgte ihr auf dem Weg zu den Hotelzimmern. Zügig stieg sie die zwei Treppen hinauf, den Lauf des Treppengeländers unter ihrer flachen Hand entlanglaufen lassend wie eine Schiene. Oben, im dunklen Korridor, war die Atmosphäre dumpf und beengt durch muffige Teppichböden und textile Wandbespannungen. Sie musste sich nach links wenden. Martens Zimmer lag, soviel sie wusste, rechts von der Treppe.

Pia zuckte leicht zusammen, als er plötzlich hinter ihr stand, während sie versuchte, das Zimmer aufzuschließen.

»Hier, du hast was vergessen«, sagte er und hielt ihr ihre Mappe mit ein paar Unterlagen hin.

»Danke. Es ist aber nichts Wichtiges drin«, antwortete sie beiläufig. Etwas an seinem Blick irritierte Pia. Sie wendete sich ab und beschäftigte sich wieder demonstrativ mit dem Schlüssel. Die Tür sprang auf.

»Also dann, bis morgen ...«, sagte sie und trat ein. Er folgte ihr.

»Ist noch etwas, habe ich noch was vergessen?« Pia kämpfte darum, sich ihre Benommenheit nicht anmerken zu lassen. War er so bescheuert, einen Annäherungsversuch zu riskieren, weil sie beide ein paar Gläser Wein getrunken hatten? Oder war sie paranoid, so etwas auch nur zu vermuten.

Pia wurde klar, dass sich ihr Verhältnis zu Marten Unruh in den letzten Stunden verändert hatte. Ihr Blick hatte länger als notwendig auf ihm geruht. Sie hatte beiläufig registriert, wie er sich bewegte, dass er schöne Hände hatte ... Solche abschweifenden Gedanken waren nichts Außergewöhnliches, wenn man in einer Stresssituation miteinander arbeiten musste. Pia hatte diese Art von Anziehung schon manches Mal erlebt, wenn sie so angespannt war wie jetzt. Unruh war und blieb aber ihr Kollege. Und mochte sie die Beziehung zu Robert endgültig vor die Wand gesetzt haben, mochte sie sich noch so schuldig und verloren fühlen nach Hanno Suhrs gewaltsamem Tod: Marten Unruh war tabu. Und sie tat gut daran, ihn auf Distanz zu halten.

Während ihr diese Gedanken durch den Kopf gingen, war er zum Fenster hinübergegangen und sah in die Dunkelheit hinaus. Pia hatte vorhin beim Umziehen vergessen, die Vorhänge zuzuziehen. Nun schien der Mond auf ein Chaos aus abgelegten Klamotten, Schuhen und Kleinkram, die nach ihrem eiligen Zwischenstopp vorhin im Zimmer liegen geblieben waren. Das kalte Licht ließ den Raum ungeschützt und verlassen erscheinen.

»Du solltest vorsichtiger sein«, sagte Marten.

»Inwiefern?« Pia trat ebenfalls ans Fenster. Sie sah wie gebannt hinaus, angezogen durch das erstaunlich helle Mondlicht. Graue Wolkenfelder zogen mit großer Geschwindigkeit über den nächtlichen Himmel.

»Hier ist eine Person ganz in unserer Nähe, die vorsätzlich vier Menschen ermordet hat. Jemand, für den wir eine Bedrohung darstellen. Er oder sie könnte sich irgendwann in die Enge getrieben fühlen ...«

Er sah sie mit seinen eigentümlich hellen, blaugrauen Augen an. Pia hatte einen kurzen Moment das Gefühl, dass er etwas wusste, was er ihr aber keinesfalls sagen wollte ...

»Zerbrich dir meinetwegen nicht den Kopf«, wehrte sie ab, hielt aber seinem Blick stand. »Ich habe keine Angst.«

Pia drehte sich um, um den Stab aus Plexiglas zu fassen zu bekommen und die Vorhänge zuzuziehen. Sie wollte die Welt dort draußen aussperren und das merkwürdige Gespräch beenden. Als sie mit dem Rücken zu ihm stand, spürte sie plötzlich seine Hände an ihrer Taille. Pia war völlig perplex. Seine Hände glitten abwärts, aber so langsam, dass sie die Wärme durch den dünnen Stoff ihrer Kleidung spüren konnte. Sie hielt unwillkürlich die Luft an.

»Trägst du eigentlich deine Dienstwaffe? Ich wollte dich das schon den ganzen Abend fragen.«

»Lass das!«, entfuhr es ihr böse. »Blöde Frage. Wo sollte ich die P6 unter meinen Klamotten wohl versteckt haben?«

»Das ist in der Tat schwierig ...«

Sie drehte sich um, aber er ließ sie nicht los, sondern zog sie enger an sich heran. Also doch, er legte es darauf an. Sie fand das äußerst dreist, aber auch aufregend, wie sie sich eingestand. Pia verfluchte innerlich den Wein, den sie getrunken hatte, denn ihr Gehirn fühlte sich so watteweich an wie ihre Knie. Sie trank sonst fast nie Wein. Das Zeug schien ja das reinste Aphrodisiakum zu sein.

Marten trat einen halben Schritt um sie herum, ließ sie jedoch immer noch nicht los.

»Geh jetzt lieber, Marten, bevor ich dich rausschmeiße ...« Es war eine leere Drohung, das wusste sie. Die Hormone in ihrem Blut erzeugten ein Gefühl wie auf einer Achterbahn.

»Versprich nichts, was du nicht halten kannst ...«

Pia war völlig überrascht, als er ihr einen leichten Stoß in die Kniekehlen gab und sie damit so aus dem Gleichgewicht brachte, dass sie rücklings auf das Bett fiel. Es war ein Trick aus der Selbstverteidigung. Simpel, aber wirkungsvoll, da es so unerwartet kam.

»... oder nicht halten willst.« Er lag schwer auf ihr, sein Gesicht direkt über ihrem. Sie spürte seinen Atem auf ihrer Wange. Widerwillig erkannte Pia, dass sie die Situation genoss, die ihre Vernunft ablehnte. Ein Kollege! Na gut, er war nicht unattraktiv. Es war ein böser Tag gewesen, aber dennoch ...

»Da kennst du mich aber schlecht«, flüsterte sie halb drohend, halb amüsiert.

Das Geräusch, das er machte, klang wie ein leises, dunkles Lachen. Pia spürte, wie sich seine Hand unter ihren Pullover schob. Ihre Bauchdecke bebte, als er ihre nackte Haut berührte. Doch, die Idee war gar nicht so schlecht. Ihr Mund fand seinen Mund. Seine Lippen waren überraschend weich, sein Haar fühlte sich seidig an. Die bislang eher aggressiven Gefühle ihm gegenüber verwandelten sich in Erregung. Zum Teufel mit der Vernunft: Sex war die ultimative Ablenkung von der eigenen Sterblichkeit, die ihr heute erschreckend bewusst geworden war.

Es war wie ein Rausch. Ihre Kleidungsstücke landeten nacheinander auf dem Fußboden des Hotelzimmers. Das Hotelbett knarrte bei jeder ihrer Bewegungen, aber Pia registrierte es kaum. Während sie miteinander schliefen, trat alles um sie herum für kurze Zeit in den Hintergrund: das Hotel, das gottverlassene Dorf, die Mörderjagd und ... der Tod.

Danach lagen sie noch eine Weile dicht beieinander. Pia fühlte sich leicht und wieder völlig klar. Die Anspannung der letzten Tage hatte sich in diesem einen Akt aufgelöst. Im Dunkeln spürte sie Martens Blick auf sich gerichtet. Sie fühlte die Wärme, die Marten ausstrahlte, und wusste, dass er morgen schon wieder wie durch eine Wand aus Panzerglas von ihr getrennt sein würde. Pia wollte diesen Moment der Nähe noch eine kleine Weile festhalten, aber er entglitt ihr. Marten strich ihr mit einem Finger die Wirbelsäule herunter, Wirbel für Wirbel.

»Warum? Das macht alles nur unnötig kompliziert.«

»Einer Frau, die ihr Essen so scharf isst, konnte ich unmöglich widerstehen.«

»Ich dachte, du könntest mich nicht ausstehen.«

»Dito. Hat dir eigentlich schon einmal jemand gesagt, dass du eine außergewöhnliche Frau bist, Pia?«

»Außergewöhnlich was? Außergewöhnlich sonderbar?«

»Du suchst auch immer die Konfrontation. Es war ein Kompliment.«

Er strich ihr das Haar, das sich aus ihrem Zopf gelöst hatte, aus dem Gesicht. Die Geste berührte etwas in ihr. Sie wollte nicht an den nächsten Morgen denken. Diese Nacht war außerhalb der normalen Zeit. Ein Schutzraum, den das erste Morgenlicht zerstören würde. Sie streichelte Martens warme, verschwitzte Haut. Dann ertasteten ihre Finger die feinen Erhebungen einer Narbe, die von seinem Schlüsselbein bis hoch zu seinem Hals verlief.

»Nicht dort.« Er griff nach ihrem Handgelenk.

»Tut das weh? Es scheint doch gut verheilt zu sein?«

Pia merkte an seiner Reaktion, dass sie sich an einen Grenzbereich heranwagte, der über die Intimität von gemeinsamem Sex hinausging.

»Das sieht nur so aus, es nervt ganz schön ...«

»Was ist denn passiert? Woher hast du die?«

»Kennst du die Geschichte etwa nicht? Das war doch tagelang Gesprächsthema Nummer eins im ganzen Polizeihochhaus«, sagte er bitter.

»Du vergisst, dass ich noch nicht lange bei euch bin. Außerdem erzählt mir doch keiner was ...«

»Es war kein Unfall. Willst du die idiotische Geschichte wirklich hören?«

»Ja.«

Er zögerte einen Moment, suchte offenbar die richtigen Worte. Als er nach einer Pause sprach, klang er völlig nüchtern: »Ich habe den Tod gesehen. Es hat mich verändert – alles verändert ...«

Pia schwieg. Sie spürte, dass es Marten äußerste Überwindung kostete, davon zu sprechen.

»Es war ein ganz normaler Dienstag. An dem betreffenden Vormittag war ich mit einem älteren Kollegen unterwegs. Burkhard Möller, ein guter Typ, du kennst ihn wahrscheinlich nicht. Wir wollten einen Kneipenwirt verhaften, den wir schon seit längerem beobachtet hatten. Wir erwarteten keinen ernsthaften Widerstand. Der Mann war allein in seiner Kneipe. Wir hatten gesehen, wie er um halb elf Uhr vormittags seine Tür aufschloss und hineinging. Burkhard Möller plädierte dafür, zu warten, bis Verstärkung eintreffen würde. Der Typ, auf den wir aus waren, war kein unbeschriebenes Blatt. Ich wollte nicht so viel Aufheben von der Sache machen. Der Mann war allein und das Überraschungsmoment auf unserer Seite. Ich drängte zum Handeln.

Vielleicht wollte ich auch endlich Ergebnisse vorweisen können. Ich argumentierte mit ›Verdunkelungsgefahr‹. Schließlich hatte der Mann all seine Papiere im Hinterzimmer seiner Kneipe und konnte ein lustiges Freudenfeuer entfachen, während wir vor seiner Tür standen und debattierten. Ich war dem Kerl schon zu lange auf der Spur, als dass ich riskieren wollte, zu spät zu kommen.

Wir verschafften uns also Zutritt. Ich verhaftete unseren Verdächtigen, während Burkhard sich etwas im Hintergrund hielt. Was ich nicht bedacht hatte, war, dass die Kneipe noch einen Hintereingang hatte: ein klassischer Anfängerfehler, so etwas nicht vorher nachzuprüfen! Zwei seiner Kumpel waren schon vorher unbemerkt in das Hinterzimmer der Kneipe gelangt. Als sie uns hörten, kamen sie ebenfalls in den Schankraum. Einer schlug Burkhard mit einer Flasche nieder, der andere griff mich von hinten an und setzte mir ein Messer an die Kehle. Der Erste bekam dann meine Dienstwaffe zu fassen. Ich musste mir einen kurzen Wortwechsel darüber anhören, ob sie mich abstechen, erschießen oder ob sie lieber einfach so verschwinden sollten. In diesem Moment wartete ich nur noch darauf, dass die Klinge des Messers in meinen Hals einschneidet. Ich spürte, wie der Stahl meine Haut verletzte. Ich dachte: So ist das also! So fühlt es sich an, wenn man stirbt! Was wird das für ein Gerede geben. Ich habe mir in diesem Moment tatsächlich Gedanken über meinen Nachruf gemacht. Es widerte mich an, auf Grund meiner eigenen Dummheit zu sterben.

Dann hörte ich draußen unsere Leute kommen. Gleichzeitig fühlte ich einen rasenden Schmerz, riss die Hand hoch, um das Messer zu fassen zu bekommen, und stürzte auf den Fußboden. Ich lag in meinem eigenen Blut, fühlte, wie das Leben aus mir heraussickerte. Ich dachte, ich würde an meinem falschen Ehrgeiz sterben. Es war der schlimmste Moment in meinem Leben: Nicht nur, weil es höllisch wehtat, sondern weil es so erniedrigend war. Auch jetzt noch kann ich dieses Gefühl wieder wachrufen. Ich habe darüber schon oft nachgedacht. Ich müsste doch froh sein, überlebt zu haben. Ich habe nicht mal ernsthaften Schaden genommen, aber die Kränkung und Leere sind geblieben.«

Er erwartete keine Antwort darauf, sondern fuhr mit nüchternerer Stimme fort:

»Burkhard Möller ist übrigens noch nicht wieder in den Beruf zurückgekehrt. Man hat mir gesagt, er würde vielleicht nie wieder einsatzfähig sein. Er leidet noch immer unter den Folgen seiner Kopfverletzung. Da er nicht mit mir reden will, habe ich inzwischen aufgegeben, mich nach seinem Gesundheitszustand zu erkundigen. Wahrscheinlich wird er sich vorzeitig pensionieren lassen. Ich will auch nicht mehr ewig weitermachen ...«

»Was willst du stattdessen tun?«

»Eigentlich will ich nur weg von hier. In die Sonne. Das Leben ist zu kurz für diesen Scheiß hier ...«

»Und du glaubst, woanders geht es dir besser?«

»Klar, meinst du nicht?«

»Dort, wo du hinwillst, da war ich schon ...«

28. KAPITEL

Ein rhythmisches Poltern drang bis in Pias Traum. Sie versuchte, es in die Traumsequenz einzubauen, dann dämmerte ihr, dass sie in ihrem Bett im Hotel lag und jemand an die Zimmertür klopfte. Die Erinnerung an die vergangene Nacht ließ sie hochfahren. Ihr Bett war zerwühlt, sie war nackt, aber sie war allein.

»Moment«, krächzte sie und sah sich nach einem Kleidungsstück um. Das lange T-Shirt, das sie normalerweise zum Schlafen trug, lag auf dem Fußboden zwischen Bett und Tür. Sie streifte es über, bevor sie öffnete.

Vor ihr stand Verena Lange. Im Gegensatz zu ihr sah diese schon völlig repräsentabel aus in ihren dunkelgrünen Reithosen, blanken Stiefeln und einer karierten Jacke. Ihr Haar war frisch geföhnt und ihre Wangen gerötet.

»Kann ich reinkommen?«, fragte sie und schob sich eilig durch die Zimmertür. Viel weiter kam sie nicht, da sie Hemmungen hatte, auf die herumliegenden Kleidungsstücke zu treten.

»Was ist denn hier los?«, fragte sie. »Sind sie immer so chaotisch?«

Dann wurde sie sich ihrer Taktlosigkeit bewusst und machte sich ihren Reim darauf, was der Zustand des Zimmers bedeuten könnte. Sie verstummte abrupt.

»Machen sie es sich gemütlich«, sagte Pia mit einer einladenden Handbewegung. »Womit kann ich Ihnen helfen um ...

sechs Uhr morgens?« Sie selbst setzte sich auf ihr Bett und sah zu, wie Verena ein paar Schritte auf und ab ging, während sie nach den richtigen Worten suchte.

»Sie hatten Recht, als Sie neulich bei mir waren. Malte Bennecke war eine Zeit lang mit Agnes befreundet. Sie hatte mich angefleht, es niemandem zu verraten. Ihre Mutter hätte es nicht zugelassen und ihr Vater wäre vor Wut ausgerastet. Das glaubte Agnes zumindest. Ich wollte sie nicht verraten, aber das war falsch. Vielleicht wollte ich Ihnen auch nur nicht helfen. Heute Früh habe ich allerdings von Klaus erfahren, dass Agnes sich gestern bei uns gemeldet hat.«

»Agnes lebt, sie hat angerufen?«, fragte Pia erstaunt. Erst jetzt wurde ihr bewusst, wie sehr sie mit einem weiteren Mord gerechnet hatte.

»Sie wollte mit mir reden, hat mich aber nicht erreicht, weil ich gestern Abend bei meinen Eltern war. Sie hat zu Klaus gesagt, wir sollen ihrer Mutter ausrichten, dass es ihr gut geht.«

»Kennt Ihr Freund Agnes' Stimme? Ist er sich sicher, dass sie es war?« Pia traute weder der Frau vor ihrem Bett noch Klaus Biel von hier bis zur Tür.

»Nein, er war sich nicht sicher. Außerdem war er sauer auf mich und hat es mir eben erst gesagt. Mein Gott, als ob das jetzt die Gelegenheit wäre, irgendwelche persönlichen Fehden auszutragen. Ich möchte Agnes helfen, ich fühle mich selbst nicht ganz unschuldig an der Situation.«

»Hat sie irgendeinen Hinweis hinterlassen, wo sie steckt? Gab es Hintergrundgeräusche? Irgendeinen Punkt, an dem wir ansetzen können?«, bohrte Pia nach.

Verena spielte nervös an ihrer Armbanduhr herum.

»Sieht nicht so aus. Sie dürfen von Klaus nicht erwarten, dass er irgendeine detektivische Ader hat.«

»Schade eigentlich. Wie wäre es, wenn Sie unten auf mich

warten, während ich mich anziehe. Ich bin in ein paar Minuten fertig.«

Pia stieg über die Klamotten hinweg ins kleine Badezimmer, um zu duschen. Der Gedanke an Agnes ließ sie den Geschwindigkeitsrekord vom gestrigen Abend noch einmal unterbieten. Als sie pflichtbewusst ihre Dienstwaffe im Schulterhalfter unter einer gesteppten schwarzen Weste verschwinden ließ, lächelte sie in sich hinein. Die Handschellen am Gürtel wurden so ebenfalls verdeckt und niemand konnte ihr Unvorsichtigkeit vorwerfen.

Sie fand Verena im Hotelfoyer wieder, wo sie gerade im Schatten einer Zimmerlinde telefonierte. Als sie Pia die Treppe herunterkommen sah, beendete sie das Gespräch.

»Ich hab schnell im Stall Bescheid gesagt, dass ich heute nicht kommen kann«, erklärte sie ungefragt.

»Hätten Sie heute arbeiten sollen?«

»Nicht direkt, ich sehe nur sonntagvormittags immer ganz gern noch mal nach den Pferden«, antwortete sie. Und nach einer kleinen Pause: »Die Tiere sind halt mein Leben. Aber heute würde ich gern dabei sein, wenn Sie Agnes suchen. Ich kann Ihnen bestimmt irgendwie helfen.«

Pia sah sie skeptisch an. Die Wendung um 180 Grad, von Ablehnung zu Hilfsbereitschaft, war ihr nicht ganz geheuer. Es war aber nicht von der Hand zu weisen, dass Verena überaus nützlich sein würde bei der Suche nach Agnes Kontos.

»Ich schlage vor, wir reden beim Frühstück miteinander. Vielleicht fällt Ihnen dann ein, wo sich Agnes aufhalten könnte. Kommen Sie, das Frühstück hier ist gar nicht mal so schlecht.«

Als sie an einem Tisch in einer ruhigen Ecke des Frühstücksraumes saßen, fragte Pia: »Wie klang Agnes am Telefon? Verängstigt, trotzig, so als würde sie zum Telefonieren gezwungen?«

»Klaus hat gesagt, sie klang ängstlich. Aber nicht so, als würde einer hinter ihr stehen.«

»Angenommen, sie ist freiwillig gegangen. Aus irgendeinem Grund hat sie es für nötig befunden, Grevendorf zu verlassen. Welche Möglichkeiten hätte sie?«

»Ohne ein Auto und ohne viel Geld?« Verena zuckte mit den Achseln. »Sieht schwierig aus, wenn ihr keiner geholfen hat. Vielleicht eine Jugendherberge ...«

»Leute, die sich verstecken, suchen sich normalerweise Orte aus, die sie von irgendwoher kennen, von denen sie aber glauben, kein anderer würde die Verbindung herstellen. Es könnte ein Ort sein, wo sie mal auf Klassenfahrt war, wo sie während einer längeren Autofahrt gerastet hat oder wo sie jemanden kennt, der aber ihrem normalen Umfeld unbekannt ist. In diesem Fall können wir wohl davon ausgehen, dass Agnes nicht so viel Geld bei sich hatte, um sehr weit weg zu kommen oder in einem Hotel zu wohnen. Ich bin mir ziemlich sicher, dass sie einen Helfer hat«, überlegte Pia laut.

Sie ging ein Risiko ein, wenn sie so offen mit Verena sprach. Andererseits musste sie eine Basis schaffen, die Verena dazu veranlasste, sich ihr ebenfalls anzuvertrauen.

»Wie wäre es mit einem Mann?«, fragte Verena. »Einen Typen, den sie irgendwo kennen gelernt hat und der ihr das Blaue vom Himmel versprochen hat. So etwas liest man doch hin und wieder: junge Mädchen, die auf Zuhälter hereinfallen und anschließend auf den Strich geschickt werden.«

»Halten Sie das für wahrscheinlich?«, blockte Pia ab. »Der Zeitpunkt ihres Verschwindens und dieses verdammte Fahrrad sprechen dagegen. Sie muss von irgendetwas oder irgendjemandem überrascht worden sein. Auch ihre Kontaktaufnahme über das Telefon deutet auf ein freiwilliges Verschwinden hin.«

Pia schenkte sich eine Tasse Kaffee ein. Dann fragte sie: »Gehen Sie mit den Mädchen und ihren Pferden eigentlich auf Reitturniere? Vielleicht waren Sie mit Agnes an einem Ort, der ihr passend für ihre Flucht erschien?«

»Nein, Agnes hat wenig Ehrgeiz, auf Turniere zu gehen. Mit mir war sie bisher nirgendwo. Nur einmal hat sie mich nach Schmalensee begleitet, als ich ein neues Pferd abholte.«

»Noch andere Ideen?«

»Nein, es sei denn ...« Plötzlich hieb sich Verena mit der flachen Hand gegen die Stirn. »Sie ist bei Feline ...«

»Wer ist das?«

»Agnes hatte eine Freundin im Stall, Feline ... Feline von irgendwas. Die beiden hockten ständig zusammen. Feline hatte einen jungen Hengst bei uns stehen: ›Red Giant‹, genannt Gigi. Völlig unmöglich das Tier, jedenfalls für ein kleines Mädchen. Aber die Eltern hatten Feline das Pferd zum Geburtstag geschenkt, nichts ahnend, was sie dem Kind damit antaten. Vorher ritt sie nur Ponys und war glücklich. Na ja, Red Giant jedenfalls ...«

»Verena – mich interessiert das Mädchen mehr als ihr Pferd. Wo ist die Verbindung?«

»Feline ist mit ihren Eltern weggezogen, schon vor über einem Jahr. Der Kontakt schien abgebrochen. Aber sie wohnen noch irgendwo in Schleswig-Holstein. Ich meine, das wäre doch immerhin eine Möglichkeit.«

Pia nickte zustimmend: »Es fehlt nur noch der Nachname des Mädchens und natürlich der Ort, wo sie jetzt wohnt.«

Verena überlegte: »Den Nachnamen kann ich nachsehen, sie hatten schließlich Boxen bei uns gemietet. Aber wo sind sie noch hingezogen? Der Vater war im Hotelgewerbe ...«

»Denken Sie nach, Verena. Der Ortsname muss mal in einem Gespräch gefallen sein. Wo kam das Pferd hin, dieser Red Giant?«, fragte Pia hartnäckig.

Verenas Gedächtnis schien bei Pferden gründlicher zu arbeiten als bei Menschen.

»So etwas Blödes! Ich dumme Kuh habe den Umzug des Hengstes doch selbst organisiert. Er ging nach Travemünde an der Ostsee. Es war nicht so einfach, dort einen passenden Stall zu finden.«

Pia merkte, dass sie vor Aufregung ein Kribbeln im Magen bekam. Ihr Gefühl sagte ihr, dass diese Freundin eine heiße Spur war.

»Nun noch der Name, Verena, der Nachname. Feline von ...«, drängelte sie unbarmherzig.

»Feline von der Beus!«, erinnerte sich Verena plötzlich. »So war ihr Name: Feline von der Beus. Die Familie müsste doch in einem Ort wie Travemünde zu finden sein.«

»Wenn sie dort wohnen, dann finde ich sie auch«, sagte Pia und wischte sich beim Aufstehen mit der Serviette die Brotkrümel vom Mund.

Verena, die sich gerade die erste Scheibe Brot geschmiert hatte, sah Pia verständnislos an:

»Was soll das denn jetzt? Können Sie denn nicht eine Sekunde auf mich warten?«

»Bleiben Sie einfach hier sitzen, ich muss kurz telefonieren.« Während des folgenden Telefonates platzierte sich Pia so im Foyer, dass sie Verena Lange durch die offen stehende Tür im Auge behalten konnte. Sie schilderte Marten Unruh kurz die neue Situation. Pia wollte möglichst unangekündigt in Travemünde eintreffen, damit Agnes, falls sie sich überhaupt dort aufhielt, nicht vorgewarnt war. Außerdem wollte sie ohne ihn fahren. Ihr kam der Umstand zu Hilfe, dass Marten Unruh noch fast im Tiefschlaf war, als sie ihn anrief. Sie könne sofort losfahren, grummelte er kaum verständlich. Dann war die Leitung tot. Pia unterdrückte ein Lächeln. Ihre Lieblingsfeindin

Verena würde sie mitnehmen, dann konnte diese in der Zwischenzeit wenigstens keine Dummheiten machen.

Das Haus der von der Beus war mithilfe eines Telefonbuches ganz einfach ausfindig zu machen. Pia und Verena platzten in das Sonntagsfrühstück einer Bilderbuch-Familie. Eine besorgte Mutter und ein betont höflicher Vater stritten erst einmal jedwede Verbindung ihrer Tochter mit den Vorkommnissen in Grevendorf ab. Feline selber sah zunächst nur verwirrt aus, als sie erfuhr, worum es ging. Dann schien sie Verena wiederzuerkennen und lächelte höflich, nur um ihr Gesicht nach ein paar Sekunden des Nachdenkens wieder zu verschließen.

Pia arrangierte es, Feline von der Beus in Abwesenheit ihrer Eltern in der Diele zu befragen. Sie beschloss, sofort zur Sache zu kommen: »Wir sind auf der Suche nach Agnes Kontos. Verena Lange hat mir erzählt, Sie und Agnes waren mal eng miteinander befreundet.«

»Das waren wir auch, aber als ich hierher kam, haben wir uns aus den Augen verloren«, erklärte Feline in gleichgültigem Ton. Pia bemerkte jedoch, dass sie sich nervös über die Lippen leckte, während sie sprach.

»Agnes ist seit Donnerstagabend verschwunden. Wenn ihre Flucht etwas mit den Verbrechen zu tun hat, die in Grevendorf passiert sind, dann ist Agnes in großer Gefahr. Nur die Polizei kann sie vor einem Mörder schützen.«

»Glauben Sie, dass es wirklich gefährlich für sie ist?«, fragte Feline unruhig. Pia hätte das verschlafene Mädchen am liebsten geschüttelt. Die Spur war richtig, Feline wusste etwas. Sie war sich nur noch nicht sicher, ob sie es der Polizei sagen sollte.

Verena, die bisher scheinbar gleichgültig daneben gestanden hatte, drehte sich um und sah Feline an: »Ihr ward so tolle

Freundinnen. Ich hab euch immer ein bisschen beneidet. Tu jetzt das Richtige und hilf Agnes, auch wenn sie dich vielleicht gebeten hat, niemandem von ihrem Aufenthaltsort zu erzählen. Sie hat bei mir angerufen, sie braucht Hilfe ...«

Pia begann zu überlegen, ob Verena vielleicht doch ganz brauchbar war. Feline jedenfalls wurde weich. Ihre Augen verdunkelten sich und sie blickte unsicher von einer zur anderen:

»Also gut, ich gebe ja zu, dass ich weiß, wo sie ist. Aber ich musste ihr schwören, es keinem zu verraten. Agnes ist seit Freitag früh hier. Sie rief mich von einer Telefonzelle am Strand aus an und bat mich, zu kommen. Sie sah schrecklich aus und war völlig am Ende. Sie sagte, es hätte sie jemand verfolgt, aber sie wüsste nicht sicher, wer, und deshalb müsste sie sich verstecken. Ich habe sie in einem unserer leer stehenden Ferienappartements untergebracht. Außer mir weiß das keiner. Ich bringe ihr regelmäßig Essen und Trinken hin. Sie hat doch nichts Schlimmes angestellt, oder?«

»Nein, hat sie nicht. Aber sie ist wirklich in Gefahr. Kannst du uns sagen, wo genau sie zu finden ist?«

Feline beschrieb den Weg zu dem Appartementblock. Sie wirkte erleichtert, die Verantwortung für ihre Freundin wieder los zu sein. Bevor Pia das Haus verließ, beugte sie sich dicht an Felines Ohr und flüsterte:

»Lassen Sie Ihre Hände in der nächsten halben Stunde weg vom Telefon. Wenn Agnes verschwunden ist, bevor wir dort ankommen, dann mache ich Sie für alles, was ihr widerfahren sollte, persönlich verantwortlich.«

29. KAPITEL

Der Appartementkomplex, den Feline beschrieben hatte, lag öde und verlassen im Licht des trüben Januartages. Leere Parkbuchten, dunkle Fensterhöhlen und verlassene Balkone zeugten davon, dass die Saison in diesem Jahr noch nicht begonnen hatte. Vor den Häusern standen ein paar hohe Kastanienbäume, deren kahle Äste vom Wind gerüttelt wurden. Abgebrochene Zweige lagen auf dem Rasen herum, zusammen mit ein paar Plastik- und Papierfetzen, die der Wind hierher getrieben hatte. Schweigsam gingen die Frauen den Plattenweg bis zu dem Haus 19 c und klingelten bei Appartement 6.

Eine Weile geschah gar nichts. Pia sah Verena schweigend an, die ungeduldig von einem Fuß auf den anderen trat. Dann knackte es in der Sprechanlage. Ein Räuspern war zu hören und eine zaghafte Mädchenstimme fragte: »Feline?«

»Agnes, hier ist Pia Korittki von der Kriminalpolizei. Wir haben uns neulich in Eutin miteinander unterhalten. Erinnerst du dich?«, fragte Pia.

»Oh! ... Ja. Warten Sie einen Moment, ich schließe Ihnen auf. Ist noch jemand bei Ihnen?«

»Ja, Verena Lange hat mich hierher geführt. Sie hat sich an deine Freundschaft mit Feline erinnert.«

»Okay. Warten Sie ...« Es knackte wieder und die Verbindung war abgebrochen. Stattdessen ging das Licht im Treppenhaus an und nach einem kurzen Moment kam Agnes herunter. In der rechten Hand hielt sie einen Schlüssel, mit dem sie die Haustür aufschloss. Es war zweimal abgeschlossen.

»Ich bin hier im Moment ganz allein im Haus, und da fand ich es besser ...« Sie verstummte und sah von einer zur anderen.

Verlegenheit und Erleichterung ließen ihr das Blut in die Wangen steigen.

»Alle haben sich furchtbare Sorgen um dich gemacht, Agnes«, sagte Verena vorwurfsvoll. Sie klang dabei haargenau wie die Mutter, die sie vielleicht eines Tages werden würde.

»Wir sollten hier draußen nicht so lange herumstehen«, sagte Pia und sah prüfend zur Straße hinüber, die völlig menschenleer war. »Können wir uns oben unterhalten, Agnes?«

Agnes nickte. Sie stiegen drei Treppen hoch, bis in das Appartement, in dem das Mädchen untergekommen war. Es bestand nur aus einem Zimmer mit Kochnische und Bad. Die unruhig gemusterten Vorhänge waren vor die Fensterfront gezogen, ansonsten wies nichts darauf hin, dass Agnes hier seit zwei Tagen hauste. Das Mädchen sah verändert aus, seit Pia sie zuletzt gesehen hatte. Sie hatte auch bei ihrem ersten Treffen nicht wie ein sorgloser Teenager gewirkt, aber nun war ein Ausdruck in ihren Augen, der vermuten ließ, dass ihre Kindheit eindeutig hinter ihr lag. Sie war noch dünner geworden und hatte dunkle Schatten unter den Augen.

»Möchtest du kurz deine Mutter anrufen und ihr sagen, dass es dir gut geht und du in Sicherheit bist?«, fragte Pia sie.

Agnes nickte nachdenklich, sagte aber dann: »Ich kann aber nicht nach Hause zurück, wenigstens solange bis ...«

»Bis was?«

»Solange Sie ihn nicht verhaftet haben. Er wollte mich umbringen am Donnerstagabend, deshalb habe ich mich hier versteckt.«

»Wer war das?«, fragten Pia und Verena fast gleichzeitig.

»Ich bin mir nicht sicher ...«, sagte sie düster. »Ich weiß nur, dass ich im Moment nicht nach Hause kann.«

»Ruf deine Mutter erst einmal an, dann reden wir weiter«, sagte Pia und reichte Agnes ihr Telefon rüber.

Sie wurde Zeugin eines sehr kurzen und verlegenen Mutter-Tochter-Gesprächs.

Dann berichtete Agnes von ihren Erlebnissen seit Donnerstagabend. Sie schilderte die Ereignisse monoton, ohne sichtbare Gefühlsregung. Die ausgestandene Angst und die panikartige Flucht mussten hier, in dem einsamen Versteck, wohl wieder und wieder vor ihrem inneren Auge abgelaufen sein.

Agnes hatte entkommen können, indem sie hinter dem Knick entlanggekrochen war. Dann, als sie eine kleine Kuppe überwunden hatte, war sie quer über den Acker gelaufen. Sie hatte sich querfeldein in Richtung Malente vorgekämpft, immer Straßen und selbst Feldwege meidend, da sie nicht wusste, ob der Verfolger nicht noch einmal auftauchen und ihr den Weg abschneiden würde. Sie hatte erst die Idee gehabt, zum nächsten Polizeirevier zu laufen, dann aber befürchtet, dass ihr Verfolger sie vorher dort abfangen würde. So war sie am frühen Morgen zum Bahnhof geschlichen und hatte den ersten Zug in Richtung Lübeck genommen. Im Zug sei ihr dann die Idee gekommen, sich bei Feline in Travemünde zu verstecken.

Nachdem sie ihren Bericht beendet hatte, erwachte sie aus ihrer Erstarrung. Ihre schmalen Schultern zuckten und sie weinte sich, an Verenas Schulter gelehnt, aus. Das erwartete Hochgefühl darüber, Agnes gefunden zu haben, blieb aus.

Pia zog sich in die Küche zurück und betäubte die innere Leere mit Geschäftigkeit. Zunächst rief sie Marten Unruh an, um ihn über Agnes' Auffinden zu informieren. Pia erwischte ihn mitten in der Einsatzbesprechung. Das Gespräch fiel entsprechend knapp aus. Pia sah Marten förmlich telefonierend am Konferenztisch lehnen, während die anderen Kollegen um ihn herumsaßen und aufmerksam lauschten. Sie einigten sich darauf, dass Pia Agnes ins Hotel bringen sollte, wo einer der Kollegen sie bewachen konnte.

Im Wohnzimmer schluchzte Agnes noch immer. Pia sah sich in der spartanischen Küche nach etwas um, mit dem man Agnes beruhigen könnte. Sie fand lediglich eine angebrochene Dose mit Fertig-Cappuccino. Sie kochte Wasser auf und brachte dem Mädchen das Gebräu, das von einem schmutzig-grauen Schaum überzogen war. Zumindest war das Zeug heiß. Agnes nahm es gehorsam in beide Hände und nippte daran.

»Agnes, auch wenn du deinen Verfolger nicht erkennen konntest. Weißt du, warum du verfolgt wurdest?«

»Es ist wegen dem Mord an Malte und seinen Eltern«, sagte Agnes zitternd. »Ich glaube, dass der Mörder hinter mir her war.«

»Warum? Gibt es etwas, das du mir noch nicht erzählt hast?«

Agnes nickte. Pia warf einen Seitenblick auf Verena. Sie spürte die harte, klobige Dienstwaffe beruhigend an ihrer Seite.

»Vielleicht schon. Ich wohne doch direkt neben den Rohwers und im letzten Sommer habe ich halt so einiges mitbekommen ...«

»Ja?«

»Ich glaube, dass Bettina ein Verhältnis mit einem anderen Mann hatte. Sie und Kay haben sich mehrmals lautstark bei offenem Fenster gestritten. Es hörte sich so an, als ob sie ihn verlassen wollte. Alle reden immer nur von ihm! Ich meine, dass Kay Bettina dauernd betrügt. Aber Bettina war so oft weg und zu so komischen Zeiten, es gibt keine andere Erklärung für ihr Verhalten.«

»Die gute, anständige Bettina?«, fragte Verena ungläubig.

»Und wer war der andere Mann?«, wollte Pia wissen.

Agnes blickte unbehaglich von Verena zu Pia und wieder zurück.

»Nein, Agnes, nicht Malte!«, entfuhr es Verena.

»Es muss jemand aus der näheren Umgebung gewesen sein,

so oft und so kurz, wie sie manchmal weg war. Dazu noch vormittags! Außerdem hat Malte mal zu mir gesagt, er fände sie für ihr Alter ziemlich attraktiv.«

Verena wurde blass und verschränkte die Arme vor der Brust.

Pia versuchte, den nächsten Schritt zu gehen:

»Was ist deiner Meinung nach passiert? Wer hat die Benneckes umgebracht?«

»Ich glaube, es war Kay. Erst spannt Malte ihm die Frau aus, sodass sie ihn verlassen will. Dann fährt er mit dem Motorrad Elise tot und Bettina bleibt deswegen doch bei ihm ... Kay Rohwer muss Malte gehasst haben wie die Pest!«

»Die Frage ist, ob er deswegen auch der Täter ist? Und warum hat er dich verfolgt?«

»Weil ich es wusste. Am Donnerstag wollte ich Verena davon erzählen: Ich sagte ihr, ich wüsste etwas über den Mord. Wir wurden aber unterbrochen. Es hat uns bestimmt jemand belauscht.«

»Nein, Agnes, das glaube ich nicht!« Verena war aufgesprungen und lief unruhig im Raum auf und ab.

Pia brauchte ein paar Sekunden, um das Gesagte zu überdenken. Kay Rohwer! Also doch. Laut sagte sie: »Könnte denn Kay Rohwer auch derjenige gewesen sein, der dich verfolgt hat?«

Agnes nickte stumm.

»Warum hast du mir das alles nicht gleich erzählt, als wir das erste Mal miteinander gesprochen haben?«, fragte Pia vorwurfsvoll.

»Ich hab einfach nicht geglaubt, dass diese Dinge etwas mit den Morden zu tun haben könnten. Kay und Bettina sind schließlich unsere Nachbarn. Ich mag sie. Ich dachte, wenn ich nichts sage und abwarte, tue ich das Beste. Die Polizei würde den Mörder schon finden und alles wäre wieder gut.«

Pia seufzte leise. Ist das das Ende der Kindheit, wenn man feststellt, dass niemals alles wieder gut werden wird?

»Such deine Sachen zusammen, wir fahren gleich los. Du kommst mit uns ins Hotel, dort bist du sicher.«

30. KAPITEL

Nach dem Telefonat fiel es Marten Unruh schwer, sich wieder auf die Dienstbesprechung zu konzentrieren. Pia hatte Agnes Kontos also gefunden. Gut und schön. Aber hatte ihr Verschwinden nun etwas mit den Morden in Grevendorf zu tun gehabt oder nicht? Weber las gerade recht schwerfällig die Ergebnisse vor, die seine Nachforschungen in Grevendorf ergeben hatten. Marten fiel auf, dass er sich jedes Mal den Finger anleckte, wenn er eine Seite seines Blocks umblätterte.

Pia Korittki. Wenn es schon sein Schicksal war, mit einer Frau zusammenarbeiten zu müssen, warum dann ausgerechnet mit dieser? Musste er jetzt jedes Mal, wenn er in den folgenden Tagen mit ihr zusammentraf, daran denken, wie sie sich angefühlt hatte? Der Versuchsballon, den er gestartet hatte, war abgegangen wie eine Rakete. Er lächelte leicht über dieses Wortspiel. Er spürte noch immer ihren Körper an seinem, ihren Mund, ihre Brüste in seinen Händen ... Verdammter Mist! Wie sollte er sich da auf Todeszeitpunkte, Faserspuren und verschwundene Teenager konzentrieren?

Hartmut Weber hatte seinen Bericht beendet. Jedenfalls sahen ihn jetzt alle erwartungsvoll an. Thomas Roggenau klopfte ungeduldig mit seinem Stift auf die Tischplatte.

»Hat jemand noch etwas zu ergänzen?«, fragte Marten Unruh ins Blaue hinein.

»Wir müssen herausfinden, woher der vertauschte Schlüssel stammt«, meinte Roggenau.

»Ja, das wäre nicht schlecht. Irgendwelche Vorschläge dazu? Möchte jemand von Tür zu Tür gehen und ausprobieren?«

Weber hob zögerlich die Hand.

»Ich kann es machen. Ich bin schließlich schon einmal rum im ganzen Dorf.«

»Hast wohl noch nicht genug von selbst gebackenen Kuchen und einsamen Hausfrauen?«, witzelte Hannes Steen.

Marten runzelte die Stirn: »Ich brauche auch noch jemanden, der die Infos über Bernhard Förster sichtet und auswertet. Das muss schnell über die Bühne gehen. Wenn sich aus dem Material Fragen ergeben, will ich heute noch mit ihm darüber sprechen. Morgen Früh reist er nämlich wieder ab. Dann können wir für jeden Handschlag nach Hamburg fahren.«

»Können wir ihn nicht hier festhalten? Er darf unsere Arbeit schließlich nicht behindern.«

»Wir haben keinen Grund, ihm irgendwelche Vorschriften zu machen. Es sei denn, wir stoßen auf etwas wirklich Interessantes.«

»Gib mir den Kram«, sagte Roggenau lässig, »ich bin das Herumgelatsche leid ...« Die anderen beiden lachten verhalten.

Die Besprechung schleppte sich dahin. Marten bemerkte ärgerlich, dass er immer wieder ungeduldig auf die Uhr blickte.

Es war schon fast halb elf, als endlich die Tür aufgestoßen wurde und Pia in den Konferenzraum trat. Sie hielt Agnes am Ellenbogen und führte sie in den Raum. Es sah so aus, als befürchtete sie, das Mädchen könne noch einmal entwischen.

»Du kannst dich hier hinsetzen, Agnes«, sagte sie leise und drückte sie auf einen der Stühle. Dann sah sie herausfordernd von einem zum anderen.

»Na, besser spät als nie«, entfuhr es Marten, dem ihr Auftritt gegen den Strich ging.

»Ja, und ich habe gleich eine wichtige Zeugin mitgebracht. Agnes, könntest du uns bitte noch einmal kurz erzählen, was du beobachtet hast?«

»Moment mal. Wir waren gerade bei den Försters ...«, beschwerte sich Roggenau.

»Es ist wichtig!« Pia sah Marten Unruh eindringlich an. Er wich ihrem Blick aus. Stattdessen musterte er Agnes Kontos. Das junge Mädchen sah erschreckend blass aus. Wenn sie noch lange debattierten, fiel sie vielleicht in Ohnmacht, bevor sie alles erzählt hatte.

»Hast du schon einen Arzt verständigt, Korittki? Sie ist bestimmt ziemlich erschöpft.«

»Der Hotelmanager versucht gerade, einen zu erreichen. Heute ist Sonntag!«

»Ich will keinen Arzt«, wagte Agnes aufzubegehren. »Ich möchte, dass meine Mutter herkommt.«

»Keine Sorge. Sie wird kommen. Aber du musst deine Geschichte erst noch einmal erzählen ...«

Agnes sah zweifelnd in die Runde. Marten nickte ihr aufmunternd zu. Roggenau blickte finster, Hartmut Weber gleichgültig und Hannes Steen interessiert.

Erst stockend, dann immer flüssiger, erzählte Agnes all das, was sie auch schon Pia und Verena anvertraut hatte.

Marten beurteilte die Tragweite dessen, was er hörte, sehr schnell. Vorausgesetzt, Agnes Kontos erzählte die Wahrheit und täuschte sich nicht, war dies der Durchbruch in ihren Ermittlungen. Zumindest schien sie selbst von dem überzeugt zu sein, was sie berichtete.

»Kay Rohwer also ...«, sagte er nachdenklich. »Aber wir haben nichts gegen ihn in der Hand.«

»Was für ein Auto fuhr die Person, die dich verfolgt hat?«, fragte Pia.

»Irgendein größerer dunkler Kombi ...«, sagte Agnes unsicher, »der Wagen kam mir sehr groß vor.«

»Ein Geländewagen?«, schlug Pia vor.

»Kay Rohwer hat einen dunkelgrauen BMW Kombi.«

»BMW-Touring ...«, korrigierte Roggenau.

Agnes schüttelte hilflos den Kopf.

»Es gibt auch Passat, Audi, Mercedes, Renault, Volvo und der Himmel weiß, was noch für Autos, zu denen diese Beschreibung passt«, dämpfte Hannes Steen die allgemeine Aufregung.

»Wir brauchen etwas Stichhaltiges, um Kay Rohwer in die Zange nehmen zu können. Ich kümmere mich sofort um einen Durchsuchungsbeschluss für sein Haus. Wenn ich niemanden erreiche, machen wir es ohne. Dann läuft es über Gefahr im Verzuge und so weiter ... Irgendetwas wird dort zu finden sein. Textilien, Schuhe, mit denen er im Schweinestall bei den Suhrs war. Die müssen alles auseinander nehmen, wenn es sein muss. Sonst entwischt er uns am Ende noch ...«

Marten fühlte sich plötzlich so optimistisch wie seit vielen Wochen nicht mehr. Es kam ihm vor, als hätten seine Energien brach gelegen, und nun war der Staudamm gebrochen und alles kam zum Fließen. Leicht und klar konnte er seine Gedanken sammeln, ordnen, konzentrieren. Er erwog die wichtigsten Schritte, die zu unternehmen waren, und teilte sie seinen Leuten zu. Er selbst wollte zu Kay Rohwer fahren, um ihm einen kleinen Besuch abzustatten. Sollte sich bis dahin bei der Hausdurchsuchung schon etwas angefunden haben, dann würde er ihn gleich nach Lübeck mitnehmen zu einem offiziellen Verhör. Am Rande registrierte er, wie der gesuchte Arzt angekündigt wurde und Pia Agnes hinausbegleitete.

Marten Unruh gewährte allen zehn Minuten Pause. Er selbst ging zum Frühstücksraum hinüber, weil er hoffte, die Gädekes dort noch bei ihrem Sonntagsfrühstück anzutreffen. Sie saßen tatsächlich in der hintersten Ecke des Frühstückszimmers und tranken Kaffee. Jeder der beiden hatte eine Zeitung vor der Nase.

Marten setzte sich ungefragt dazu, und da bereits zwei Zigaretten im Aschenbecher schwelten, zündete er sich ebenfalls eine an. Ernst Gädeke sah von seiner Zeitung auf:

»Ach, Herr Unruh, Sie habe ich nun am allerwenigsten erwartet. Ich dachte, es sei alles geklärt, nachdem Ihre Jungs unser Haus durchwühlt haben.«

»Bis wir den Mörder nicht verhaftet haben, ist gar nichts geklärt.«

»Stimmt es, dass Hanno Suhr jetzt auch ermordet worden ist?«, mischte sich Ilse Gädeke ein. »Ich überlege allmählich, ob ich meine Ferien auch in Zukunft in Grevendorf verbringen möchte, nach allem, was hier so los ist.«

»Das bleibt natürlich allein Ihnen überlassen, Frau Gädeke«, sagte Marten leichthin und musterte sie durch den Rauch seiner Zigarette hindurch. »Ich frage mich nur gerade, ob und wann bestimmte Personen Zugang zu Ihrem Haus hatten.«

»Das haben wir doch neulich alles schon durchgekaut«, entgegnete Ernst Gädeke, »wir sagten Ihnen, dass zum 60. Geburtstag meiner Frau fast alle Nachbarn kurz auf einen Sekt bei uns waren.«

»Wann genau war das?«

»Am 12. September, elf bis vierzehn Uhr«, lautete die prompte Antwort von Ilse Gädeke.

»Können Sie sich erinnern, ob Kay Rohwer auch da war?«

Ilse Gädeke runzelte die Stirn, ging in Gedanken die Gäste durch, während Ernst den Hintergrund dieser Frage durchdachte und sagte: »Ich glaube, Sie fischen in ganz trübem Gewässer, Herr Unruh. Kay Rohwer war, wenn überhaupt, nur ganz kurz in unserem Haus. Soweit ich mich erinnere, hatten wir den Sekt auf der Terrasse getrunken, weil es ein so schöner Tag war. Er hatte an diesem Tag schlicht und einfach nicht die Gelegenheit, unser Haus auszuspionieren.«

»Er war aber da«, sagte seine Frau, »ich erinnere mich, dass er mir beim Verschieben der Gartenbank half. Aber er ist nur kurz geblieben. Frau Rohwer blieb mit den Kindern etwas länger.«

Marten ließ sich das kurz durch den Kopf gehen. Wenn Kay Rohwer es wirklich so getan hatte, wie sie annahmen, dann musste er zu einem späteren Zeitpunkt noch einmal dort gewesen sein und sich in Ruhe umgesehen haben.

»War er in letzter Zeit noch einmal da?«, fragte er eindringlich, doch die Gädekes schüttelten einvernehmlich den Kopf. Blieb nur noch die Möglichkeit, dass er allein oder vielleicht in Anwesenheit der Putzfrau drinnen gewesen war. Es kam Marten so vor, als könne er das letzte Puzzleteil nur mit Gewalt in das Gesamtbild pressen. Es passte nicht ganz. Er musste weiterhin damit rechnen, dass Agnes Kontos sich täuschte oder aus ihm unbekannten Gründen log. Wer wusste schon, was im Kopf eines 16-jährigen Mädchens vor sich ging.

Er seufzte tief und drückte seine Zigarette im Aschenbecher aus. Dann erhob er sich mit ein paar unverbindlichen Worten des Dankes. Er musste sich sofort mit seinem Chef in Lübeck in Verbindung setzen. Zum einen brauchte er einen Durchsuchungsbeschluss für das Haus der Rohwers, zum anderen Schutz für die kleine Kontos. Er glaubte zwar nicht, dass sie hier im Hotel ernsthaft in Gefahr war, aber diesbezüglich würde er kein Risiko eingehen. Es reichte, dass während ihrer Ermittlungen in Grevendorf Hanno Suhr ermordet worden war.

Marten Unruh wollte gerade nach Kiel aufbrechen, als Pia die Treppe hinunterkam.

»Wo willst du jetzt hin?«, fragte sie misstrauisch. Sie sah von Marten zu Hannes Steen, der ebenfalls auf dem Weg nach draußen war und eine unbeteiligte Miene machte.

»Ich fahre nach Kiel, um Kay Rohwer in seiner Firma abzufangen«, antwortete Marten, »Steen wird mich begleiten. Ich habe eben mit Frau Rohwer telefoniert. Sie sagte, ihr Mann sei im Büro, um zu arbeiten. Ich will Kay Rohwer ein paar Fragen stellen, bevor er erfährt, dass wir Agnes haben, und vor allem, bevor die Leute mit dem Durchsuchungsbeschluss in seiner Wohnung auftauchen.«

»Ich denke, da sollte ich mitfahren«, sagte Pia entschlossen.

»Nein, ich brauche dich hier. Pass in der Zwischenzeit auf unsere Prinzessin auf.«

In Pias Stimme schwang ein aggressiver Unterton mit, als sie entgegnete: »Du hast Thomas Roggenau bereits dazu verdonnert, Agnes zu bewachen!«

»Also, bis nachher dann!« Marten wandte sich zum Gehen. Pia trat schnell einen Schritt auf ihn zu und sagte leise, damit es niemand anders mitbekam: »Sei dir deiner Sache nicht zu sicher. Agnes hat ihren Verfolger nicht erkannt. Es könnte auch jemand anders gewesen sein!«

»Um denjenigen kannst du dich ja in der Zwischenzeit kümmern ...«, erwiderte er.

»Das werde ich auch.«

Bettina Rohwer wurde von den drei Männern, die plötzlich vor ihrer Haustür standen und einen Durchsuchungsbeschluss vorzeigten, völlig überrascht. Sie war gerade damit beschäftigt, die Fliesenböden zu wischen, und das T-Shirt klebte ihr feucht am Rücken. Eine verschwitzte krause Haarsträhne hing ihr vor dem rechten Auge. Sie strich sie sich hinter das Ohr, bevor sie sich den amtlich aussehenden Zettel durchlas. Anschließend blickte sie ratlos von einem zum anderen. Einer der Männer schaute teilnahmslos, die beiden anderen wirkten eher ungeduldig.

Bettina entschied, dass es sinnlos war, zu protestieren. Dieses war nur ein weiterer Schritt in Richtung des endgültigen Zusammenbruchs ihres bisherigen Lebens. Kay war mal wieder nicht da, wenn es Ernst wurde. Aber auch die Kinder waren außer Haus. Dafür war Bettina zumindest flüchtig dankbar.

»Ich weiß nicht, was das soll«, sagte sie ruhiger, als sie sich fühlte, »aber tun Sie, was Sie für richtig halten.«

»Tut mir Leid, Frau Rohwer, aber Befehl ist Befehl«, antwortete der eine von ihnen, »wir haben Order, uns hier drinnen gründlich umzusehen. Wenn Sie solange irgendwo anders warten wollen ... Sie müssen ja nicht unbedingt daneben stehen.«

»Tun Sie, was Sie tun müssen, aber ich werde mein Haus nicht verlassen.«

»Wie Sie wünschen«, antwortete der Wortführer mitleidig und bedeutete den anderen beiden mit einer Kopfbewegung, einzutreten. Bettina sah, wie verschmutzte Stiefel und Schuhe in Sekunden ihre Arbeit der letzten halben Stunde zunichte machten. Während einer der Beamten versuchte, möglichst unauffällig in ihrer Nähe zu bleiben und sie nicht aus den Augen zu lassen, begannen die zwei anderen, systematisch das Obergeschoss des Hauses auseinander zu nehmen. Bettina hörte eilige Schritte auf den knarrenden alten Dielenböden, das Öffnen und Schließen von Schubladen und Schranktüren.

Bettina fragte sich, wonach sie überhaupt suchten. Ein Gewehr hinter dem Schlafzimmervorhang? Blutbespritzte Kleidungsstücke im Wäschesack? Oder war das Ganze nur ein Einschüchterungsversuch? Warum war Kay ausgerechnet an diesem Sonntag nach Kiel ins Büro gefahren? Tatsache war, dass sie hier alleine saß mit drei gleichgültigen Männern, die ihr Zuhause mit amtlicher Genehmigung auf den Kopf stellten.

Da Bettina schlecht nach oben gehen konnte, um sich umzuziehen, schloss sie sich im Gästeklo ein. Ihr Bewacher blickte ihr unsicher nach, fand es dann aber wohl geschmacklos, sie daran zu hindern, ihr eigenes Bad aufzusuchen. Bettina ging aufs Klo und wusch sich dann ihre Hände und das Gesicht mit so heißem Wasser, wie sie es gerade noch aushielt. Allmählich beruhigten sich ihre Nerven wieder. Was sollte ihr schon geschehen in einer Situation, wo es eh nicht mehr viel zu verlieren gab?

Bettina begutachtete im Spiegel ihr Gesicht und griff fast automatisch zur Cremetube, um sich etwas von der teuren Substanz unter die Augenpartie zu klopfen. Sinnlos, aber beruhigend.

Da klingelte es erneut an der Tür. Vielleicht Besuch, der mal kurz vorbeischaute und dem sie jetzt charmant erklären konnte, dass an diesem Sonntag gerade die Polizei ihr Haus durchsuchte. Sei es drum, es war sowieso schon alles egal.

31. KAPITEL

Kommissarin Korittki! Sind Sie gekommen, um auch noch in meiner Unterwäsche herumzuwühlen?«, fragte Bettina Rohwer, nachdem sie Pia Korittki die Tür geöffnet hatte. Ihr Tonfall war höhnisch, aber Pia sah, dass Frau Rohwer kurz davor war, die Nerven zu verlieren.

»Sind unsere Leute gerade hier? Ich dachte, die wären schon

fertig. Ich möchte noch einmal mit Ihnen sprechen, darf ich hereinkommen?«

»Sie können meinetwegen gern hereinkommen, aber ich glaube, wir stören hier beide. Ich hole mir schnell eine Jacke, dann können wir draußen zusammen ein Stück gehen und dabei reden«, schlug Bettina Rohwer vor.

Pia stimmte zu. Während Bettina Rohwer kurz wieder im Haus verschwand, sah sie sich auf dem sauber geharkten Hofplatz um. Die Beamten, die den Durchsuchungsbefehl ausführten, hatten ihren Wagen unauffällig ein Stück abseits geparkt. Alles wirkte aufgeräumt und leer und im Carport stand nur ein kleiner Wagen. Der BMW von Kay Rohwer fehlte.

»Sie wissen, warum wir Ihr Haus durchsuchen?«, fragte Pia, nachdem sie ein Stück den Feldweg hinter dem Haus entlanggegangen waren.

»Weil wir unter Verdacht stehen, nehme ich an. Sie glauben doch, dass wir die Benneckes ermordet haben.«

»Wir haben inzwischen eine Zeugenaussage, die vor allem Ihren Mann belastet.«

Bettina kniff überrascht die Augen zusammen: »Kay hat nichts mit den Morden zu tun. Der Zeuge lügt. Mein Mann war den ganzen Abend bei mir.«

»Wie standen Sie zu Malte Bennecke?«

Pia beobachtete Bettinas Reaktion auf diese Frage genau. Sie suchte Schuldbewusstsein in Bettinas Blick, Abwehr, Angst. Was sie sah, war blankes Unverständnis.

»Wie sollte ich zu ihm stehen? Er hat mein Kind getötet. Ehrlich gesagt, verstehe ich Ihre Frage nicht.«

»Hatten Sie ein Verhältnis mit Malte Bennecke?«

»Nein!« Sie schrie die Antwort fast. Pia sah Panik in Bettina Rohwers Augen, aber sie glaubte ihr. Sollte sich auch diese Spur im Nichts verlieren?

Eine Weile gingen sie schweigend den von Treckerspuren tief gefurchten Weg entlang. Hinter einer halb überschwemmten Weide und einer kleinen Hügelkette sah Pia blass die Silhouette des Bennecke-Hofes.

»Wo führt dieser Weg überhaupt hin?«

»Nirgendwo ...«

Sie gingen noch ein paar Meter weiter, dann blieb Bettina plötzlich stehen und wandte sich zu Pia um: »Gibt es irgendeine Möglichkeit, Sie zu überzeugen? Kay ist kein Mörder, und ich bin es auch nicht.«

»Wieso sind Sie sich bei Ihrem Mann so sicher?«

»Um jemanden zu ermorden und sich damit selbst in Gefahr zu bringen, dazu ist er viel zu egoistisch. Es bringt ja nichts, um den heißen Brei herumzureden. Unsere Ehe ist zurzeit sehr angespannt. Sie war es schon, bevor das mit Elise passiert ist. Seitdem ist alles noch schlimmer. Aber das macht ihn noch nicht zum Mörder ...«

»Der Tod eines Kindes ist bestimmt eine harte Belastungsprobe für eine Ehe ...«, sagte Pia.

»Ja, das stimmt. Er kann meinen Schmerz nicht mehr mit ansehen und ich seine Methoden, sich abzulenken.«

»Was sind das für Methoden?«

»Sie fragen zu viel, Frau Kommissarin. Wenn ich beichten wollte, dann würde ich zu einem Priester gehen.«

»Er hat Sie betrogen. Aber wie steht es mit Ihnen, mit wem hatten Sie ein Verhältnis?« Der Gedanke schoss Pia ganz unerwartet durch den Kopf. Gab es noch jemanden in diesem Spiel? Täuschte sich Agnes, wenn sie Malte für Bettinas Liebhaber hielt. Sie konzentrierte sich auf Bettina Rohwer, die entschlossen die Lippen zusammenpresste und ihre Arme vor der Brust verschränkt hatte.

»Vier Menschen sind bereits getötet worden. Agnes, die fast

noch ein Kind ist, wird bedroht. Wen wollen Sie mit Ihrem Schweigen denn schützen, Frau Rohwer?«

Ein sich schnell näherndes Auto unterbrach das Gespräch. Bettina wirkte so aus der Fassung gebracht, dass Pia sie zur Seite zog, damit sie nicht überfahren wurde. Ein schmutziger, dunkelgrüner Geländewagen kam kurz hinter den beiden Frauen zum Stehen. Bettina erwachte aus ihrer Erstarrung, als sie erkannte, wer es war.

»Jens! Du hättest uns beinahe umgefahren. Kennst du schon die Kommissarin? Pia Korittki?«

Jens Petersen nickte Pia zu.

»Ja, ich hatte schon das Vergnügen. Ist das hier eine Art Sonntagsspaziergang?«

»Nein«, Bettina schüttelte den Kopf, »mein Haus wird gerade von der Polizei durchsucht und Frau Korittki passt auf, dass ich derweil keine Dummheiten mache.«

Jens sah unbehaglich drein: »Im Ernst, Bettina. Du stehst doch nicht etwa unter Verdacht?«

»Die sind überzeugt davon, dass Kay die Benneckes ermordet hat. Wegen Elise! Jens, er war es nicht. Man kann alles Schlechte von Kay behaupten, aber mein Mann ist kein Mörder!«

Bettina schrie es fast. Der verzweifelte Ausdruck in ihrem Gesicht rührte Pia, ohne dass sie dieses Gefühl zulassen wollte.

»Beruhige dich, Bettina. Du musst vernünftig sein.«

Zu Pia gewandt meinte er: »Das ist doch bestimmt nur eine Routinedurchsuchung, Frau Korittki?«

»Dazu darf ich mich nicht äußern.«

Jens Petersen strich sich durch das kurze, blonde Haar. Sein Kehlkopf bewegte sich schnell, als ob er schlucken müsste, seine Augen flackerten. Sein Blick streifte wiederholt Bettina Rohwer, als befürchtete er, sie würde etwas Unüberlegtes tun.

Diese stand jedoch nur mit hängenden Schultern da, ihr gelöstes Haar verdeckte zum Teil ihr Gesicht.

Plötzlich straffte Petersen die Schultern und sah Pia an: »Frau Korittki, ich muss Ihnen etwas zeigen. Ich war mir nicht sicher, ob es wichtig ist, aber wenn Sie die Rohwers verdächtigen, kann ich das, was ich vermute, nicht länger verschweigen.«

»Sie sollten uns in so einer Situation gar nichts verschweigen«, sagte Pia ungeduldig.

»Schon klar. Haben Sie Lust auf einen kleinen Ausflug?«

Er wirkte plötzlich aufgekratzt. So, als würde allein der Entschluss, endlich etwas zu tun, ihn erleichtern.

»Wo soll es denn hingehen? Worum handelt es sich?«, fragte Pia zurückhaltend.

Jens hielt die Tür zu seinem Wagen auf. »Ich beantworte keine weiteren Fragen, man muss es gesehen haben. Du kommst doch auch mit, Bettina?«

Bettina kletterte in den Wagen, ihre Augen glänzten hoffnungsvoll. Pias Neugier siegte. Sie schwang sich auf den Beifahrersitz.

»Alles an Bord?«, fragte Jens. »Wir fahren zum alten Bootshaus.«

»Was ist denn dort?«, fragte Pia hartnäckig. »Ich befinde mich hier schließlich nicht auf einer Konfirmandenfreizeit.«

»Oh, Jens, wenn du den Weg dorthin mit dem Auto fahren willst, dann bitte langsam. Ich möchte nicht blau und grün unten ankommen, bei der Schlaglochpiste ...«, rief Bettina von hinten und enthob Jens so einer Antwort. Sie beugte sich vor zu Pias Schulter und meinte leise:

»Jetzt wird es gefährlich. Ich bin schon einmal mit ihm im Gelände gefahren. Man spielt mit seinem Leben!«

Jens Petersen bog scharf in einen Seitenweg ein und Pia

musste sich festhalten, weil der Wagen hin und her geworfen wurde. Wider Erwarten machte die Fahrt ihr Spaß. Jens lächelte versonnen, wenn das Wasser aus den großen Pfützen gegen die Windschutzscheibe klatschte. Er fuhr souverän über den Holperweg, völlig selbstvergessen bei dem, was er tat.

Als sie in das Gehölz am Seeufer einfuhren, drosselte Jens Petersen das Tempo und schaltete die Scheinwerfer ein. Hier zwischen den Bäumen war es dunkel. Durch die Baumstämme schimmerte der Grevendorfer See. Das Wasser sah heute schiefergrau aus und unbewegt. Sie fuhren bis zu einem Holzschuppen, der versteckt zwischen den Büschen stand, und stiegen aus dem Auto.

»Jens, hier liegt doch nicht etwa noch eine Leiche im Schuppen?«, flüsterte Bettina scherzhaft. Pia hörte, dass sie ihre Furcht überspielen wollte.

»Nein, Bettina, keine Angst. Ich möchte der Kommissarin etwas zeigen, das sie interessieren dürfte: Das wahre Motiv für den Mord an Malte Bennecke. Es ist dort drüben ...« Er deutete mit einer ruckartigen Kopfbewegung raus auf den See, wo sich eine kleine Insel dunkel vor dem Horizont abzeichnete.

»Was ist das?«, fragte Pia.

»Rotten Warder«, antwortete Bettina atemlos.

32. KAPITEL

Vor ungefähr zwei Wochen war ich spät abends hier unten am See. Ich habe ein kleines Boot beobachtet, das sich auf die Insel dort draußen zubewegte. Ich war natürlich neugierig, wer das sein könnte. Ohne Försters Wissen und Erlaubnis darf hier niemand angeln, der See ist Privateigentum. Das

Boot legte an der Insel an und jemand verschwand darauf. Nach etwa einer Viertelstunde stieg die Person wieder ins Boot und fuhr zurück in Richtung der Rohrdommelbucht dort hinten. Ich lief so schnell ich konnte nach Hause, holte meinen Wagen und fuhr dorthin, wo ich die Ankunft des Bootes vermutete. Leider war ich nicht schnell genug.«

»Und was soll das alles mit den Morden zu tun haben?«, fragte Pia ungläubig. Die Feuchtigkeit dieses Ortes kroch an ihren Beinen hoch und sie erwartete, dass Jens Petersen endlich zur Sache kam.

»Die Morde passierten eine Woche später und haben hier alle Leute so vor den Kopf gestoßen, dass ich darüber das Boot und die Person auf der Insel völlig vergessen hatte. Aber heute Morgen fiel mir alles wieder ein. Ich bin vorhin hinübergerudert und habe nachgesehen.«

»Was hast du gefunden?«, fragte Bettina erwartungsvoll.

»Machen Sie es nicht so spannend, Petersen«, drängelte Pia, die sich nicht mehr ewig im Wald aufhalten wollte.

»Ist es aber, Sie werden schon sehen«, sagte er und ging auf das Bootshaus zu. Pia und Bettina folgten ihm. Im Bootshaus war es dunkel, bis auf das gedämpfte Tageslicht, das durch die Spalten der Holzverschalung und durch das fast blinde Fensterchen fiel. Es roch muffig nach moderndem Holz, Moos und Algen. Das Bootshaus war so gebaut, dass das Seewasser einen Teil der Grundfläche einnahm.

Jens Petersen stieß mit einem kräftigen Stoß das zweiflügelige Tor auf, das zum See hinausführte. Es wurde ein wenig heller im Innenraum. Routiniert machte er das Ruderboot startklar. Pia beobachtete sein geschäftiges Treiben mit misstrauischer Faszination. Das Boot lag nun neben dem kleinen Steg, von dem aus sie einsteigen sollten. Petersens Augen leuchteten im Halbdunkel und sein Gesicht strahlte eine gewisse Erregung aus, als er den beiden Frauen mit einer Handbewegung bedeutete, ins Boot zu steigen. Bettina trat auf ihn zu und ließ sich von ihm ins Boot helfen. Er fasste sie um die Taille und hob sie leichthändig hinüber. Etwas an der Berührung sah so vertraut aus, dass Pia stutzte. Als Bettina im Boot war, sahen die beiden ungeduldig zu ihr hinüber. Jens hatte noch immer den Arm um Bettinas Taille gelegt. Sein Blick begegnete dem ihren und er zog seinen Arm langsam weg.

»Kommen Sie, Frau Korittki. Ich bin es leid, unter Mordverdacht zu stehen. Sehen wir uns an, was Jens Petersen gefunden hat ...«, rief Bettina ihr zu. Pia versuchte einen Augenblick Zeit zu gewinnen, um ihre Gedanken zu ordnen. Es war nicht nur die natürliche Abneigung dagegen, in dieser Nussschale über den See auf ein gottverlassenes Inselchen zu rudern. Es war noch etwas anderes, das sie störte.

»Torge hat mir erzählt, Sie hätten ihm einmal hier am See das Leben gerettet«, sagte sie, um Zeit zu gewinnen. Bettina und Jens sahen sich kurz an. Dann meinte Jens mit einem Anflug von Stolz in der Stimme:

»Genauer gesagt, war es im See. Er ist viel zu weit hinausgeschwommen und Bettina bekam es mit der Angst zu tun. Sie bat mich um Hilfe, darum bin ich ihm hinterhergeschwommen. Jeder hätte das getan, in der Situation ...«

»Jeder, der gut genug schwimmen kann«, ergänzte Bettina.

»Ein glücklicher Zufall, dass Sie gerade in der Nähe waren ...«, antwortete Pia mechanisch. In ihrem Gehirn verknüpften sich bislang zusammenhanglose Informationen. Jens' Blick bekam etwas Lauerndes. Er streckte die Hand aus, um ihr ins Boot zu helfen. Pia trat instinktiv einen Schritt zurück.

Plötzlich sah sie die Dinge in einem völlig anderen Licht. Sie dachte an das, was Agnes über Elise gesagt hatte: Hellblond und blauäugig »wie ein Engel« hatte sie ausgesehen, ganz anders als Torge und Sina, ihre Geschwister, die beide dunkel waren. Und nun standen dort Bettina und Jens zusammen. Auch Petersen war blond und hellhäutig, im Gegensatz zu dem eher dunklen Kay Rohwer. Und Jens und Bettina waren unverkennbar vertraut miteinander. Wenn nun Petersen der gesuchte Liebhaber war? Und Elise sein Kind, nicht das von Kay? Es konnte das fehlende Motiv sein, das Motiv für Jens, Malte Bennecke, und vielleicht auch seine ganze Sippe, so sehr zu hassen, dass er sie ermordet hatte.

Pia vertraute ihrem Instinkt und dieser ließ im Moment alle Warnleuchten in ihrem Gehirn blinken. Sie war unfähig, in das Ruderboot zu steigen. Was hatte Jens Petersen vor? Es ergab keinen Sinn. Wenn sie allerdings noch länger wie angewurzelt stehen blieb, musste er Verdacht schöpfen, egal was er vorhatte.

»Warten Sie mal kurz«, sagte sie und schickte sich an, das Bootshaus zu verlassen. Vielleicht konnte sie draußen kurz telefonieren. Jens' Reaktion darauf überraschte sie völlig: Er riss Bettina an sich, diese schrie auf, Pia sah das Blitzen von Metall und den Bruchteil einer Sekunde später registrierte sie, dass Bettina eine etwa 20 cm lange Messerklinge an der Kehle hatte.

»Nein, Sie bleiben hier«, sagte Jens Petersen bestimmt.

Bettina war blass geworden und gab vor Schreck eine Art gurgelndes Geräusch von sich, das Jens veranlasste, sie noch etwas fester an sich zu ziehen. So standen sie in dem kippeligen Boot, Bettina vor Jens und die scharfe Klinge des Messers direkt an Bettinas Kehle. Eine unbedachte Bewegung, ein Ausbalancieren der Schaukelbewegungen und das Messer würde in Bettinas Hals einschneiden. Pia erstarrte. Als sie sprach, hörte sie überrascht, dass ihre Stimme völlig ruhig klang:

»Schon gut, Petersen. Ich komme mit. Sie mögen Bettina

sehr, nicht wahr? Ich glaube nicht, dass Sie ihr etwas antun wollen.«

Ein wehmütiger Schatten flog über Jens Petersens Gesicht:

»Was wissen Sie denn schon davon, Frau Korittki? Wissen Sie, was Liebe ist? Haben Sie einen Mann? Kinder? Sie sind doch wie die meisten Frauen heute. Nichts als eine schöne Fassade. Dahinter sind sie kalt und berechnend. Es täte mir nicht sehr Leid um Sie, wenn Ihnen etwas passieren sollte. Bettina habe ich geliebt. Um sie täte es mir Leid, obwohl sie mich verraten hat. Aber ich werde nichts riskieren. Kommen Sie jetzt in das Boot und nehmen Sie die Ruder. Sie werden uns zur Insel hinüberrudern.«

Trotz der grotesken Situation traf Pia für einen Moment der Vorwurf, sie sei kalt und berechnend. Es war allerdings nicht der geeignete Moment, darüber nachzusinnen. Sie schätzte ihre Möglichkeiten ab, während sie langsam in das verhasste Boot stieg, die Augen auf Jens Petersen gerichtet. Sie hatte in der letzten Stunde nicht nur einen, sie hatte viele Fehler gemacht: Niemand wusste, wo sie war. Sie hatte zwar eine Waffe, konnte aber zurzeit keinen Gebrauch davon machen. Sie hatte ihr Leben und das von Bettina Rohwer aufs Spiel gesetzt, weil sie zu spät geschaltet hatte. Nun, wo Jens Petersen seine Verstellung aufgab, hatten sich der Ausdruck seiner Augen und seine gesamte Mimik völlig verändert. Es war, als wäre etwas Animalisches hinter der Fassade des braven Gutsverwalters hervorgekrochen. Es sah aus, als blicke sie durch die schwarzen Pupillen seiner blauen Augen direkt in einen seelenlosen Abgrund.

Mittlerweile saß sie auf der schmalen Holzbank und hatte die Ruder in der Hand. Jens hatte sich an das andere Ende des Bootes gesetzt und Bettina vor sich heruntergezogen. Sie kniete vor ihm, den Blick auf Pia gerichtet, den Kopf unnatürlich zurückgerissen, um der scharfen Messerklinge so weit wie möglich zu entkommen. Pia ruderte auf den offenen See hinaus. Eine Weile war nichts zu hören als das Platschen der Ruder ins Wasser und das Knarren des Bootes.

»Was haben sie jetzt vor?«, fragte Pia.

»Zunächst einmal schmeißen Sie Ihre Pistole, oder was immer Sie bei sich haben, ins Wasser. Genauso Ihr Telefon, aber schön langsam, damit ich es sehen kann«, antwortete Jens. Pia fasste langsam und äußerst widerwillig zu ihrem Schulterhalfter und zog ihre P6 hervor. Bettina zuckte, als Jens beim Anblick der Waffe die Klinge noch etwas fester andrückte.

»Los, weg damit«, befahl er barsch.

Ihr blieb nichts anderes übrig, als das Ding über Bord zu werfen, wo es schnell im dunklen, trüben Wasser verschwand. Anschließend griff sie unter dem brennenden Blick von Petersen in ihre Jackentasche und zog ihr Mobiltelefon hervor. Sie warf es hinterher und griff wieder nach dem Ruder.

»Was gibt es denn nun auf dieser Insel?«, fragte sie. »Sie haben doch niemanden dort gesehen. Dort ist doch nichts.«

»Schön, dass Sie noch darauf gekommen sind, Frau Kommissarin, aber leider zu spät. Ich wollte Sie nur dorthin locken, um Ihnen einzureden, dass Malte dort ein kleines Drogenversteck eingerichtet hat. Irgendetwas, das ihren Verdacht in eine andere Richtung lenkt. Und während Sie für geraume Zeit auf Rotten Warder festsitzen, wollte ich mich von hier absetzen. Die Flucht ins Ausland war von Anfang an Plan B, falls etwas schief geht. Solange die Polizei nicht wusste, dass ich Elises Vater bin, solange war ich über jeden Verdacht erhaben. Nun, da sie mein Motiv kennen, wird es allmählich zu gefährlich für mich. Ich habe den Tod meines Kindes gerächt. Aber wenn die Frau, die ich geliebt habe, wieder zu ihrem herumvögelnden Ehemann zurückkriechen will, ist das ihre Sache. Bevor ich mich einsperren lasse, mache ich doch lieber einen neuen Anfang. Argentinien oder Chile sind das Richtige für Menschen, die so freiheitsliebend sind wie ich.«

»Sie glauben doch nicht, dass Sie so weit kommen?«, fragte Pia erstaunt. »Und warum dieser ganze Aufwand hier, Sie hätten doch schon längst weg sein können?«

»Bisher hatte ich das Gefühl, ich sei sicher. Ihr Bullen würdet sowieso nie darauf kommen, was wirklich passiert ist. Aber als ich Sie und Bettina vorhin zusammen sah, da wurde mir klar, dass sie mich verraten würde. Bettina ist nicht stark. Sie haben sie so unter Druck gesetzt, dass es so aussah, als ob sie Ihnen jeden Moment unser kleines Geheimnis beichten würde. Und dann hätten Sie nur eins und eins zusammengezählt, die Sache mit meiner Tochter wäre herausgekommen, und auch, dass ich mich an diesem Schwachkopf gerächt habe, der sie auf dem Gewissen hat. Ich musste Bettina also zuvorkommen.«

»Warum hast du uns nicht ebenfalls ermordet? Darin hast du doch mittlerweile Übung.« Bettinas Stimme troff vor Verachtung. »Ich liebe dich immer noch. Ich will dir nichts antun«, antwortete Petersen ihr schlicht. Bettina schwieg.

»Aber sie hatten keine Skrupel, einem unschuldigen 16-jährigen Mädchen etwas anzutun?«, fragte Pia ihn.

Jens lachte auf. Ein hässlicher, unpassender Laut.

»Unschuldig? Na ja. Als die liebe Agnes am Donnerstag bei Verena im Stall auftauchte und sie dringend sprechen wollte, da habe ich gelauscht. Die kleine Kontos sagte wortwörtlich zu Verena, dass sie wüsste, wer die Benneckes erschossen hat ...«

»Aber sie dachte, es wäre Kay Rohwer gewesen!«, entfuhr es Pia, der aufging, welche Todesängste Agnes auf Grund dieser Fehlinterpretation hatte ausstehen müssen.

»Ich konnte kein Risiko eingehen. Dieses Mädchen tauchte

immer zur falschen Zeit am falschen Ort auf. Ich wollte ihr gar nichts tun, sie nur etwas einschüchtern, damit sie nicht zu reden wagt.«

»So wie Hanno Suhr?«

Petersen sah Pia triumphierend an: »So ein Idiot. Um den war es nun wirklich nicht schade. Hatte die Chance, einen guten Hof zu übernehmen, und wirtschaftet ihn in kürzester Zeit zu Grunde! Es war sein Pech, dass er mir über den Weg gelaufen ist, als ich mit dem Schlüssel gerade aus seiner Diele kam. Er hat mich schon so komisch angesehen, als ich sagte, ich wolle etwas mit seinem Vater besprechen. Er war zwar nicht der Hellste, aber früher oder später wäre er vielleicht darauf gekommen, dass ich mir den Schlüssel zu dem Ferienhaus ausgeliehen habe. Ich war ziemlich sauer, als ich von Frau Krüger hörte, dass die Bullen das Haus durchsuchen wollen. Ist das auf Ihrem Mist gewachsen?«

»So schlau waren Sie halt doch nicht, Petersen.« Pia konnte nicht anders, sie musste ihrer Verachtung Luft machen.

»Du Mistschwein«, entfuhr es Bettina, die es trotz ihrer verzweifelten Lage wagte, sich ein wenig zu rühren, »du hast eine Schwelle überschritten, seitdem du die Benneckes erschossen hast. Du bist ein Zombie geworden, du bist nicht mehr du selbst!«

»Still, Betty!«, zischte Jens sie an und seine Augen glitzerten. Bettina schien sich jedoch in ihre Wut hineinzusteigern. Vielleicht auch, weil sie sowieso nicht mehr lange in dieser unnatürlichen Position verharren konnte, in die er sie zwang.

»Nein, das werde ich ausnahmsweise mal nicht. Wir hatten ein Verhältnis, gut. Ich war so bescheuert, dich zu mögen. Außerdem wollte ich mich an Kay rächen. Die Affäre mit dir war mehr Mittel zum Zweck. Dass ich dabei schwanger wurde, war ein Unfall. Hast du wirklich geglaubt, aus uns könne eine Familie werden? Du hast dich mit Elise in etwas hineingesteigert. Deine Liebe zu ihr war ja schon krankhaft. Ich bin mir nicht einmal sicher, ob sie überhaupt deine Tochter war!«, schrie Bettina ihn an. Sie machte sich so weit los, dass sie ihm ins Gesicht sehen konnte.

Jens' Züge verzerrten sich vor Wut und er fuchtelte mit dem Messer vor Bettinas Gesicht herum. Das Boot begann zu schwanken.

»Elise war meine Tochter, das konnte doch ein Blinder sehen. Wenn du dich zu uns bekannt hättest, so wie ich es gewollt habe, dann wäre sie immer noch am Leben. Vielleicht hatte Ruth Bennecke Recht. Du hast Schuld am Tod unserer Tochter. Du und Malte Bennecke, ihr habt sie gemeinsam getötet.«

Pia war entsetzt und abgestoßen von der Szene, die sich vor ihren Augen abspielte. Gleichzeitig suchte sie nach einer Möglichkeit, wie sie die Situation in ihre Gewalt bekommen konnte. Ihre Waffe lag nutzlos im Schlick des Sees, ihr Telefon ebenfalls. Nur die blöden Handschellen baumelten noch unter ihrer Jacke an ihrem Gürtel. Sie zweifelte nicht daran, dass Jens in seiner gegenwärtigen Verfassung sie oder Bettina ohne große Skrupel umbringen würde. Vielleicht wollte er Bettina wirklich nichts antun, aber sein Verstand war auf »fressen oder gefressen werden« reduziert. Wenn er sich in die Ecke gedrängt fühlte, würde er zuschlagen.

Sein ursprünglicher Plan schien jedoch zu sein, Bettina und sie auf Rotten Warder auszusetzen. Während ihre Kollegen noch nach ihnen suchen würden, hätte Petersen genug Zeit, aus Deutschland zu verschwinden. Bis man sie auf der Insel im See finden konnte, würde mindestens eine Nacht vergehen. Sie konnten nicht durch das eiskalte Wasser schwimmen. Sie konnten sich auch nicht bemerkbar machen, so abgelegen wie diese Insel lag. Unter Umständen würde es ein paar Tage dauern, bis man sie dort entdeckte. Wenn sie bis dahin nicht schon erfroren waren.

Bettina gab ihre Gegenwehr so plötzlich auf, wie sie aufgeflammt war. Sie kauerte still auf dem Boden des Bootes, das Gesicht in den Händen verborgen, das Messer in ihrem Nacken. Jens sah von ihr zu Pia und wieder zurück, so als wolle er abschätzen, woher der nächste Widerstand zu erwarten sei. Sein Atem ging stoßweise und sein Blick war unstet. Er sah aus, als könne er jeden Augenblick die Kontrolle über sein Handeln verlieren.

Na klasse, mit einem Amokläufer mit Messer in einem Ruderboot, dachte Pia sarkastisch. Sie musste an Martens Erzählung in der letzten Nacht denken. Es schien ihr schon unendlich lange her zu sein. Sie fragte sich, ob Marten damals genauso eine beschissene Angst gehabt hatte wie sie jetzt. Dann fragte sie sich, ob sie noch jemals Gelegenheit haben würde, ihn das zu fragen.

Sie ruderte und ruderte und plötzlich stießen die Ruderblätter im flacher werdenden Wasser auf Grund. Die dunklen Schatten der Inselbäume tauchten hinter ihr auf, sie hatten Rotten Warder erreicht.

Petersen forderte sie auf, auszusteigen. Sein Gesichtsausdruck ließ keinen Zweifel daran, dass er seine Forderung auch durchsetzen würde.

Pia schwang ein Bein über den Rand und spielte einen kurzen Moment mit dem Gedanken, das Boot zum Kentern zu bringen. Da sie aber nicht wusste, wie viel Kraft dafür nötig wäre, und Bettina einen Fehlversuch vielleicht mit ihrem Leben bezahlen musste, verwarf sie ihn wieder. Die Kälte des Wassers an ihren Füßen und Waden ließ ihr den Atem stocken und diese in Sekundenschnelle taub werden.

Jens stieg ebenfalls aus und trieb Bettina vor sich her. Die schmerzhafte Kälte schien er nicht einmal zu spüren. Er vertäute das Boot kurz an einem im Wasser liegenden Baumstamm und dann standen sie am morastigen Ufer der Insel. Jens zog Bettina zu sich heran.

»Komm her, Teuerste, küss mich ein letztes Mal.« Er küsste sie hart auf den Mund und ließ sie abrupt wieder los. Bettina sah aus, als hätte sie einen elektrischen Schlag bekommen.

»Ich wünsche einen schönen Aufenthalt. Hier seid ihr ungestört, nehme ich an.« Damit wandte sich Petersen zum Gehen. Das Messer hielt er immer noch in der einen Hand, die andere würde er gleich brauchen, um das Boot wieder loszumachen. Es war nur ein Messer, keine Pistole, über die Distanz relativ nutzlos. Pia erkannte in einem Anflug von Panik, dass sie nicht auf dieser Insel bleiben wollte.

Es war nicht die Angst vor Kälte und Einsamkeit, es war die Furcht davor, vollständig versagt zu haben. Wenn Jens Petersen jetzt auf Nimmerwiedersehen verschwand, wäre das ihre Schuld. Den Ausschlag gab die Erinnerung an Heinz Broders' Bemerkung. Sie hörte seine verächtliche Stimme und sah wieder den Hass in seinem Blick: »Hau bloß wieder ab, Schätzchen, du wirst es hier nie schaffen ...«

Wenn Petersen erst mal im Boot säße und wegruderte, wäre alles zu spät. Pia musste sich in Bruchteilen von Sekunden entscheiden. Während er ins Ruderboot stieg, ließ seine Aufmerksamkeit einen Augenblick nach. Er musste das Messer in die linke Hand wechseln und ihnen den Rücken halb zudrehen. Pia hechtete nach vorn, stieß hart gegen ihn und sie landeten beide mit einem lauten Klatscher im eiskalten Seewasser. Im ersten Moment blieb ihr die Luft weg. Die Kälte fuhr ihr bis in die Knochen und verursachte einen durchdringenden Schmerz. Petersen landete fast auf ihr; sie konnte sich erst im letzten Moment unter ihm wegdrehen.

Er war jedoch viel zu schnell wieder auf den Beinen und hielt das Messer immer noch drohend in der Hand. Pia versuchte ebenfalls, auf die Füße zu kommen. Ihr Fuß hatte sich in einer Art Schlinge unter Wasser verfangen. Sie machte sich auf den Gegenangriff gefasst, hatte nichts in ihren Händen, mit dem sie sich hätte verteidigen können. Jens kam mit einem irrsinnigen Grinsen im Gesicht auf sie zu. Pia fragte sich, wie sie sein Aussehen jemals angenehm hatte finden können.

Das war's wohl. Was für eine ekelhafte Art zu sterben, dachte Pia verwundert. Sie spürte, wie ihr auf Grund von Kälte und Schock die Kräfte schwanden und ihr Gesichtsfeld sich verengte. Jens Petersen wechselte das Messer, das er sonst bestimmt zum Ausweiden von Rehen und ähnlicher Jagdbeute benutzte, zurück in seine rechte Hand.

Plötzlich schoss etwas in Pias Blickfeld, wurde emporgerissen und krachte splitternd auf Petersens Hinterkopf. Es war ein schwerer Ast, geführt von Bettinas Hand. Petersen taumelte, kam noch einen Schritt auf Pia zu und verdrehte die Augen. Bitte brich zusammen, betete Pia, als die Sekunden sich dehnten. Petersen blieb breitbeinig stehen wie ein gut verwurzelter Baum. Er fasste sich mit der linken Hand an den Hinterkopf. Er bleckte die Zähne und das Messer fiel ihm aus der Hand. Endlich ging er in die Knie und sackte in sich zusammen. Pia rappelte sich hoch, erbärmlich weich in den Knien. Dann riss sie sich zusammen:

»Komm schon, los, schnell!«, rief sie der unter Schock stehenden Bettina Rohwer zu, während sie sich durchs morastige Wasser kämpfte. Im Boot stemmten sie sich mit aller Kraft mit dem Ruder vom Grund ab. Pias Blick war auf Jens Petersen gerichtet, der schon wieder schwankend auf die Füße kam.

»Du gottverdammtes Luder, bleib hier«, brüllte er.

Pia riss Bettina das zweite Ruder aus der Hand und begann, wie wild zu rudern.

Petersen versuchte tatsächlich, hinter ihnen herzuschwimmen. Nach ein paar Zügen gab er auf. Er reckte noch einmal drohend die Faust. Vor der Schwärze der Inselbäume war er bald nicht mehr zu sehen.

33. KAPITEL

Der Rückweg von der Insel Rotten Warder ans Festland wurde für Pia die längste Viertelstunde ihres Lebens. Sie kamen nur langsam voran, weil auch Bettina, die inzwischen die Ruder übernommen hatte, die Kräfte verließen. Immer wieder blickten sie zurück zu der einsamen Insel in Furcht davor, dass der Wahnsinnige ihnen doch irgendwie folgte.

Pia fror in ihren durchnässten Klamotten so erbärmlich, dass Bettina, die nur bis zu den Waden nass geworden war, ihr wortlos ihre Jacke und nach ein paar Verrenkungen auch ihre Jogginghose hinüberwarf. Pia wusste, dass sie ihre nassen Kleidungsstücke unbedingt vom Leib bekommen musste, wenn sie nicht völlig auskühlen wollte. Ihre Finger waren jedoch schon so gefühllos, dass sie es kaum schaffte, sich umzuziehen. Als es ihr endlich gelungen war, war ihr zwar nicht gerade warm, aber sie glaubte, bei Bewusstsein bleiben zu können. Dankbar zog sie die Kapuze von Bettinas Jacke über ihr klatschnasses Haar und umschloss mit ihren Armen schützend ihren Körper. Sie konnte nicht einen Moment zu zittern aufhören, während sie dasaß und Bettina beobachtete, die nur mit Sweatshirt und Unterhose bekleidet ans Ufer ruderte.

Was musste in dieser Frau jetzt vorgehen, die gerade die Verwandlung ihres Geliebten in einen mehrfachen Mörder erlebt hatte? Bettinas Gesichtsausdruck war verschlossen und konzentriert, das wirkliche Begreifen kam wahrscheinlich erst später.

Als das Boot endlich knirschend am Ufer auf Grund lief, zeigten die Leuchtzeiger von Pias Armbanduhr auf kurz vor vier Uhr. Erstaunlicherweise war immer noch Sonntag. Ob man ihr Verschwinden überhaupt schon bemerkt hatte?

Bettina und Pia tasteten sich am Ufer entlang, stolpernd, kletternd und watend, bis sie endlich das Bootshaus erreichten. Pia war immer noch von der Furcht ergriffen, Jens Petersen würde ihnen irgendwo auflauern. Dieses Gefühl verstärkte sich noch, als sie zu seinem Auto kamen und einstiegen. Pias Verstand sagte ihr, dass er unmöglich von der Insel zurückgeschwommen sein konnte, trotzdem überprüfte sie erst einmal die Rückbank und die Ladefläche des Geländewagens, bevor sie sich auf den Fahrersitz setzte.

Jens Petersen hatte zum Glück nicht abgeschlossen, aber den Zündschlüssel musste er bei sich haben, denn er steckte nicht im Schloss. Pia zögerte nur kurz, dann schloss sie das Auto kurz.

»Wo haben Sie denn das gelernt?«, fragte Bettina, als der Motor ansprang.

»Schlechte Gesellschaft, ist schon eine kleine Weile her«, antwortete Pia. Wie immer, wenn sie an den Toyota Jeep erinnert wurde, den ihr damaliger Freund Dede mit ihr zusammen vor einer Bar in Tarifa geklaut hatte, wurde ihr übel. Es fühlte sich so an, als hätte sie eine tote Maus in ihrem Magen. Die kleine Spritztour hatte damit geendet, dass sie das Auto mit einer hässlichen Schramme an der Tür auf einem Parkplatz am Strand hatten stehen lassen. Pia hatte es nie über sich gebracht, jemandem von dieser Begebenheit zu erzählen. Der Zweifel, wie sich ihre jetzige Laufbahn mit der Pia von damals in Einklang bringen ließ, saß tief.

An ihre Ankunft im Hotel erinnerte Pia sich später nur ungern. Ihre spärliche Bekleidung und die Wasserlache, die sich sofort zu ihren Füßen bildete, veranlassten Thomas Roggenau zu einem spöttischen Grinsen und Marten zu ein paar gereizten Bemerkungen. Einzig Kay Rohwer, der eigentlich unter Mordverdacht stand und deshalb anwesend war, schien froh und erleichtert zu sein, Bettina zu sehen. Pia gab kurz die nötigen Anweisungen und Informationen zu den jüngsten Ereignissen, dann verschwand sie auf ihrem Zimmer, um mit einer heißen Dusche die schmerzende Kälte aus ihren Gliedern zu vertreiben.

Oben angekommen, ließ sie einfach ihre durchnässten Sachen und Bettinas spärliche Kleidungsstücke auf den Fußboden fallen und drehte den Heißwasserhahn der Dusche voll auf. Im ersten Moment meinte sie, ihre Haut müsse sich abschälen vor Hitze, aber dann drang die Wärme tiefer in sie ein und vertrieb kurzfristig das Zittern. Sie wusste hinterher nicht mehr, wie lange sie unter dem heißen Wasserstrahl gestanden hatte. Ihrem Gefühl nach konnten es Minuten oder Stunden gewesen sein.

Irgendwann hörte sie, dass die Badezimmertür geöffnet wurde, und fuhr erschreckt zusammen. Sofort sah sie wieder Jens Petersens Gesicht vor sich. Es war jedoch nur Marten, der verlegen hereinschaute, um nachzusehen, wie es ihr ginge. Er teilte ihr mit, dass er eine groß angelegte Suchaktion nach Jens Petersen angeleiert habe. Er wollte gleich selber mit nach draußen gehen und sich daran beteiligen.

»Wieso Petersen, wieso hat er das getan?«, fragte Marten ein paar Minuten später ratlos. Pia saß auf dem Bett, eingewickelt in alle Decken, die im Zimmer zu finden gewesen waren.

»Er hat Bettina geliebt. Mehr, als gut für ihn war. Und sein Kind, die kleine Elise, war die Erfüllung all seiner Hoffnungen und Träume.«

»Aber Elises Tod war ein Unfall. Musste er gleich vier Menschen deswegen umbringen?«

Marten schien es nicht begreifen zu können.

»Er wollte nur Malte Bennecke töten. Seine Eltern hatten einfach das Pech, ihm quasi direkt mit vor die Flinte zu laufen. Außerdem hielt er sie indirekt wohl für mitschuldig. Alles, was folgte, war reiner Selbstschutz. Da hatte er jegliche Hemmschwelle bereits überschritten.«

Pia dachte mit Grauen an Petersens plötzliche Verwandlung. »Mit dem Tod seines einzigen Kindes, dessen Verlust er nicht einmal offen betrauern durfte, schwanden auch alle Hoffnungen auf ein Leben mit Bettina – auf eine Familie«, versuchte sie das Unbegreifliche zu erklären. Trotz der Decken zitterte sie.

Marten sah sie skeptisch an: »Der Arzt ist schon unterwegs. Hoffentlich hast du dir nichts Ernstes weggeholt bei deinem Ausflug.«

»Ich brauche keinen Arzt!«, erwiderte Pia ärgerlich. Im gleichen Moment fiel ihr auf, dass Agnes vor ein paar Stunden fast genau dasselbe gesagt hatte.

»Ich bin verantwortlich. Wenn dir was passiert, dann bin ich dran.«

»Ich hasse Ärzte. Vergiss es ...«

Sie musste sich jedoch eingestehen, dass die Benommenheit und die heißen Wellen, die ihr zu Kopf stiegen, durchaus ein ansehnliches Fieber ankündigen konnten.

»Was hast du dir bloß dabei gedacht, hast du überhaupt irgendetwas gedacht?«, ging Marten plötzlich auf sie los. Pia starrte ihn ungläubig an.

»Ich habe gerade den Mordfall Bennecke gelöst. Ich habe

dabei mein Leben riskiert, während du noch irgendwelchen falschen Verdächtigen hinterhergejagt bist. Und nun fängst du an, mir Vorwürfe zu machen?«, verteidigte sie sich.

»Ja genau: Weißt du eigentlich, wie gefährlich das war? Ihr hättet beide draufgehen können, du und Bettina Rohwer! Und nur, weil du so verdammt ehrgeizig bist, dass du sämtliche Verhaltensregeln über Bord geschmissen hast. Ich habe dir vertraut. Aber das kann uns beide den Kopf kosten!«

»Ach, darum geht es dir. Um dich, um nichts weiter. Wie du ausgesehen hättest, wenn mir was passiert wäre. Danke für dein Mitgefühl, aber nun verschwinde! Ich fühl mich gerade nicht besonders.«

»Pia Korittki, weißt du überhaupt, wie viele Fehler du in den letzten vier Stunden gemacht hast? Hast du auch nur einen Schimmer davon, wie Horst-Egon dich durch die Mangel drehen wird, wenn ich nicht … Du hast doch nicht die geringste Ahnung! Und ich Idiot hatte Angst um dich …«

Ein energisches Klopfen an der Zimmertür unterbrach ihn. Beide sahen zur Tür. Pia erwartete, den Arzt hereinkommen zu sehen, Zimmerpersonal oder sonst wen. Jedenfalls nicht den Mann, der nach kurzer Verzögerung ins Zimmer stürzte: Robert Voss.

Marten, der eben noch neben der Badezimmertür gestanden hatte, war plötzlich verschwunden.

»Pia. Wie siehst du denn aus?«

»Nass.«

»Das sehe ich, verdammt noch mal. Treib jetzt keine Scherze mit mir. Ich musste deine Mutter anrufen, um dich ausfindig zu machen. Das war ziemlich peinlich …«

Pia erinnerte sich schuldbewusst daran, dass sie ihn nicht über ihren Aufenthalt hier in Grevendorf informiert hatte.

»Warum hast du mich nicht angerufen?« Ihr Ton war trotz

allem angriffslustig. Die Demütigung der vergeblichen Fahrt nach Hamburg war ihr noch frisch in Erinnerung.

»Das ging nicht. Außerdem ... nach der Szene letztes Wochenende!«

»Szene?«

»Ich war echt sauer auf dich. Ich plane unsere gemeinsame Zukunft, und du redest davon, dass du dich eingeengt fühlst. Wenn ich dir nicht mal einen Umzug von Lübeck nach Hamburg wert bin, dann war es das wohl. Nur verstehen muss ich das nicht. Es lief doch alles bestens mit uns ...«

»Für dich vielleicht. Aber vergiss es einfach, es ist jetzt sowieso egal.«

»Was meinst du damit?« Robert kniff die Augen zusammen, und sie wünschte, sie könnte dieses schon lange fällige Gespräch führen, wenn sie sich weniger schwach und angegriffen fühlte. Sie dachte wieder an das verschwundene Foto und riss sich zusammen:

»Ich will nicht mehr. Dieses Hin und Her geht mir auf die Nerven. Und überhaupt: Wo hast du eigentlich gesteckt?«

»Ich hatte viel zu tun«, antwortete Robert in dem herablassenden Tonfall, der sie jedes Mal wütend werden ließ.

»Ich meine neulich Nacht ...«

»Pia, beruhige dich erst mal ...« Er fasste ihr mit kühler Hand an die Stirn. »Du glühst ja. Wir reden besser weiter, wenn es dir wieder gut geht.«

Die Wut in ihr kochte hoch und schwappte über:

»Es geht mir gut genug, um dir zu sagen, dass es aus ist!«

Robert starrte sie ungläubig an. Einen Augenblick sah es für Pia so aus, als würde er im nächsten Moment auf das Bett springen und sie schütteln. Aber er beherrschte sich.

Plötzlich verlagerte sich seine Aufmerksamkeit und er hob den Kopf, als wittere er etwas. Pia dachte an seinen Erfolg im

Beruf: Es hieß, er habe so etwas wie einen siebten Sinn. Er sah von der Badezimmertür zu ihr und wieder zurück. Mit drei schnellen Schritten war er dort und öffnete die Tür.

»Ach du!«, war der erstaunte Ausruf der beiden Männer, die sich plötzlich gegenüberstanden. Sie kannten einander offensichtlich. Die Sekunden dehnten sich zu Minuten, dann war Robert verschwunden.

Pia bekam einen der Situation unangemessenen, hysterischen Lachanfall. Sie war mit ihren Nerven am Ende und ihre Wangen glühten fiebrig.

»Tut mir Leid ...«, sagte Marten, bevor er den Raum verließ.

»Mir nicht, glaube ich ...«

Drei Tage später fanden zwei Reiterinnen am Ufer des Sees die Leiche von Jens Petersen. Er trieb mit dem Gesicht nach unten. Seine Beine hatten sich in ein paar Baumwurzeln verfangen, die ins Wasser ragten. In seiner Brieftasche fand man ein Foto von seiner verstorbenen Tochter, Elise Rohwer, und ein Flugticket nach Chile. Das Ergebnis der Obduktion lautete: Tod durch Ertrinken.

NACHBEMERKUNG DER AUTORIN

Die Handlung dieses Romans und sämtliche Personen sind frei erfunden. Eventuelle Namensgleichheiten oder Ähnlichkeiten wären reiner Zufall und sind nicht von mir beabsichtigt. Einige meiner Romanfiguren nehmen sich die Freiheit heraus, im Lübecker Polizeibehördenhaus zu agieren. Alle jene, die tatsächlich dort arbeiten, bitte ich, diesen Umstand großzügig zu tolerieren. Fantasiefiguren benötigen glücklicherweise in der Realität keinen eigenen Schreibtisch ...

Mein herzlicher Dank gilt meinem Mann und meiner Familie! Außerdem danke ich den vielen Mitmenschen, die mir geduldig und fachkundig meine Fragen zur Arbeit der Kriminalpolizei, juristischen Belangen, der Landwirtschaft, Jagdgewehren und einem holsteinischen Herrenhaus beantwortet haben. Alle möglichen faktischen Irrtümer gehen dabei zu meinen Lasten, nicht zu ihren.

Nichts ist tiefer als menschliche Abgründe
- ein neuer Fall für Pia Korittki

Eva Almstädt
OSTSEESÜHNE
Pia Korittkis
neunter Fall
Kriminalroman
368 Seiten
ISBN 978-3-404-16928-3

Im Feuerlöschteich auf einem Bauernhof entdeckt ein Postbote eine halb verweste männliche Leiche. Von den Bewohnern des Hofes, einem Ehepaar und seinem 16-jährigen als zurückgeblieben geltenden Sohn, fehlt jede Spur. Pia Korittki übernimmt die Ermittlungen - und findet heraus, dass vor Jahren ein merkwürdiges Gerücht im Dorf kursierte, dem jedoch nie jemand nachgegangen ist: Auf dem Hof soll damals ein Mädchen gefangen gehalten worden sein …

Bastei Lübbe